DIRK SCHERINGA: VERSPEELD KREDIET

Frits Conijn

Dirk Scheringa

VERSPEELD KREDIET

Het Financieele Dagblad / *Uitgeverij* Business Contact

Voor mijn vader, Piet Conijn.
Zonder hem had ik dit boek nooit kunnen schrijven.

Uitgeverij Business Contact, Amsterdam

Omslagontwerp: Rob Heideman, FD
Omslagfoto: Evert Elzinga/ANP
Foto auteur: Ngoc Binh Tran, FD

ISBN 978 90 470 0397 7
D/2010/0108/346
NUR 801

www.businesscontact.nl
www.fd.nl

Inhoud

Inleiding

Helder wit of gitzwart. Over Dirk Scheringa van DSB Bank wordt vrijwel uitsluitend gesproken in extremen. Sluw en naïef, dief en weldoener, hoogmoedig en nederig. Sommigen vinden hem een ordinaire woekeraar, anderen leggen vooral de nadruk op zijn ongekende opmars op de maatschappelijke ladder. Het komt in Nederland immers niet vaak voor dat een zoon van een kaasmaker het brengt tot bankdirecteur, eigenaar van een voetbalclub en oprichter van een museum.

En dat terwijl Scheringa zichzelf vooral erg gewoon vindt. Bij de lunch eet hij het liefst een bruine boterham met kaas, al dertig jaar klaverjast hij wekelijks met dezelfde vrienden, en in het weekend bezoekt hij een voetbalwedstrijd. Hij schiep een bedrijf naar zijn evenbeeld. Gewoon geld voor gewone mensen die een paar jaar eerder willen genieten van hun auto of nieuwe keuken.

Maar gewoon bleek uiteindelijk toch niet zo gewoon. Anders dan bij andere banken was hij zowel eigenaar als directeur van zijn bedrijf. Daardoor was hij aan niemand verantwoording schuldig en kon hij zijn eigen gang gaan. Voor de toezichthouders was dat al langer een onacceptabele situatie. De verknoping van DSB Beheer, de moederorganisatie, en DSB Bank zou ook een gevaarlijke constructie blijken te zijn. Scheringa hield zich doof, bleef overtuigd van de kracht van zijn bedrijf en wilde pas op het laatste moment aanpassingen maken.

Maar toen liep hij al achter de feiten aan. Want sinds de lente van 2009 groeide de kritiek op zijn 'slinkse' producten en moest hij op twee fronten oorlog voeren. Slachtoffers vertellen regelmatig op emotionele toon het verhaal dat zij niet meer aan hun verplichtingen kunnen voldoen en dat zij zijn opgelicht. Zij kunnen geen kant meer op omdat zij door allerhande ingewikkelde financiële constructies niet kunnen overstappen naar een andere bank.

Dat is te veel voor Scheringa en met een donderend geraas stort zijn imperium in elkaar. Zeker als op 1 oktober Pieter Lakeman spaarders oproept hun geld terug te trekken, is het einde niet meer te vermijden. Wekenlang wordt over het sensationele faillissement bericht op de voorpagina's van de kranten en ook op televisie wordt veel aandacht aan deze zaak besteed.

Scheringa blijft ondertussen vooral naar anderen wijzen. Natuurlijk, ook hij heeft fouten gemaakt, maar zijn schuldbekentenis duurt nooit langer dan een bijzin. Verder verkopen de andere banken dezelfde producten, vergeten zijn klanten hun eigen verantwoordelijkheid en wordt hij door de Nederlandsche Bank en de Autoriteit Financiële Markten gebruikt als een zondebok. Hij behoort immers niet tot de elite en is daarom een makkelijk slachtoffer.

In april 2009 had ik samen met een collega een interview met Scheringa voor *Het Financieele Dagblad*. Het gesprek duurde een uur of drie, en toen wij na afloop weer buiten stonden, keken wij elkaar verbijsterd aan. Hij zag geen enkele strijdigheid tussen zijn kordon bewakers en zijn geclaimde gewoonheid, voelde zich niet bedreigd door goede mensen in zijn bedrijf omdat hij zelf toch de beste was en hij bemoeide zich als directeur van een groot bedrijf zelfs met de kleurkeuze voor het toilet.

Wie is deze man, wat zijn zijn wensen en gevoeligheden en waarom is hij altijd in gevecht met de autoriteiten? Hoe kreeg hij het voor elkaar de Nederlandse bevolking wekenlang in zijn ban te houden en vooral: in hoeverre hangt de ondergang van het bedrijf samen met zijn karakter, met zijn opvoeding, met zijn huwelijk met Baukje de Vries en met de relatie met zijn collega-bankiers? Dat zijn de vragen die ik in het boek *Dirk Scheringa, Verspeeld krediet* probeer te beantwoorden.

Voor dit boek heb ik vele betrokkenen geraadpleegd. Vrijwel zonder uitzondering wilden de bronnen alleen informatie geven als ik hun naam niet zou vermelden. In totaal heb ik bijna zeventig gesprekken gevoerd. In vijfentwintig gevallen gaat het om mensen die verbonden waren of zijn aan DSB Bank en twintig keer staan de bronnen op grotere afstand van het bedrijf, maar hebben zij als collega-bankier of toezichthouder met Scheringa en zijn producten te maken gehad. Wat betreft de sportploegen heb ik met vijf mensen gesproken, en in dertien gevallen hebben de geïnterviewden betrekking op het persoonlijk leven van Scheringa. Voor de kunst heb ik vier bronnen gevonden. Daarvan wil ik met name de in kunstverzamelaars gepromoveerde Renée Steenbergen noemen. Zonder haar had ik het zesde hoofdstuk nooit kunnen schrijven. Uiteraard heb ik verder zo veel mogelijk artikelen en boeken gelezen die over de gang van zaken werden gepubliceerd.

In het begin sprak ik ook met Dirk Scheringa zelf, maar na een meningsverschil werd het contact min of meer verbroken. Op de eerste drukproef van dit boek die ik hem toestuurde, met het verzoek om feitelijke correcties, kreeg ik de volgende reactie: 'Beste Frits, ik heb mijn verhaal over wat er bij DSB gebeurd is exclusief aan Kirsten Verdel verteld voor het boek Project Homerus. Dat heb ik ook op feitelijke onjuistheden doorgenomen. Ik ben niet in staat dat ook voor jouw boek te doen, daarvoor is er te weinig tijd en staan er veel te veel zaken in die niet kloppen. Ik kan dan ook niet zeggen dat ik mij en de situaties die je beschrijft in je boek herken, dat helaas uitpuilt van de feitelijke en andere onjuistheden. Groet, Dirk.' Naar aanleiding van deze opmerkingen vroeg ik of hij wel wilde reageren als hij meer tijd zou krijgen. Maar ook op dat voorstel is hij niet ingegaan. Tegelijkertijd heb ik het manuscript ter controle ook laten lezen aan een aantal mensen die lange tijd bij DSB hebben gewerkt. Die gaven aan de situaties en de rol die Scheringa daarin heeft gespeeld wel degelijk te herkennen.

Verder heb ik een groot aantal gesprekken gevoerd over de aanpak van dit project. Van deze mensen heb ik wel toestemming gekregen om hun naam te noemen. In de eerste plaats gaat mijn dank uit naar Pim van Tol en Annemie Michels van uitgeverij Business Contact. Ook ben ik mijn collega's Pieter Lalkens en Siem Eikelenboom bijzonder erkentelijk omdat ik van hun artikelen gebruik mocht maken.

In de meer persoonlijke sfeer gaat mijn dank uit naar mijn goede vrienden Joost Schmets, Gerda Wentink, Leonard de Jong, Kunieke Luth, Paul Mouwes, Bart Res, Ton Olde Monnikhof en Frans Geraedts. En natuurlijk naar Simon Maziku die tijdens het schrijven zonder morren het grootste deel van het huishouden voor zijn rekening heeft genomen.

Frits Conijn
november 2010

1

Pure chaos

Donderdag 15 oktober 2009, rond half twaalf 's avonds. In het gebouw van de Nederlandsche Bank aan het Amsterdamse Frederiksplein neemt bestuursvoorzitter Piet Moerland van Rabobank namens zijn collega's van ING, ABN Amro, SNS, Fortis en Van Lanschot het woord. 'Wij gaan de redding van DSB niet voor onze rekening nemen', laat hij het gezelschap weten. Daarmee komt een einde aan een vergadering die een aantal aanwezigen omschrijven als bizar en surrealistisch. Naar hun idee trekken de bestuursvoorzitters de conclusie niet alleen vanwege de belabberde financiële situatie van het bedrijf uit het West-Friese Wognum, maar ook vanwege de totaal ontbrekende regie en coördinatie. Met als gevolg dat het levenswerk van Dirk Scheringa weer een stap dichter bij het faillissement is gekomen.

15 oktober 2009, zeven uur 's avonds. De bijeenkomst begint als de eerste bestuurders van de Nederlandse grootbanken zich melden bij de poort van de centrale bank van Nederland. De chauffeurs parkeren de wagens op de binnenplaats en de bankiers worden ontvangen in de hal naast de grote vergaderzaal waar de schilderijen hangen van bijna alle vorige centralebankpresidenten. Links en rechts worden handen geschud en een cateraar zet in de tussentijd een buffet klaar. Dat maakt weinig indruk op de aanwezigen: niemand weet meer wat hij die avond precies heeft gegeten. 'Iets Italiaans of Chinees, het rook in ieder geval een beetje weeïg'; veel meer levert een zoektocht in het geheugen niet op.

De vertegenwoordigers van DSB Bank hebben het wat dat betreft beter voor elkaar. Zij zijn nog niet gearriveerd op het Frederiksplein, maar gebruiken de maaltijd bij het Van der Valk-restaurant in de buurt van luchthaven Schiphol. Scheringa, financieel bestuursdirecteur Ronald Buwalda en 'chief risk officer' Robin Linschoten hebben de afgelopen twee weken elke avond op kantoor Chinees gegeten en kunnen geen bami of loempia meer zien. Dus zijn ze blij met de Hollandse pot en wordt voor iedereen een biefstuk, gebakken aardappeltjes, een salade en een flesje cola besteld. Een ober begeleidt de delegatie naar een tafeltje achter in de zaal, zodat in alle rust de ontwikkelingen van eerder die dag besproken kunnen worden. Dat is geen overbodige maatregel. Door de problemen met zijn bedrijf is Scheringa de afgelopen weken regelmatig op televisie verschenen en definitief doorgedrongen tot de rijen der bekende Nederlanders. Bij zijn binnenkomst draaien de overige gasten hun hoofd om een glimp van hem te kunnen opvangen. 'Het was een bonte vertoning', grinnikt een van de aanwezigen bij de herinnering. 'Even had ik het vermoeden dat hij handtekeningen moest uitdelen.'

Scheringa en zijn metgezellen worden heen en weer geslingerd tussen optimisme en angst voor een fatale afloop. Zij voeren nog volop onderhandelingen over een overname. Zo heeft de Turks-Nederlandse Credit Europe Bank in de ochtend belangstelling getoond en later is een fondsmanager van de Amerikaanse zakenbank Merrill Lynch niet bij voorbaat afwijzend. Deze partijen zien in DSB Bank misschien een middel om hun Europese ambities vorm te geven. Ook een besluit van de rechter geeft nieuwe energie om naar oplossingen te blijven zoeken. Hij heeft rond het middaguur laten weten dat de Nederlandsche Bank de op 11 oktober afgekondigde noodregeling onvoldoende heeft onderbouwd en dat hij deze dus niet zal bekrachtigen. In Wognum wordt deze uitspraak gevierd als een overwinning.

15 oktober 2009, kwart voor drie 's middags. Scheringa, Buwalda en Linschoten arriveren op het ministerie van Financiën. Daar wordt hen door een bode verzocht in een apart kamertje plaats te nemen. Wouter Bos is nog niet klaar met zijn vorige afspraak en laat bijna een uur op zich wachten. Dit tot grote ergernis van Scheringa en de andere leden van de delegatie. Zij zien in deze behandeling een nieuw bewijs van de onwil van de minister. Tijdens het spoeddebat die middag in de Tweede Kamer gaf Bos namelijk in eerste instantie aan geen tijd te hebben voor overleg. Toen de directie van DSB dat via de televisie hoorde, werd vanuit het kantoor van Scheringa snel een sms'je gestuurd naar onder anderen Kamerlid Ewout Irrgang van de Socialistische Partij. Die gaf gehoor aan het verzoek druk uit te oefenen op de minister en liet hem weten dat hij dan maar zijn agenda moest vrijmaken. 'Dit is te belangrijk', zei hij tijdens een interpellatie.

Uiteindelijk wordt het gezelschap toegelaten in de kamer van Bos. Daar zitten dan al enkele hooggeplaatste ambtenaren van het ministerie, onder wie Erik Wilders van het Agentschap van het ministerie van Financiën en thesaurier-generaal Ronald Gerritse. Scheringa begint met een inleiding en dankt Bos dat die hem op zo'n korte termijn kan ontvangen. Vervolgens geeft Buwalda uitleg over de financiële consequenties van de regeling met de ontevreden klanten over koopsompolissen en overkreditering, en Linschoten laat zijn licht schijnen over de juridische kanten van deze kwestie. Bos spreekt van een duidelijk verhaal en zegt twee van zijn mensen vrij te zullen maken voor een nader onderzoek.

Maar daar blijft het bij. Bos doet geen toezeggingen over financiële steun of over een garantieregeling. Hij hoort de argumenten van DSB onderuitgezakt in zijn stoel aan en lijkt geen werkelijke interesse te tonen. Hij veert alleen op wanneer besproken wordt welke mededeling aan de massaal verzamelde pers zal worden gedaan. 'Laten we maar zeggen dat het een constructief overleg is geweest', zegt de minister tot besluit van de bijeenkomst. 'Toen vergaten wij te vragen wat hij daar precies mee bedoelde', zal een lid van de DSB-delegatie later mopperen. 'Daar heb ik nog steeds spijt van.' Na dit teleurstellende onderhoud van ongeveer drie kwartier vertrekt het gezelschap via het restaurant bij Schiphol naar het Frederiksplein.

Als Scheringa en zijn bestuursleden na het diner naar de hal worden begeleid, maken zij nog grapjes. 'Jongens, ik heb het lek gevonden.' Het pand van de centrale bank wordt verbouwd en de loodgieters zijn niet in staat gebleken het dak waterdicht te krijgen. Overal staan grote teilen om de gevolgen van de lekkage in te perken. 'Het lek' is een verwijzing naar een kwestie van een paar dagen eerder. Toen kondigde president Nout Wellink van de Nederlandsche Bank een noodregeling af waarmee dit instituut feitelijk de macht in Wognum zou overnemen. Tot grote ergernis van Scheringa doen *Het Financieele Dagblad* en *de Volkskrant* uitgebreid verslag van de maatregel, die geheim had moeten blijven. De publicatie van het nieuws zorgt namelijk voor hernieuwd wantrouwen bij de klanten, zodat die uit alle macht proberen hun spaargeld op te nemen. Een verdere verzwakking van de financiële positie van DSB Bank is het resultaat.

De binnenkomst van Scheringa veroorzaakt een pijnlijke stemming in de hal. Hij krijgt geen hand van de andere bankiers, niemand vraagt hoe het met hem is na de slopende weken die hij achter de rug heeft. Zelf onderneemt hij ook geen poging met iemand een gesprek aan te knopen en hij maakt een verloren indruk. Vervolgens maakt een van de leden van de DSB-delegatie een grote fout door te zeggen dat Scheringa na afloop van de vergadering zal optreden in het televisieprogramma van Pauw & Witteman. Door tijdgebrek zal het zover niet komen, maar wel vragen de bankiers zich geërgerd af waar Scheringa mee bezig is. 'Hij grijpt zich niet vast aan een van de laatste strohalmen, maar opent alweer de volgende aanval', zegt een van hen. Zijn toch al geringe sympathie voor de man uit Wognum daalt nu tot onder nul.

Dit heeft tot gevolg dat de vergadering om half acht van start gaat onder een slecht gesternte. President Nout Wellink neemt de opening voor zijn rekening en dankt de aanwezigen dat zij op het laatste moment hun agenda hebben vrijgemaakt. Dat laat naar zijn idee de bereidheid zien om DSB Bank een laatste kans te geven. Dan krijgt de delegatie uit Wognum de kans om haar zaak te bepleiten. Scheringa zegt volgens de bankiers op een beetje zielige toon dat hem in het belang van de klanten en de medewerkers veel gelegen is aan een redding, Buwalda legt uit dat maandelijks elf miljoen euro aan rentemarge binnenkomt en hoe verder op de kosten kan worden bespaard, bijvoorbeeld door geen reclame meer te maken. Tot slot neemt Linschoten het juridische deel voor zijn rekening. De namens DSB inmiddels aangeschoven commissaris Age Offringa en bewindvoerders Joost Kuiper en Rutger Schimmelpenninck laten zich niet horen.

Buwalda probeert nog met een grapje het ijs te breken. Tijdens zijn pleidooi over het bestaansrecht van DSB wijst hij op de inmiddels tot honderd procent gegroeide naamsbekendheid van de bank. Door de stormachtige ontwikkelingen van de afgelopen weken vult het bedrijf vrijwel dagelijks de voorpagina's van de kranten. 'Ook de buitenlandse pers heeft over ons geschreven, dus ook daar liggen nog volop kansen', zegt de financieel directeur. De bankiers en ambtenaren grinniken om deze kwajongensachtige poging de rampspoed een positieve duiding te geven. Het zal een van de laatste vrolijke noten van de avond zijn.

Vervolgens krijgen de bankiers de gelegenheid nog enkele vragen te stellen aan Scheringa en zijn gezelschap. De jaarrekening geeft maar een beperkt beeld van de werkelijkheid, en de aanwezigen willen bijvoorbeeld weten in hoeverre de risico's zijn verzekerd. 'Wij hebben oprecht geprobeerd meer duidelijkheid te krijgen', zegt een van de bankiers. 'Maar de antwoorden waren uitermate naïef. De afwijkingen waren groot genoeg om een vrachtwagen een vrije doortocht te geven en het bleef volstrekt duister waar het eigen vermogen vandaan moest komen om de plannen te realiseren.'

Tijdens de toelichting wekt Scheringa herhaaldelijk de ergernis van zijn collega's. Hij schoffeert ze door ze in de rede te vallen en laat blijken dat hij de gestelde vragen maar onzinnig vindt. Naar zijn idee spreken de cijfers voor zich en hebben de bestuursvoorzitters van de andere banken onvoldoende kennis van zaken. 'Hij maakte soms ook een arrogante indruk', zegt een van de aanwezigen. 'Dat deed hij geloof ik niet met opzet. Maar zijn gewone manier van doen past niet bij de cultuur van de sector.'

Na de vragenronde gaat het gezelschap in aparte groepen uiteen. De vertegenwoordigers van DSB Bank verdwijnen naar de wachtkamer, en de bankiers vergaderen in een andere zaal. Nout Wellink en Henk Brouwer, directeur toezicht van de Nederlandsche Bank, gaan niet met de laatste groep mee. Zij trekken zich terug op het kantoor van Brouwer. Daarom is het voor de centralebankiers onmogelijk om invloed uit te oefenen op het verdere verloop van de besprekingen. Het wordt duidelijk dat de Nederlandsche Bank tot op het laatst vasthoudt aan haar neutraliteit en op afstand blijft. De toezichthouder wil niet de verantwoordelijkheid dragen voor een regeling die later onder haar controle valt.

Scheringa en zijn kompanen zijn het wachten al snel beu. Na een ongeveer een half uur ijsberen gaan zij naar de grote vergaderzaal voor het geval een van de andere bankiers aanvullende vragen wil stellen. Daar treffen zij de achtergebleven bewindvoerders van DSB Bank aan. Schimmelpenninck en Kuiper distantiëren zich nadrukkelijk van de delegatie en zijn druk bezig hun aantekeningen van de vergadering uit te werken. 'Toch wel handig dat wij zijn gekomen', zegt een van hen. 'Ik heb hier veel geleerd over het verdienmodel van DSB.' *Wat heb je dan de afgelopen weken gedaan?* vragen de DSB-bankiers zich in stille verbijstering af.

Als de vragen niet komen, besluiten Scheringa en Buwalda contact te zoeken met de president van de Nederlandsche Bank. Zij kloppen op de deur van het kantoor van Henk Brouwer en worden zonder problemen binnengelaten. Wellink heeft een van zijn benen op een tafeltje gelegd. Die houding verzacht de pijn van een handicap die hij tijdens zijn studententijd heeft opgelopen. In deze ruimte wordt niet veel meer besproken, alleen voelt de president volgens de DSB-delegatie tot drie keer toe de behoefte om de ratio achter de zogenoemde *haircut* uit te leggen. Door die maatregel kan DSB bij de Europese Centrale Bank niet meer 1,8 miljard euro lenen, maar nog slechts 1 miljard euro. Tot woede van DSB is die verlaging pas afgekondigd op 5 oktober 2009, als het bedrijf al in zwaar weer zit. Maar volgens de Nederlandsche Bank zijn de uitstaande hypotheken die als onderpand voor de leningen worden afgegeven door de problemen minder waard geworden. Die kunnen leiden tot een gedwongen verkoop en als de financiële markten bloed ruiken, wordt de opbrengst lager. Dan zou de Europese Centrale Bank mogelijk met een forse strop worden opgezadeld. Dat willen Wellink en Brouwer voorkomen. 'Bovendien is een belening van 1 miljard euro op een balans van bijna 8 miljard euro de limit', zegt Wellink. Die redenering wordt op zich niet bestreden, maar wel leveren de DSB-bestuurders kritiek op het tijdstip van de maatregel. 'Dit had u ons twee jaar terug bij de introductie moeten laten weten', luidt hun repliek. 'Als wij toen hadden geweten dat de regeling minder ruim was, hadden wij op zoek kunnen gaan naar een andere nooduitgang.' Op deze klacht komt voor DSB geen bevredigend antwoord, maar volgt slechts een herhaling van de eerdere argumenten.

Ondertussen buigen de zes Nederlandse grootbanken zich in hun vergaderzaal over de redding van DSB Bank. De aanwezigen zijn zich terdege bewust van de nadelen van een faillissement. In de eerste plaats moeten de banken dan forse bedragen bijdragen aan het depositogarantiestelsel. Deze regeling is bedoeld om te voorkomen dat spaarders, onder bepaalde voorwaarden en tot een maximum van 100.000 euro, hun tegoeden kwijtraken. Maar het belang van een redding is niet alleen financieel van aard. Bij een val van DSB loopt ook het onder invloed van de kredietcrisis toch al zwaar aangetaste vertrouwen van het publiek in vooral de kleinere banken een nieuwe deuk op.

Tijdens de vergadering wordt serieus gekeken naar de zogenoemde *funding*. Wil DSB overleven, dan moet het mogelijk zijn aan de uitstaande verplichtingen te voldoen. Dus proberen de bankiers in kaart te brengen hoeveel geld de komende tijd nodig is. Ter voorbereiding hebben de medewerkers van alle banken hun sommetjes gemaakt. Iedereen is tot de overtuiging gekomen dat de 100 tot 150 miljoen euro die Scheringa vraagt voor de versterking van het eigen vermogen onvoldoende is. Weliswaar heeft het bedrijf dan een voor normale tijden ijzersterke solvabiliteit, maar nu het water tot de lippen staat, wordt eerder gedacht aan 400 miljoen euro.

Dat is weliswaar een fors bedrag, maar toch nog altijd dertig procent minder dan de kosten die aan een faillissement van DSB Bank zijn verbonden. Als gevolg van het depositogarantiestelsel moeten de banken dan in totaal ongeveer 600 miljoen euro opzijleggen. Aangezien iedereen naar marktaandeel moet bijdragen, komt het leeuwendeel van deze kosten voor rekening van ING en Rabobank. Dat zijn immers de grootste partijen op de Nederlandse spaarmarkt. Bij beide instellingen wordt gerekend op een bedrag van 150 miljoen euro.

De keuze lijkt dus eenvoudig. Rabo neemt DSB onder zijn vleugels en stort een bedrag van 300 miljoen euro in een zogenoemde *special purpose company*. Voor de overige banken resteert dan nog slechts 100 miljoen euro. Wanneer DSB eenmaal bij Rabo is ondergebracht, wordt geprofiteerd van het goede imago van deze coöperatieve bank en kan het vertrouwen van de financiële markten herstellen, zodat geld lenen weer tot de mogelijkheden behoort. Op die manier worden de liquiditeitsproblemen overwonnen en boeken de banken ten opzichte van het depositogarantiestelsel een winst van 200 miljoen euro. Vervolgens kan de special purpose company rustig de tijd nemen om bezittingen als de hypotheekportefeuille te verkopen of gewoon tot het einde van de looptijd van de hypotheken of leningen de rente-inkomsten te incasseren. Dat zal allicht een betere prijs opleveren dan wanneer de afbouw onder grote tijdsdruk moet gebeuren.

En toch wordt over deze ogenschijnlijk voordelige constructie geen overeenstemming bereikt. Dat is vooral te wijten aan een gebrek aan informatie. De omvang van de recente afschrijvingen is onbekend en ook over de genomen voorzieningen op de zwaar bekritiseerde producten tasten de bankiers in het duister. Bovendien vrezen de aanwezigen de gevolgen van de jarenlange ronselpraktijken van DSB Bank waarbij met agressieve verkoopmethoden tegen hoge provisies leningen zijn verkocht. Het is goed mogelijk dat in de toekomst meer klanten een financiële genoegdoening zullen eisen. Naar de totale som die daarmee is gemoeid, kan deze avond slechts worden gegist.

De bankiers zijn van mening dat het ministerie van Financiën dit risico moet afdekken. Zij vragen daarom een garantie van 5 miljard euro. Hoewel onduidelijk blijft hoe zij dat bedrag hebben berekend, blijkt dit een belangrijk breekpunt tijdens de onderhandelingen. Maar het ministerie wil alleen garanties verstrekken voor 'in de kern gezonde' bedrijven, een oordeel dat moet worden uitgesproken door de Nederlandsche Bank. Als duidelijk wordt dat de toezichthouder niet bereid is te stellen dat daar sprake van is en het ministerie dus niet over de brug wil komen, blijft van het toch al geringe enthousiasme van de bankiers niets meer over.

Ook over de verknopingen van DSB Bank met het museum van Scheringa en met zijn voetbalclub AZ bestaat grote onduidelijkheid. Deze activiteiten zijn ondergebracht in DSB Beheer dat voor het jaarverslag over 2008 geen goedkeuring heeft gekregen van de accountant. Daardoor is dit document nooit gepubliceerd en hebben de bankiers geen idee van de langlopende verplichtingen van DSB Bank richting de hobby's van Scheringa. De angst voor lijken in de kast maakt de aanwezigen deze avond uiterst terughoudend.

Voor de laatste gegevens over DSB Bank kunnen de bankiers wel gebruik maken van het jaarverslag over 2008. Maar daar durven zij niet blind op te varen. Door de verzuurde verhouding tussen DSB en de andere banken gelooft niemand meer in de juistheid van de cijfers die Scheringa eerder heeft afgegeven. Iedereen heeft in het recente verleden wel verhalen gehoord over opgepoetste balansen en verborgen kosten. Voor een eigen boekenonderzoek ontbreekt de tijd en dus wordt voor een update van de financiële situatie gekeken naar de Nederlandsche Bank en het ministerie.

Op de 15de oktober blijkt de politiek niet te willen ingrijpen, ook niet voor een korte periode. Zo hebben de meeste afgevaardigde ambtenaren niet het recht om namens Wouter Bos te spreken. Bij het ministerie bestaat grote onzekerheid over de rol die het heeft gespeeld bij de eerdere reddingsoperaties van onder andere ABN Amro, Fortis, ING en SNS. De ambtenaren en de minister vragen zich af of zij wel de juiste procedure hebben gevolgd en of zij wel de juiste prijs hebben betaald. Met als gevolg dat zij bij DSB niet opnieuw hun vingers willen branden. Ook niet omdat zij dan weer een beschamende reis naar Brussel moeten maken om toestemming voor hun steun te vragen van de Europese autoriteiten.

Tijdens het hele proces schittert het ministerie door afwezigheid. Al een paar weken eerder, toen de situatie bij DSB nijpend werd, was het verstandig geweest onder het voorzitterschap van dit instituut speciale werk- en stuurgroepen te formeren. Die hadden net als bij eerdere reddingsoperaties geen plaats moeten bieden aan de toppers van de banken, maar aan medewerkers van de werkvloer. Die zijn immers in staat de waarde van een bank te bepalen en een goede inschatting te maken van de kasstromen. Weliswaar ontbreekt het de bestuursvoorzitters en financiële leiders niet aan intelligentie, maar van hen kan niet worden verwacht dat zij tot in detail op de hoogte zijn van de problemen en de mogelijke oplossingen. Maar de werkgroepen komen nooit tot stand en de bankiers hebben het gevoel volledig op zichzelf te zijn aangewezen.

Hier wreekt zich onder andere de sterk veranderde personele situatie bij het ministerie. Ervaren mensen als directeur Financiele Markten Bernard ter Haar, die het belang kennen van een goede relatie met de financiële wereld, zijn vertrokken, waardoor de persoonlijke verhoudingen vrijwel zijn verdwenen. Verder is door de kredietcrisis een groot aantal banken feitelijk voor een belangrijk deel in handen van de overheid. De staat is aandeelhouder geworden en heeft duidelijk moeite om aan die nieuwe rol een goede invulling te geven. 'De afstand is toegenomen, van intimiteit is geen sprake meer', zegt een bankier later. Na enig nadenken voegt hij daaraan toe: 'Dat had nooit mogen gebeuren.'

Dit probleem is nog groter omdat het de meeste bestuursvoorzitters aan ervaring ontbreekt. Piet Moerland van Rabobank, Ronald Latenstein van SNS en Jan Hommen van ING zijn pas sinds kort aangetreden. Verder moet Gerrit Zalm van ABN Amro verstek laten gaan omdat hij bij DSB heeft gewerkt. In zijn plaats wordt Joop Wijn afgevaardigd. Om de chaos compleet te maken is Fortis door de naweeën van de overname van ABN Amro zo goed als vleugellam. Alleen Floris Deckers van Van Lanschot heeft voldoende dienstjaren, maar zijn bank is te klein om de leiding op zich te nemen. Geen wonder dat tijdens de vergadering het woord vooral wordt gevoerd door de financiële bestuurders. Die hebben meer kennis van de problematiek, maar zijn van nature erg voorzichtig en staan bij wijze van spreken bij voorbaat al op de rem.

Door de samenstelling van de vergadering wordt aan een aantal belangrijke kwesties weinig aandacht besteed. Zo stellen vooral de kleinere banken vragen over de gevolgen van een faillissement voor het herstel van het vertrouwen van het grote publiek in hun bedrijven. 'Dat herstel wordt door de val met drie à vier maanden vertraagd', zegt een bankier. Maar de grote banken zien minder problemen; volgens hem hebben de activiteiten van DSB een radicaal ander karakter. 'Alsof de man in de straat dat waarneemt', schampert de bankier.

Met weemoed wordt tijdens de vergadering teruggedacht aan de jaren negentig. Toen was ABN Amro in Nederland nog de onbetwiste marktleider. In het geval van een faillissement pakte bestuursvoorzitter Roelof Nelissen de telefoon om zijn collega's te mobiliseren en was een oplossing over het algemeen snel gevonden. Maar door de overnameperikelen waarbij de bank eerst in handen kwam van Royal Bank of Scotland, Santander en Fortis, om later toch weer een zelfstandig bestaan te krijgen, is het gezag verloren gegaan. Rabobank is de logische opvolger, maar door de coöperatieve structuur heeft deze bank onvoldoende slagkracht. Het duurt eenvoudigweg te lang voordat de voorstellen door alle afdelingen zijn goedgekeurd, en het centrale gezag durft het niet aan deze afdelingen voor een voldongen feit te stellen.

Ook de collectieve compensatieregeling zorgt voor de nodige huiver onder de bankiers. Begin oktober heeft DSB overeenstemming bereikt met de Stichting Steunfonds Probleemhypotheken onder leiding van Jelle Hendrickx over een vergoeding voor benadeelde klanten. Maar vrijwel alle banken hebben zich schuldig gemaakt aan overkreditering en aan de verkoop van koopsompolissen met gigantische vergoedingen. Als zij DSB Bank overnemen, dan ligt het voor de hand deze regeling ook op hun eigen probleemgevallen van toepassing te verklaren. En dat zou een zware wissel trekken op hun winstcijfers, die door de kredietcrisis toch al onder grote druk staan.

Tot slot betekent een overname van DSB dat de bankiers moeten onderhandelen met Scheringa over de prijs van zijn aandelen. Volgens het geruchtencircuit heeft hij daar een aantal weken eerder al een voorschot op genomen. In een gesprek met een aantal bankdirecteuren zou hij een behoorlijk bedrag hebben geëist voor zijn eigendomsbewijzen. Volgens hem is het onrechtvaardig dat de banken voor hooguit 150 miljoen euro een bedrijf kunnen kopen dat naar zijn idee nog een waarde heeft van meer dan 1 miljard euro. Maar de bankiers zouden van mening zijn dat een dergelijke transactie vanuit moreel oogpunt ten opzichte van de klanten van DSB Bank niet te verantwoorden is.

Bovendien vinden zij het zo langzamerhand onverdraaglijk met Scheringa nog op voet van gelijkwaardigheid te moeten spreken. Hij is uitgespeeld en het eisenpakket versterkt de weerzin tegen zijn persoon en zijn bedrijf. Die uit zich deze avond bijvoorbeeld in de schimpscheuten richting de onprofessionele bedrijfsvoering van DSB, de geitenwollen sokken van Scheringa en de onbetrouwbaarheid van Hans van Goor, de tweede man in de raad van bestuur. Van mededogen is absoluut geen sprake meer.

De precieze kosten en gevolgen van een reddingsoperatie blijven hoogst onzeker, die van een faillissement laten zich nauwkeuriger berekenen. Dit heeft tot gevolg dat in deze onzekere crisistijd voor de veiligheid wordt gekozen. Liever betalen de bankiers een hoger bedrag dan dat zij risico's nemen die zij niet kunnen inschatten. Alleen over de derivatenpositie van DSB wordt nog geruime tijd gesproken. Het bedrijf uit Wognum heeft deze afgeleide producten gebruikt om de solvabiliteit op te vijzelen, maar op de 15de oktober zijn deze posities minder waard dan toen zij werden afgesloten. Bij een faillissement moeten de banken ook voor dat verschil opdraaien. Hoewel de omvang van die schade onduidelijk blijft, wordt besloten dat verlies dan maar te nemen.

Het laatste deel van de avond is eigenlijk meer een voorstelling voor de bühne. Als de stuurloze vergadering te snel wordt beëindigd, bestaat het gevaar dat in de media de indruk ontstaat dat de bankiers niet serieus werk hebben gemaakt van de reddingsoperatie. Dus besteden de aanwezigen een groot deel van de tijd aan hun eigen bezigheden. Joop Wijn van ABN Amro verlaat bijvoorbeeld regelmatig de zaal om via zijn mobiele telefoon mensen te woord te staan. Niemand weet waar deze gesprekken over gaan, maar wel is duidelijk dat die geen betrekking hebben op DSB. En dat terwijl deze voormalige politicus als geen ander in staat is om de contacten met het ministerie van Financiën en de Kamerleden te onderhouden.

Maar rond half elf verandert de stemming. Dan komt de vraag op tafel over hoe de wachtende pers van het besluit op de hoogte moet worden gebracht. De bankiers bellen driftig met hun voorlichters om te overleggen over de formuleringen die de minste schade toebrengen aan het imago van hun bedrijf. Het blijkt niet eenvoudig om alle banken op dezelfde lijn te krijgen en steeds weer worden varianten verworpen. Uiteindelijk wordt aan deze gevoelige kwestie meer dan een uur besteed. Op dat moment weten de vertegenwoordigers van DSB en de Nederlandsche Bank nog van niets.

Die worden pas ingelicht als iedereen zich weer verzamelt in de grote zaal. Piet Moerland van Rabobank zegt dat de toezeggingen voor de versterking van het eigen vermogen helaas tekortschieten. Vervolgens laat Henk Brouwer van de Nederlandsche Bank weten dat het bedrijf niet in aanmerking komt voor staatssteun en daarmee niet levensvatbaar is. Volgens de bronnen blijft Scheringa rustig, maar laat hij wel weten dat naar zijn idee sprake is van een 'wrange' gang van zaken. Maar hij kan geen invloed meer uitoefenen op de uitkomst. Tot slot van de vergadering wordt de inhoud van het persbericht nog afgestemd met Nout Wellink en Henk Brouwer. Die maken weinig bezwaren tegen het eerder opgestelde concept waarop de bankiers snel naar de hal kunnen voor de afsluitende borrel.

De vertegenwoordigers van DSB Bank zijn dan al vertrokken. 'Na deze vergadering hadden wij natuurlijk geen zin meer om nog gezellig met de andere bankiers na te praten', zegt een van hen. Voor de drank op tafel komt, staan de DSB'ers op de binnenplaats van de centrale bank. Met een getekend en asgrauw gelaat licht Scheringa daar de pers in. Hij spreekt en evalueert nog even met zijn collega's en maakt een geslagen indruk. Vervolgens stapt hij dodelijk vermoeid in zijn auto om zich door een chauffeur naar huis te laten rijden. Rest alleen nog de vraag hoe het in hemelsnaam zover heeft kunnen komen.

2

Agent in verzekeringen

De lichten worden gedempt, het geroezemoes verstomt. In een zaaltje van café De Vriendschap in het West-Friese dorp Wadway hebben zich ongeveer dertig leden van de Junior Kamer verzameld. De club voor jonge ondernemers beëdigt op deze lenteavond in 1983 de kandidaten die hun proefperiode goed hebben doorlopen. Zij moeten alleen nog een lezing geven waarin zij zich voorstellen en hun motivatie kenbaar maken. Maar eigenlijk is dat niet meer dan een formaliteit.

Ook de 32-jarige Dirk Scheringa staat klaar om de aanwezigen te overtuigen. Speciaal voor deze gelegenheid heeft hij zijn oude uniform van de Rijkspolitie aangetrokken. Eenmaal op het podium houdt hij een toespraak over zijn transformatie van ambtenaar tot zakenman. Om zijn woorden te onderstrepen, begint hij een striptease waarbij hij onder zijn uniform een pak met krijtstreepjes blijkt te dragen. De stemming in de zaal is uitgelaten en Scheringa wordt zonder tegenspraak aangenomen als nieuw lid.

Scheringa werkt van 1973 tot en met 1977 bij de Rijkspolitie in het district West-Friesland. Dan is het genoeg geweest, hij wil meer van het leven, 'mijn geluksgevoel maximaliseren', zoals hij het zelf zegt. In zijn oude baan lukt dat vooral in de zomermaanden als hij wordt toegevoegd aan het korps van het eiland Texel. Daar moet hij onder meer jonge Duitse meisjes met blote borsten naar het naaktstrand aan de juiste kant van paal 9 sturen. Maar verder zijn de verdiensten te mager en wordt hij regelmatig opgeroepen voor gruwelijke gebeurtenissen. De goede verstandhouding met zijn collega's en de leuke ervaringen kunnen de narigheid niet wegnemen van stijve lijken waarvan hij de armen moet breken om ze in de kist te krijgen, en van zijn machteloosheid bij dodelijke verkeersongelukken.

Zo herinnert hij zich een dag in 1975. In de namiddag moet hij naar het gehucht De Kaag vlak bij Obdam omdat een trekker die plotseling uit het land rijdt een wagen heeft geschept. De nog jonge bestuurder van de auto wordt zwaar gewond afgevoerd naar het ziekenhuis in Hoorn. Als Scheringa daar is aangekomen, krijgt hij een oproep om zich onmiddellijk naar een ongeluk op de oude E10 tussen Hoorn en Amsterdam te begeven. 'Vreselijk, twee auto's frontaal op elkaar en uit de ene was de bestuurster geslingerd. Ik probeerde haar te troosten, maar wat zeg je op zo'n moment? Ik had ook weinig tijd omdat ik het verkeer moest regelen.' Tien minuten later is de vrouw overleden, op de achterbank zijn haar kinderen volledig in paniek.

Eenmaal thuisgekomen drinken de aangeslagen Scheringa en zijn vrouw Baukje een glas sherry om de gebeurtenissen van die dag te verwerken. Zij wisselen wijsheden uit over de vergankelijkheid van het bestaan en over de noodzaak om meer van het leven te genieten. Over die onderwerpen kan Baukje goed meepraten omdat zij werkt in een verpleeghuis en dagelijks wordt geconfronteerd met de gevolgen van dementie en eenzaamheid. De volgende ochtend spoedt het echtpaar zich naar de stad om voor hem een kleurentelevisie te kopen en voor haar een nieuwe jas. 'Eigenlijk konden wij ons dat niet permitteren', zegt Scheringa. 'Ik verdiende 1200 gulden per maand en alleen al de hypotheek van ons nieuwe huis aan de Aardebaan 44 in Opmeer kostte 500 gulden. In die tijd was bij ons schraalhans keukenmeester.'

Scheringa besluit meer aandacht te gaan besteden aan zijn nevenactiviteiten. Sinds ongeveer 1973 vult hij belastingformulieren in voor zijn vrienden, voor zijn familie en voor zijn collega's van de Rijkspolitie. In het begin doet hij het gratis, later voor dertig gulden per stuk. Hij zeilt scherp aan de wind zodat de mensen vrijwel altijd geld terugkrijgen. 'Op school was ik nooit een briljante leerling', zegt Scheringa. 'Maar bij rekenen kon ik met de besten meekomen. Ik heb gevoel voor getallen.' 'Toen wij een keer samen op surveillance waren, had ik schoensmeer nodig voor mijn dienstschoenen', kan een collega uit die tijd zich herinneren. 'Toen ik uit de winkel kwam, legde Dirk mij uit dat ik de bonnetjes moest bewaren om de post beroepskosten lekker te kunnen opvoeren.'

De financiële prestaties van Scheringa gaan van mond tot mond, de mensen stromen toe en in januari 1975 laat hij Buro Frisia inschrijven bij de Kamer van Koophandel in Hoorn. De klanten worden dan in de avonduren en op de vrije zaterdagen ontvangen. Al snel ontdekt hij dat zij ook openstaan voor andere diensten en in maart 1976 bemiddelt hij voor een familie in het dorp Nibbixwoud voor het eerst bij een lening. Het gaat om een bedrag van 8000 gulden dat wordt besteed aan een nieuwe auto.

Vanaf dat moment is zijn vertrek bij de Rijkspolitie slechts een kwestie van tijd. Ook omdat de weerstand bij de leiding van het korps toeneemt. Bij de oprichting van Frisia vraagt de districtscommandant zich al hardop af of het bemiddelingsbureau te verenigen is met het werk bij de politie. Dan wordt Scheringa nog gedekt door burgemeester Komen van de gemeenten Spanbroek en Opmeer. Die vindt dat zijn wachtmeester zijn werk uitstekend verricht en ziet geen reden om te twijfelen aan zijn inzet en aan zijn integriteit. 'Een fantastische vent, echt een burgemeester van de oude stempel', herinnert Scheringa zich. 'Als iemand bijvoorbeeld twee garages wilde verbouwen tot een woning, liet Komen dat toe. Ook als dat volgens de regels niet helemaal was toegestaan. De bestrijding van de woningnood vond hij belangrijker.'

Maar als Komen in 1976 wordt opgevolgd door Wim de Leeuw keert het tij. De nieuwe burgemeester is veel formeler dan zijn voorganger en vreest dat bij mogelijke conflicten over terugbetaling van de kredieten het gezag van de politie in gevaar kan komen. Bovendien probeert Scheringa tijdens zijn diensten als agent verzekeringen en leningen aan de man te brengen. Potentiële klanten laat hij terugbellen naar het politiebureau, want dat klinkt betrouwbaar. Dit wordt door het gezag niet op prijs gesteld en de botsingen tussen De Leeuw en Scheringa nemen toe.

Scheringa vertrekt in de herfst van 1977 naar Den Haag om bij de landelijke leiding van de Rijkspolitie te vragen of hij een jaar onbetaald verlof mag opnemen. In die tijd wil hij proberen zijn zaak verder uit te bouwen. 'Als het niet zou lukken, wilde ik terug kunnen naar het korps.' De twijfel wordt onder meer veroorzaakt door een gesprek met zijn opa van vaderskant, die het niet verstandig vindt dat hij zijn baan en zekerheid definitief opgeeft. 'Jongen, zou je dat nu wel doen?' vraagt hij aan zijn kleinzoon. Dirk Scheringa is de eerste in de familie met een eigen huis, en op die prestatie is zijn grootvader erg trots. De korpsleiding geeft hem weliswaar toestemming voor een terugkeer, maar laat hem ook weten dat zij niet denkt dat Scheringa gebruik gaat maken van die garantie. 'Mijn bazen waren overtuigd van het succes van Buro Frisia.'

Op 1 november hakt Scheringa de knoop definitief door. De ontslagbrief wordt geschreven en hij gaat volledig aan de slag met Buro Frisia. Baukje laat bij deze beslissing nauwelijks van zich horen. Scheringa omschrijft haar als volgzaam, een verpleegster, een echte moeder Teresa. 'Misschien heb ik wat meer moeten inleveren dan hij', zegt ze. 'Dat was noodzakelijk om het bedrijf van de grond te trekken. Ik had mijn baan al een paar jaar eerder opgegeven. Dat vond ik niet zo'n probleem. Misschien ben ik wat ouderwets, maar ik hoefde niet per se een eigen carrière te hebben.' Dus stemt zij zonder veel nadenken loyaal in met het besluit van haar man.

Scheringa wordt actief in de financiële wereld wanneer de spaarzame naoorlogse generatie langzamerhand plaatsmaakt voor de babyboomers. De hippies verdwijnen naar de achtergrond, de eerste yuppies doen hun intrede en winst en veel geld verdienen zijn niet langer besmette begrippen. De bevolking gaat streven naar geluk, en voelt steeds minder schroom om behoeften direct te bevredigen en een lening op te nemen. In het begin gaat het daarbij in 60 procent van de gevallen om een nieuwe auto en in 30 procent om de verbetering van de woning, bijvoorbeeld als door de geboorte van een kind een nieuwe dakkapel nodig is. Kredieten voor een luxe vakantie of een snelle speedboot zijn dan nog nauwelijks aan de orde.

De grootbanken hebben weinig op met de toenemende kredietvraag. De afdelingen die de consumentenleningen verstrekken, zijn ondergebracht in aparte organisaties buiten het bedrijf. Rabobank heeft bijvoorbeeld Lage Landen, ABN Amro Finata-Bank en Vola is een dochter van verzekeraar Nationale Nederlanden. De medewerkers van deze financieringsmaatschappijen hebben een lage status en maken zelden een grote carrière. 'Wij werden door de moedermaatschappij altijd met de nek aangekeken', zegt een werknemer van een van de financieringsbedrijven. 'Voor bedrijfsfeestjes ontvingen wij geen uitnodiging, en toen ik een keer een klacht had, werd ik niet eens toegelaten op het hoofdkantoor.' Wanneer de moedermaatschappijen wel zelf kredieten aan consumenten verlenen, ontvangen zij hun klanten bij voorkeur in een met veel marmer ingericht kantoor en laten zij hen lang op hun beurt wachten.

De banken lijken op die manier vooral te willen imponeren.

Volgens een bankier heeft deze houding deels te maken met de ethiek. 'De consumentenmarkt was bij ons een beetje verdacht terrein', zegt hij. 'Wij voelden ons onbehaaglijk bij de verstrekking van kredieten aan mensen met weinig geld.' Liever onderhandelen de banken met de raden van bestuur van Unilever of Shell over leningen, of proberen zij te verdienen aan de begeleiding van fusies, overnames en beursgangen. Het grote geld ligt bij zakenbankieren en internationale netwerken; het consumentenkrediet wordt voor een groot deel overgelaten aan wat in deze kringen wordt beschouwd als de 'kleine krabbelaars'.

Deze situatie wordt door Scheringa ten volle benut. Hij schept geen afstand, maar kiest juist voor een persoonlijke aanpak. Het kantoor blijft gevestigd op de zolder van hun woonhuis in de Planetenbuurt in Opmeer. Daar zijn de vloeren niet van marmer, maar ligt een tapijt in warme kleuren. Als Scheringa de aanvraagformulieren invult en zijn eerste medewerkster Trudy Schouten de administratie verzorgt, onderhoudt Baukje in de huiskamer de klanten. Standaard krijgen zij van haar een kopje koffie en een lekker koekje. Ook via de altijd gevulde fruitschaal wordt de zorg voor de klanten tot uitdrukking gebracht.

'Zeker in het begin beschouwde ik Baukje als het brein achter het bedrijf', blikt een voormalige zakenpartner terug. 'Waarschijnlijk onbewust was zij degene die voor de huiselijke warmte zorgde. Zo stuurde zij met verjaardagen altijd een kaartje.' De klanten zijn koning en moeten zich altijd op hun gemak voelen. Daarom is het kantoor ook op zaterdag en in de avond geopend. Zelfs op kerstavond worden de deuren niet gesloten. Dat zijn immers de uren dat klanten tijd hebben om aandacht te besteden aan hun financiële aangelegenheden.

Verder worden de aanvragen voor een lening niet uitsluitend vanachter het bureau beoordeeld, maar gaat Scheringa op huisbezoek. Dan kijkt hij bijvoorbeeld hoe hoog het gras in de tuin staat, of de huiskamer is opgeruimd en of de gordijnen recht hangen. Ook steekt hij zijn licht op bij de plaatselijke melkman, die dan nog aan huis levert, om te horen of de rekeningen op tijd worden betaald. Al die gegevens leveren hem informatie op over de kredietwaardigheid van zijn klanten. Bovendien doorbreekt hij met deze techniek de anonimiteit. Het is voor klanten emotioneel veel eenvoudiger te stoppen met de betaling aan een of ander instituut dat zij niet of nauwelijks kennen dan aan iemand met wie zij hebben gesproken en aan wie zij beloften over de aflossing hebben gedaan. En als de betaling dan onverhoopt toch stokt, komt Scheringa direct in actie. Al bij een achterstand van één à twee maanden krijgen de klanten het verzoek op kantoor langs te komen.

Dit alles heeft tot gevolg dat het aantal wanbetalingen in verhouding tot de andere tussenpersonen zeer bescheiden blijft. Maar ook weet hij op deze manier de klanten aan zich te binden. Waar normaal gesproken de glasverzekering via een ander bedrijf wordt afgesloten dan de levensverzekering, de fietsverzekering of de verzekering voor de wettelijke aansprakelijkheid, neemt Buro Frisia vaak het hele pakket voor zijn rekening. In het jargon wordt gesproken van een hoge polisdichtheid. Dat levert hem bij de financieringsmaatschappijen en verzekeraars een sterke positie op, en het duurt niet lang voordat hij hogere provisies dan zijn concurrenten weet af te dwingen.

Ook het rookverbod maakt deel uit van de strategie van Buro Frisia. 'Daarmee was ik een van de eersten in Nederland', zegt Scheringa ook nu nog vol trots. 'Niet alleen heb ik zelf last van de geur, maar ook wil ik de klanten ontvangen in een omgeving die niet schadelijk is voor hun gezondheid. Daar hebben zij recht op.' Uitzonderingen worden niet gemaakt en zelfs de voormalige minister van Financiën Gerrit Zalm wordt in zijn begintijd bij DSB gedwongen zijn talrijke sigaretten buiten te roken.

Door de klanten wordt de aanpak van Scheringa op prijs gesteld, maar het personeel is minder gelukkig met de continue beschikbaarheid. Vooral in de avonduren ontstaat soms grote onrust op kantoor. 'Af en toe werd ik gebeld door boze mensen die waren afgewezen voor een lening', kan een werkneemster zich herinneren. 'Zij dreigden dan om langs te komen. Als dat gebeurde, vroeg ik de schoonmaakster een uurtje langer te blijven zodat wij samen het pand konden verlaten. Ik wist toen nog niet dat deze dreigementen eigenlijk nooit werden uitgevoerd.'

Het succes van Buro Frisia is niet alleen terug te voeren op de marketing, ook het inschattingsvermogen van Scheringa speelt een belangrijke rol. Binnen een mum van tijd analyseert hij klanten en medewerkers en kent hij hun betrouwbaarheid en capaciteiten. Als de mensen met wie hij zakendoet hem bevallen, vraagt hij ze bij hem te komen werken. Hij verleidt ze niet alleen met een hoger loon, maar ook met de kansen die zijn groeiende organisatie biedt. Zo weet hij bijvoorbeeld al in een vroegtijdig stadium Bert Rozemond over te halen zijn arbeidscontract bij Finata-Bank op te zeggen en de overstap naar Opmeer te maken. Zeker in de beginperiode is hij de vertrouwenspersoon met wie Scheringa al zijn zakelijke beslommeringen deelt.

Scheringa en zijn vrouw maken lange dagen. Zij beginnen om acht uur in de ochtend en pas om half elf 's avonds neemt het echtpaar even tijd voor zichzelf. Dan gaan zij naar het plaatselijke café voor een sateetje en een paar biertjes. 'Het was een grote belasting', blikt Baukje terug. 'Onze inspanningen waren noodzakelijk, zonder die inzet hadden wij het nooit gered. Pas toen ik mij in verband met de geboorte van onze kinderen langzaam uit het bedrijf begon terug te trekken, merkte ik hoe zwaar het was geweest.' De verdiensten maken veel goed. In september 1978 is Scheringa al in staat in Spanje voor 140.000 gulden een huis op een stuk grond van 1000 vierkante meter te kopen.

Binnen een jaar gaat dagelijks voor 400.000 gulden aan verzekeringen en leningen over de toonbank. Buro Frisia wordt betaald door de financieringsmaatschappijen waarnaar de contracten worden doorgesluisd. Volgens een toenmalige werkneemster kan het bedrijf rekenen op ongeveer 15 procent van de renteopbrengst die de banken incasseren. Stel dat een klant via Scheringa 20.000 gulden voor een nieuwe auto leent, hij in vijf jaar terugbetaalt en 5.000 gulden aan kosten betaalt, dan krijgt Frisia daarvoor in één keer een bedrag van 750 gulden op zijn rekening bijgeschreven.

Daarmee is het verhaal nog niet afgelopen. Stel dat diezelfde klant na drie jaar zijn auto inruilt omdat hij een nieuw model wil kopen dat 25.000 gulden kost. Bij de inruil krijgt hij 10.000 gulden terug voor zijn oude exemplaar en hij moet dus 5.000 gulden bijlenen. Wanneer dat bedrag als basis wordt genomen, zou Frisia een provisie ontvangen van 187,50 gulden. Maar in werkelijkheid krijgt Frisia ruim 625 gulden, omdat de totale lening het uitgangspunt is. Over een deel van het eerste krediet wordt dus twee keer een provisie geïncasseerd. Op die manier zijn de bestaande klanten van Frisia in die tijd goed voor meer dan de helft van de omzet. Geen wonder dat Scheringa en de andere intermediairs weinig bezwaren hebben wanneer de klanten tussentijds hun lening willen verhogen.

De werkwijze is tamelijk eenvoudig. Tijdens een telefoongesprek worden alle gegevens genoteerd, vervolgens gaat via de telex de aanvraag naar Finata-Bank in Alkmaar of naar een andere financier en als de informatie is gecontroleerd, komt dit document langs dezelfde weg weer terug. Wanneer de klant het contract eenmaal heeft getekend, wordt het geld door een klantenmanager van de financier afgeleverd bij het kantoor van Scheringa. Vervolgens komen de klanten langs om het contante geld op te halen. En als dat niet lukt, wordt het geld bij hen thuisgebracht. Zo vertrekt Baukje op een zekere dag naar een flat in de Bijlmermeer in Amsterdam met 20.000 gulden in haar tasje. In de lift naar boven staat zij tussen een aantal gespierde mannen met een donkere huidskleur. 'Het is goed gegaan, maar ik werd als dorpsmeisje wel een beetje zenuwachtig.'

In die tijd is Scheringa niet alleen actief als tussenpersoon, maar worden door Frisia ook nog belastingformulieren ingevuld en wordt bemiddeld bij de verkoop van huizen. Klanten die via het kantoor een lening krijgen, vragen hem ook of hij hun huis wil verkopen. Maar die activiteit verdwijnt langzamerhand naar de achtergrond. 'Op zaterdag had ik soms wel drie bezichtigingen', zegt Scheringa. 'Dat leverde niet genoeg op. Op een gegeven moment ontdekte ik dat in de makelaardij 70 procent van mijn tijd zat en maar voor 3 procent van de omzet zorgde. Toen besloot ik daarmee te stoppen.' Ook de belastingformulieren zijn op den duur niet lucratief genoeg.

Scheringa gebruikt de winst niet om te genieten; het consumptieniveau van zijn gezin blijft op hetzelfde peil liggen. Het vakantiehuis is een van de zeldzame uitspattingen. 'De eerste jaren liet ik mij maar 8.000 gulden uitkeren.' Hooguit één keer per jaar vertrekt hij met zijn vrouw in de Mini Cooper volgeladen met voedsel voor een vakantie naar Spanje. Onderweg slapen zij in het autootje en vooraf hebben zij een budget vastgesteld van negen gulden per dag. Het eten wordt op een primus bereid. Als de zaken zich voorspoedig ontwikkelen, wordt later een gasstelletje met twee pitten gekocht.

Maar verder blijft al het geld in Buro Frisia. 'Ik wilde iets opbouwen, mijn bedrijf laten groeien', zegt Scheringa. Om dat doel te bereiken bestormt hij de advertentiemarkt. In die tijd gaat wekelijks ongeveer 5000 gulden naar *Troskompas*, de televisiegids van deze omroep. En ook andere populaire bladen kunnen rekenen op een behoorlijke geldstroom vanuit Opmeer. Scheringa noteert nauwkeurig welke media tot welke opbrengsten leiden. 'Dan wist ik of ik bij de gesprekken een grote broek aan kon trekken.' Als de opbrengsten achterblijven bij de verwachtingen, onderhandelt hij altijd scherp over de tarieven. Vanwege de grote volumes heeft hij dan een sterke machtspositie, maar bij de inkopers van de bladen maakt hij zich niet bepaald populair.

Tot begin jaren negentig ontwikkelen de zaken zich voorspoedig. Maar dan krijgen Buro Frisia en de ongeveer 17.000 andere tussenpersonen voor het eerst in hun bestaan een tegenvaller te verwerken. Het parlement heeft grote bedenkingen bij het verdienmodel van deze sector en besluit de teugels aan te halen in de vorm van een nieuwe kredietwet. Daarin wordt bepaald dat de provisies bij tussentijdse verhogingen van de bestaande leningen geen betrekking meer mogen hebben op het hele bedrag, maar alleen nog op het nieuwe deel. Bovendien worden de vergoedingen niet langer in één keer op de rekeningen van de tussenpersonen bijgeschreven, maar ontvangen zij gedurende de looptijd van de lening maandelijks een klein bedrag. Dit alles is bedoeld om overkreditering en betalingsproblemen bij de klanten te voorkomen, maar bij de intermediairs leidt dit in ieder geval tijdelijk tot een terugval van de inkomsten.

Om de kosten te drukken besluit Scheringa dat het traditionele kerstpakket komt te vervallen. Deze maatregel zorgt op kantoor voor grote verontwaardiging. De medewerkers beklagen zich langdurig bij het koffiezetapparaat en uiteindelijk wordt besloten de klachten over te brengen. In eerste instantie houdt Scheringa zich doof voor de protesten, maar als de onrust dreigt te ontaarden in een opstand, buigt hij zijn hoofd. Op het laatste moment wordt Baukje naar de plaatselijke textielwinkel gestuurd om voor iedereen een mooi badlaken te kopen.

'Toen ik later de jaarrekening onder ogen kreeg, bleek de

schade wel mee te vallen', zegt een toenmalig medewerker.

Dankzij de toenemende vraag naar kredieten is de groei van Frisia niet te stuiten. Dus heeft Scheringa constant nieuwe medewerkers nodig. Die vindt hij voornamelijk via advertenties in de plaatselijke huis-aan-huisblaadjes. 'Toen ik de tekst las, heb ik een brief gestuurd', zegt een andere medewerkster. Als die is gelezen, kan zij direct langskomen. 'Ik was een giebelende bakvis van negentien en liep altijd in een lange broek. Maar van Dirk moest ik een jurk dragen.' In allerijl wordt in de klerenkast gespeurd naar het juiste kledingstuk. 'God, wat voelde ik mij opgelaten, ik schaamde me dood. Gelukkig kwam ik geen bekenden tegen.'

Eenmaal aangekomen op Aardebaan 44 stijgt de spanning tot een hoogtepunt. 'We gingen twee trappen op en ik vroeg mij af wat me te wachten stond.' Op zolder nemen Scheringa en zij plaats op het bankstel en dan kan het gesprek beginnen. 'Eigenlijk ging dat alleen maar over mijn achtergrond. Wat doet je vader, uit welk nest komt je moeder, van dat soort vragen.' Als blijkt dat haar vader een bekende is uit de carnavalsvereniging in Spanbroek is het pleit beslecht. 'Voor ik het wist stond ik weer buiten. Ik moest alleen op zaterdag nog even langskomen om bij wijze van proef een aanvraagformulier in te vullen.'

Ook die gebeurtenis staat haar nog helder voor de geest. 'Dirk speelde de klant en gaf informatie die ik en een andere sollicitant op een aanvraagformulier moesten invullen. Alles was voorgedrukt, een kind kon de was doen.' Op een gegeven moment besluit Scheringa de moeilijkheidsgraad op te voeren. 'Nu heb ik een echt heel ingewikkeld beroep voor jullie', zegt hij. 'Manager!' Daarbij kijkt hij verwachtingsvol naar de meisjes om te zien hoe zij deze hindernis nemen. 'Wij dachten dat het een valstrik was, maar konden weinig anders doen dan dit gegeven gewoon in te vullen. Hij bleek echter bloedserieus. Voor Dirk was dat kennelijk een vak dat ver weg stond bij zijn belevingswereld.' Wanneer de meisjes voor deze test zijn geslaagd, kunnen zij de maandagochtend daarop direct aan de slag. 'Ook toen ging het al snel bij ons. Dirk was altijd wars van bureaucratie.'

In 1978 wordt het gezin verdreven uit het woonhuis op Aardebaan 44. Door de toename van het aantal werknemers is het ruimtegebrek nijpend geworden. Dus verhuizen de dan nog kinderloze Scheringa en Baukje naar nummer 24, dat een blok verderop ligt. 'Dat was verreweg de handigste oplossing', zegt Scheringa. 'Wij waren maar met twee personen en op deze manier kon het kantoor gewoon doordraaien.' Bovendien is Buro Frisia al met acht telefoonlijnen en een aparte verbinding voor de telex met de buitenwereld verbonden. 'Het zou erg duur worden om die allemaal te laten omzetten.'

De oplossing is slechts tijdelijk en spoedig moeten de bouwvakkers langskomen om de muren tussen de slaapkamers door te breken. Alle verborgen hoeken in het pand worden zo efficiënt mogelijk benut. Op de badkamer staat de telex, op zolder wordt de administratie verzorgd en op de eerste verdieping worden de leningen afgesloten. Maar eigenlijk hebben de medewerkers vanaf het begin een tekort aan ruimte. Voor Scheringa wordt een apart hokje op de begane grond getimmerd, verder blijft die ruimte gereserveerd voor de ontvangst van de klanten. Want die vormen het hart van het bedrijf en daar mag uiteraard niet op worden beknibbeld.

In 1980 doet Scheringa zijn eerste overname, van Nationaal Krediet Bureau in het nabijgelegen Hensbroek dat in persoonlijke leningen bemiddelt. 'Ik weet dat nog als de dag van gisteren', zegt een medewerker. 'Wij gingen samen naar het bedrijf en voerden de onderhandelingen. Daarbij werd vooral gesproken over de prijs.' Na afloop heeft zij honger en stelt zij voor even een broodjeszaak te bezoeken. Scheringa stemt in, maar beperkt zijn bestelling tot een glas melk. Vervolgens haalt hij zachtjes grinnikend een plastic zakje met door Baukje klaargemaakte boterhammen uit zijn tas. 'Dergelijke fratsen vond hij altijd erg leuk. Hij had wel degelijk gevoel voor humor.' Na de eerste overname worden in de loop der jaren nog tientallen andere bedrijven aan Buro Frisia toegevoegd. Postkrediet, Nationale Geldservice en Becam, om maar enkele namen te noemen.

Dit heeft tot gevolg dat de situatie bij Buro Frisia onhoudbaar wordt. Want weliswaar blijven de labels onder eigen naam en vanuit het eigen kantoor actief op de markt, maar om de kosten te drukken vindt de verwerking van de aanvragen plaats in Opmeer. Het toch al krap bemeten pand aan de Aardebaan is niet in staat de grote hoeveelheid nieuwe werknemers te verwerken. Nieuwbouw is onvermijdelijk geworden en Scheringa vindt een geschikte locatie aan de Klaproos, tegenover het gemeentehuis en hemelsbreed ongeveer tweehonderd meter verwijderd van het pand aan de Aardebaan.

Daar herhaalt de geschiedenis zich. Door de aanhoudende groei wordt ook dit pand snel te klein. In eerste instantie offert Scheringa het keukentje op voor nieuwe medewerkers, later wordt een container in de tuin geplaatst en uiteindelijk wordt het huis naast het kantoorpand aangekocht. Beneden komen de kantine en een aantal werkkamers, op de bovenverdieping gaat een nichtje van Scheringa en Baukje wonen.

Maar al deze maatregelen blijken niet afdoende. Dus worden her en der andere panden aangekocht voor nieuwe vestigingen. 'Voor mij was dat erg leuk', zegt een medewerkster van het eerste uur. 'Toen op een gegeven moment weer een label werd gekocht, kreeg ik de sleutel van het kantoor waar dat in werd gevestigd.' Scheringa zegt dat hij de advertentiekosten blijft betalen, maar dat zij verder 'haar kont maar moet zien te redden'. 'Ik ken niet veel werkgevers die hun personeel zulke kansen bieden.' Maar ook realiseert zij zich dat Scheringa op die manier de waarschijnlijk veel hogere kosten voor een manager van buiten het bedrijf uitspaart.

Ook als Scheringa tijdgebrek heeft, laat hij veel aan zijn mensen over. Zo vraagt hij af en toe of zij een advertentie voor de krant willen maken om de verkoop van een huis te bespoedigen. Hoewel zij dergelijk werk nog nooit hebben verricht, hoeft hij de tekst en de opzet niet te controleren. Pas achteraf beoordeelt hij het resultaat. Als hij tevreden is, kan de desbetreffende medewerkster rekenen op meer van dergelijke opdrachten. Zo niet, dan moet zij lang wachten op een volgende kans.

Later vertrouwt Scheringa af en toe de zorg voor zijn kinderen toe aan zijn medewerksters. 'Als ik op zaterdag dienst had, kwam Dirk altijd even langs om de post door te nemen. Dan werd hij vergezeld door zijn zoontjes Willem en Harry die halverwege en aan het einde van de jaren tachtig zijn geboren.' Tijdens deze ochtenden wil hij niet door hen gestoord worden. 'Zij werden bij mij gestald en mochten onder mijn toezicht kleuren. Dat voelde plezierig, je laat je nageslacht tenslotte niet bij iedereen achter.' Maar als Scheringa weer vertrekt, blijft het bedankje uit.

Wel laat Scheringa zijn genegenheid via anderen overbrengen. 'Dan zei mijn directe leidinggevende bijvoorbeeld dat ik een speciaal plekje in het hart van Scheringa inneem. Kennelijk hadden zij over mij gesproken.' En later, als zij allang op een andere vestiging werkt en Scheringa komt daar eens op bezoek, pakt hij haar in het bijzijn van haar kantoorgenoten van achteren bij de schouders. 'Even knuffelen', zegt hij bij die gelegenheden. 'Hé, je wordt nog steeds rood', laat hij daarop volgen als hij ziet dat zij net als vroeger van kleur verschiet.

Verder toont hij zijn waardering door werknemers met problemen niet af te vallen. Op een gegeven moment moet iemand in verband met overspannenheid een jaar thuisblijven. 'Ik had psychische problemen en Dirk had mij met de wet in de hand kunnen ontslaan.' Als Scheringa dat zou doen, rest voor haar weinig anders dan de WAO. 'Maar hij bleef achter mij staan.' Als zij weer is hersteld, krijgt zij zonder problemen haar oude baan terug. Nog steeds vervult de gedachte aan deze geschiedenis haar met grote dankbaarheid. 'Natuurlijk heeft hij rare streken, maar dit maakte veel goed.'

Scheringa laat zich vooral van zijn sterkste kant kennen bij speciale gebeurtenissen. Als iemand bijvoorbeeld een jubileum viert, haalt hij diegene van huis op met een versierde Rolls Royce. Vervolgens wordt een tochtje gemaakt langs alle vestigingen van Buro Frisia, en worden in de auto herinneringen opgehaald. Wanneer de Rolls Royce eenmaal op kantoor is aangekomen, staan daar een grote bos bloemen en een mooie ansichtkaart te wachten. Tot slot eten alle medewerkers een stukje taart om het heugelijke feit te vieren. Dan is het mooi geweest en gaat iedereen aan het werk.

Ook als een van de medewerkers voor langere tijd ziek is of een kind krijgt, staat Scheringa klaar. Al snel na de bevalling komen hij en Baukje op huisbezoek met een cadeau om de gelukkige ouders te feliciteren. En als een familielid overlijdt, schrijft hij een brief waarin hij zijn medeleven betoont. Omgekeerd wordt Scheringa op zijn verjaardag ook niet vergeten door zijn personeel. Het ene jaar krijgt hij een sierkipje, het volgende jaar – als hij al een kudde schapen heeft – een dekblok. Dat wordt onder de buik van de ram gehangen, zodat zichtbaar is welk schaap door Fred en welk door Peter is bevrucht. Deze geschenken ontvangt Scheringa met grote dankbaarheid. Hij is vanaf het begin gek op dieren en later zal hij zijn veestapel zelfs in een aparte bv van DSB Beheer onderbrengen.

Naar het jaarlijkse bedrijfsfeestje wordt altijd met grote verwachtingen uitgekeken. In eerste instantie worden die feestjes gevierd bij de familie Scheringa in de huiskamer. 'Hij kwam dan aanzetten met een transistorradio; Dirk had nog niet eens een fatsoenlijke stereo', aldus een van zijn medewerkers. Ook later blijft de opzet van dit evenement bescheiden; West-Friezen voelen zich het meest op hun gemak met een biertje in de hand in een zaal van een of ander partycentrum. Scheringa dompelt zich tijdens deze gelegenheden volledig onder in het feestgedruis. Hij loopt rond, maakt met iedereen ontspannen praatjes en gaat voorop in de polonaise. En als de disc jockey zijn favoriete nummer 'Paradise by the Dashboard Light' van Meat Loaf draait, worden de aanwezigen getrakteerd op een toneelstukje dat zij zich vele jaren later nog steeds kunnen herinneren.

Verder is Scheringa een groot liefhebber van de feestjes in de kantine van zijn voetbalclub VVS en van de jaarlijkse kermis. Ondanks zijn groeiende welstand geeft hij dan geen extra rondjes, hij weigert van het begin af aan zijn populariteit te kopen. Dat is ook niet nodig, want hij is bij dergelijke bijeenkomsten een graag geziene gast. Begin jaren tachtig wordt hij zelfs gekozen tot prins carnaval van het dorp Spierdijk. Deze eer is alleen voorbehouden aan mensen die midden in de gemeenschap staan.

Tijdens de kantooruren is deze ontspanning ver te zoeken. Hij geeft zelf tweehonderd procent en eist van zijn medewerkers een vergelijkbare inzet. Zij mogen geen tijd nemen voor zichzelf, het kopje koffie moet altijd achter het bureau worden gedronken. Als zij bijvoorbeeld een praatje maken en het afgelopen weekend doornemen, vraagt Scheringa al na een paar minuten op bitse toon of alle formulieren al zijn verwerkt. Vaak zegt hij ook niets en kijkt hij alleen chagrijnig naar de kletsende dames. 'Als blikken konden doden, lag iedereen morsdood onder zijn bureau.'Ik was erg gestrest en mijn eisen waren niet reëel', zegt Scheringa terugkijkend. 'Ik geloof niet dat ik in die tijd een aangename baas was.'

Die opmerking wordt volledig onderschreven door zijn toenmalige werknemers. 'Niets kon, alles moest', zeggen zij. Op kantoor is de sfeer dan ook vooral aangenaam als Scheringa in verband met een klantenbezoek of een van zijn spaarzame vakanties afwezig is. Dan worden bij de plaatselijke poelier tussen de middag kippenbouten gehaald en worden soms zelfs jongens van de financieringsmaatschappijen uitgenodigd die bij de meisjes door de telefoon een aangename indruk hebben achtergelaten. Meestal vallen die ontmoetingen tegen en blijken de bezoekers minder interessant en minder aantrekkelijk dan verwacht. En als de heren wel in de smaak vallen, zijn zij al getrouwd.

Als het mooi weer is en Scheringa elders vertoeft, gaan de ramen van de zolderverdieping wijd open. Dan zitten de medewerkers met hun benen in de dakgoot en doen ondertussen de administratie of nemen daar de telefoon op. Op die manier kunnen zij tijdens de kantooruren een beetje bijbruinen. De buren die in de tuin rondlopen, krijgen het verzoek om niets tegen Scheringa te zeggen. De meeste werknemers zijn in meerdere of mindere mate bang voor zijn vaak humeurige stemmingen.

Ook het loon is in vergelijking met de situatie bij andere tussenpersonen niet echt indrukwekkend en van een dertiende maand en van een winstdeling wil hij niet weten. Pas in 1997, als voor het eerst een beursgang van het bedrijf ter sprake komt, maakt Scheringa voor zijn personeel een aandelenplan. Het is de bedoeling dat zij langs die weg een klein deel van het bedrijf in handen krijgen en kunnen profiteren van de groei die ook aan hen te danken is. Natuurlijk wordt aan deze aandelen geen stemrecht toegekend, want Scheringa geeft de macht niet graag uit handen. Begrippen als inspraak en medezeggenschap zijn aan hem niet besteed.

Zo moet hij bijvoorbeeld niets hebben van een ondernemingsraad. Een dergelijk instituut levert in zijn ogen alleen maar tijdverlies op. Hij is de baas, dus zijn wil is wet en hij heeft in zijn ogen recht op het laatste woord. Maar op die manier is het wel erg ingewikkeld brandende kwesties op de werkvloer te bespreken. Die spelen als een aantal dames gaat trouwen, kinderen krijgt en het liefst parttime wil gaan werken. In de ogen van Scheringa kunnen zij zich dan niet meer voor de volle honderd procent voor het bedrijf inzetten en dus komen zij volgens hem voor ontslag in aanmerking. Om deze kwestie tot een goed einde te brengen, wordt uiterste behendigheid gevraagd van de medewerkers. Ontwijken blijkt meestal de beste strategie.

'Ik was inmiddels groepshoofd geworden en moest het ontslag aan een van de telefonistes overbrengen', zegt een medewerkster. 'Maar ik deed net alsof ik de boodschap niet begrepen had en vertelde niets aan mijn collega.' Met als gevolg dat de kwestie elke week in de vergadering wordt besproken zonder dat de maatregel ten uitvoer wordt gebracht. 'Ik bleef op een rustige manier op hem inpraten, hij had een hekel aan opgewonden toestanden.' In de loop van de tijd krijgt het punt steeds minder prioriteit en op het laatst verdwijnt het van de agenda. Een besluit wordt nooit genomen, de telefoniste behoudt haar baan en vanaf dat moment is voor werken in deeltijd een precedent geschapen. Maar wanneer mensen gebruik willen maken van deze regeling, hoeven zij niet meer te rekenen op een bevordering.

Ook bij andere gelegenheden neemt Scheringa verrassend gemakkelijk afstand van zijn eerder ingenomen standpunten. Op een gegeven moment gaat een werkneemster in de fout. Zij kan zich de gebeurtenis niet meer precies voor de geest halen, maar waarschijnlijk heeft zij een formulier van het Bureau Krediet Registratie verkeerd beoordeeld. Deze gegevens zijn van groot belang om te bepalen in hoeverre een klant tot aflossen in staat is en hoeveel hij dus mag lenen. Als de werkneemster ter verantwoording wordt geroepen, blijft Scheringa weliswaar rustig, maar wel krijgt zij voor straf alle avonddiensten van die week toegeschoven. 'Toen ik dat thuis vertelde, werd mijn vader boos', zegt zij. 'Ik moest tegen mijn baas zeggen dat hij deze regeling geen stijl vond.' Als zij die boodschap trillend van de zenuwen overbrengt, geeft Scheringa zich zonder slag of stoot gewonnen en wordt het schema weer in haar voordeel aangepast.

Verder kan het loonbeleid bij de meeste werknemers op weinig waardering rekenen. Daarbij zou Scheringa zich schuldig maken aan ongelijke behandeling. De scheidslijn loopt niet tussen mannen en vrouwen, maar tussen sportieve dames met lange benen, een vlotte babbel en blond haar, en types die in zijn ogen minder aantrekkelijk zijn. De schoonheden verdienen aanmerkelijk meer voor hetzelfde werk en maken een grotere kans op promotie. 'Dat was volstrekt duidelijk. Het hele kantoor sprak schande van deze situatie.' Toch komt niemand tegen dit onrecht in actie, uit angst voor represailles.

Maar het ergste is nog wel de achterdocht van Scheringa. Hij houdt werkelijk alles wat zich op de werkvloer afspeelt in de gaten. Dat blijkt bijvoorbeeld als een van de werkneemsters na een lange periode van samenwonen gaat trouwen. De baas wordt niet op de hoogte gesteld van de plannen, want de collega's hebben een revue georganiseerd voor het bruidspaar en in minstens de helft van de liedjes en toneelstukjes speelt Scheringa een prominente rol. Niemand wil dat hij komt, want dan moet het hele programma worden herzien. Dus verkneukelt iedereen zich in stilte en wordt alleen in zijn afwezigheid over het huwelijk overlegd.

Tot het moment dat Scheringa de aanstaande bruid apart roept. 'Zou je dat nou wel doen', vraagt hij haar. Als zij hem met vragende ogen aankijkt, verklaart hij zich nader: 'Het huwelijk wordt zelden een succes bij mensen die allang samenwonen.' Deze goedbedoelde raad zorgt op kantoor voor een golf van paniek. Het ziet ernaar uit dat Scheringa aanwezig zal zijn, dus in allerijl worden de ondeugende liedjes en toneelstukjes vervangen door saaiere varianten. Achteraf blijkt deze moeite tevergeefs, want weliswaar komen Scheringa en Baukje naar de trouwerij, maar pas als de revue al is uitgevoerd.

De werknemers vragen zich af hoe Scheringa op de hoogte kan zijn van de huwelijksplannen. Bij ondervraging bezweert iedereen dat hij of zij niet heeft gelekt. Dan krijgt een van de werknemers plotseling een inval. Zij herinnert zich de intercom die Scheringa een paar jaar eerder heeft geïnstalleerd. Hij gebruikt die in eerste instantie om orders vanuit zijn eigen kantoor door te geven, maar na verloop van tijd maakt hij geen gebruik meer van dit instrument. 'Tenminste, dat dachten wij. Na deze gebeurtenis realiseerden wij ons dat de intercom ook gebruikt kon worden om de werkvloer af te luisteren.' Vanaf dat moment brengen de werknemers regelmatig een vinger naar de lippen wanneer iemand vertrouwelijke informatie wil vertellen.

Ondanks de mogelijke afluisterpraktijken, het merkwaardige loonbeleid en de vaak humeurige buien van hun baas, kijken de meeste werknemers toch met veel genoegen terug op de beginperiode van Buro Frisia. 'Wij waren een leuke, jonge en hardwerkende ploeg en hadden altijd veel lol met elkaar.' Veel van de vriendschappen die toen zijn gesloten, bestaan tot op de dag van vandaag. Ook herinneren de werknemers zich de kansen die zij kregen van Scheringa. 'Zonder hem had ik waarschijnlijk op een of ander saai boekhoudkantoor moeten werken. Met zijn gedrevenheid heeft hij het avontuur naar de regio gebracht. De groei van het bedrijf voelde ook als ons eigen succes.'

3

Ratting, geld en smûk

'Afbreken!' Als Dirk Scheringa met een gehuurde helikopter landt bij zijn nieuwe landhuis Rinsma State in Driesum in het noordoosten van Friesland, laat hij zijn aanwezigheid direct merken. De schilders die de buitenkant van het monumentale pand opverven, hebben naar zijn idee de steigers verkeerd geplaatst. De vakmensen zijn verbijsterd over zijn argumenten en vertellen hem van hun jarenlange ervaring met soortgelijke projecten. Maar de protesten kunnen Scheringa niet overtuigen en op het laatst wordt het bouwwerk hoofdschuddend ontmanteld. De baas betaalt en zijn wil is wet, ook wanneer die als onzinnig wordt ervaren.

Scheringa en zijn vrouw kopen Rinsma State in 2002 voor 1,8 miljoen euro. In de jaren die volgen, worden kosten noch moeite gespaard om het voormalige gemeentehuis van Damtumadeel zowel van binnen als van buiten in zijn oude luister te herstellen. Op die manier wil het echtpaar iets teruggeven aan het geboortedorp van Baukje. 'De mensen kunnen nu weer als vanouds in het park wandelen en om onze tuin heen lopen', zegt zij in een interview in *Van Sytzama tot Scheringa*, een boek dat over de geschiedenis van het landhuis is gepubliceerd. 'Ik hoop dat ze het mooi vinden.' Ook zijn Baukje en Scheringa vastbesloten het pand aan te bieden als trouwlocatie voor de lokale bevolking. Zelf zijn zij daar immers ook in het huwelijk getreden.

Ondanks deze goede bedoelingen is de restauratie niet geheel zonder eigenbelang. Zo vervangt Scheringa het boven de entree in steen gebeitelde wapen van de eerste bewoners van Rinsma State door zijn eigen, speciaal ontworpen familiewapen. Het spreekt hem aan om zich op deze plek denkbeeldig in de adelstand te verheffen. Ook het wandreliëf in de trouwzaal waarin hij en zijn vrouw worden vermeld als mecenas van het project en de stamboom die zijn familie terugvoert tot 1560, geven blijk van deze behoefte. 'Ik wil weten waar ik vandaan kom', zegt Scheringa. 'Voor het eerst van ons leven hebben wij een wapen', vervolgt hij trots. 'Het zegt iets over ons leven, apart en gezamenlijk.'

Dirk Scheringa is van ver gekomen. Hij wordt geboren op 21 september 1950 in Grijpskerk, een dorp op de grens tussen Friesland en Groningen. In deze agrarische streek blijft het inkomen over het algemeen ver achter bij het landelijk gemiddelde. Het gezin wordt omschreven als normaal en gereformeerd. Weliswaar is geen sprake van bittere armoede, maar grote uitgaven kan de familie zich niet veroorloven. Vader Willem is kaasmaker bij de melkfabriek en weet maar al te goed dat wie niet werkt niet zal eten. Muziek, kennis en emoties worden al snel afgedaan als gezeur en op literair gebied heeft alleen de Statenbijbel een prominente plaats in het gezin. Net als bij de andere gezinnen in deze omgeving is voor de kinderen van zakgeld geen sprake.

Als vader Scheringa bij een andere fabriek een dubbeltje per uur meer kan verdienen, worden de spullen gepakt en verhuist het gezin naar een volgend dorp. Van Grijpskerk naar Veenwouden, en dan via De Wilp en Oldeholtpade bij Wolvega naar Oudwoude. Uiteindelijk schopt Willem het daar tot chef in de zuivelfabriek Huisternoord, die nu niet meer bestaat. 'Onlangs hoorde ik na een lezing dat mijn vader met zijn producten in de Verenigde Staten ooit een prijs heeft gewonnen', zegt Scheringa jaren later. 'Maar dat heeft hij waarschijnlijk nooit geweten, de gouden medaille bleef in een kluis op kantoor. Hij was weliswaar carrièregericht en gedreven, maar ook gezagsgetrouw. Daardoor is hij nooit voor zichzelf begonnen en heeft hij het niet zo ver geschopt. Dat had hij niet in zich.'

De vele verhuizingen hebben grote gevolgen voor de kinderen. Steeds moeten Dirk Scheringa en Gepke en Ieke, zijn twee jongere zussen, hun weg vinden in een nieuwe omgeving waar steeds weer een ander dialect wordt gesproken. Uiteindelijk bezoeken de kinderen maar liefst vier verschillende lagere scholen. Aan deze situatie heeft Scheringa naar eigen zeggen zijn 'ratting' te danken. Daarmee doelt hij op zijn vermogen zich snel aan elke nieuwe situatie aan te passen. 'Als een rat zich kan redden door zijn eigen staart af te bijten, zal hij dat doen', verklaart hij vaak in interviews. Ook noemt hij zichzelf regelmatig een kameleon, omdat hij denkt zich onzichtbaar te kunnen maken door van kleur te veranderen.

'De juiste medewerkers aannemen', zegt Scheringa op het moment dat de zaken bij DSB Bank zich nog voorspoedig lijken te ontwikkelen, 'dat is mijn grote kracht en mede de basis voor mijn succes.' Behalve de 'ratting' benoemt Scheringa een goed ontwikkeld inschattingsvermogen als een voordeel van zijn jeugd. Door de vele standplaatsen moet hij dan immers snel beslissen wie hij wel en wie hij niet in zijn nabijheid toelaat. En dat stelt hem naar zijn eigen idee later in staat karakters te analyseren en de beste mensen te selecteren. Toch zal later blijken dat deze sociale antenne het vooral op kritieke momenten duchtig laat afweten.

Voor vriendschappen heeft de jonge Scheringa geen tijd en slechts weinig van zijn klasgenoten hebben duidelijke herinneringen aan hem. Zij weten alleen nog dat hij een stille en teruggetrokken jongen was. 'Ik moest steeds op mijn hoede zijn om in te kunnen spelen op de nieuwe omgeving', zegt hij zelf. 'Het was ook wel eens onrustig.' Hij vergelijkt deze situatie zelfs met die van de Israëliërs die naar zijn idee constant rekening moeten houden met vijandelijke aanvallen. Scheringa weet in ieder geval al vroeg dat hij alles in het werk zal stellen om zijn eigen kinderen meer vastigheid en geborgenheid te bieden. 'Zij wonen in één plaats en bezoeken maar één school', zegt hij met nadruk.

In 1963 begint Scheringa op zijn dertiende aan het Christelijk Uitgebreid Lager Onderwijs in Wolvega. Daar maakt hij meer indruk op zijn omgeving dan op de lagere school. Een van zijn leraren kan zich een 'voor zijn leeftijd lange en sterke jongen' herinneren. Ook weet hij nog dat Scheringa zich weinig liet gezeggen. 'Op het schoolplein was hij vaak vervelend tegen de andere kinderen. En als ik hem dan probeerde te corrigeren, keek hij mij aan met een ongeïnteresseerde blik. Alsof hij zich afvroeg waar ik mij mee bemoeide. Ik vond het een uitermate nurkse jongen die het volgens mij niet makkelijk had met zichzelf.' Na enig nadenken: 'Het is niet aardig om te zeggen, maar Scheringa heeft bij mij een onaangenaam beeld achtergelaten.'

'Zo hebben wij jou dat niet geleerd', denkt zijn leraar Engels als de klachten over de handelwijze van DSB Bank in de media beginnen door te sijpelen. 'Het spijt mij voor Dirk dat hem dit is overkomen', vervolgt hij in een artikel in het *Noordhollands Dagblad*. 'In de moeilijke tijd in aanloop naar het faillissement heb ik nog voor hem gebeden. Ik had echt met hem te doen.' Zijn leraar wiskunde stelt na de ontmanteling van het imperium in Wognum op nuchtere toon vast dat zijn lessen achteraf geen succes zijn gebleken.

Van de gedrevenheid waarmee Scheringa later zijn bedrijf weet op te bouwen, is op de middelbare school nog weinig te merken.

Weliswaar kan hij bij rekenen met de besten meekomen, maar bij de andere vakken loopt hij een grote achterstand op. Als hij voor zichzelf een bijbaantje vindt bij de firma Boll en Scharp waar hij meubels in de was moet zetten, dalen zijn cijfers nog verder en moet hij na twee jaar de school verlaten. Van een hem goedgezinde leraar krijgt hij vanwege zijn goede cijfers bij rekenen het advies om naar de detailhandelsschool in Leeuwarden te gaan. Dit plan sneuvelt al vlug omdat zijn ouders vijftig gulden reiskosten per week niet kunnen betalen.

In 1965 verhuist het gezin terug naar het noordoosten van Friesland, dit keer naar Oudwoude. In het nabijgelegen Kollum vindt Scheringa een baantje als leerling-handzetter bij drukkerij Banda waar onder andere de *Kollummer Courant* en *Nuchter Bekeken,* het blad van de geheelonthouders, worden gedrukt. Eén dag per week reist hij naar Groningen om daar op de J. van der Laanschool het vak van zetter te leren. Maar door de karige verdiensten en een loodvergiftiging die hem blaren in de mond bezorgt, weet hij al snel dat zijn toekomst niet in deze sector ligt. Vanaf dat moment maakt hij ook in deze klas een verveelde en soms brutale indruk.

'Op de grafische school kregen wij naast alle andere vakken ook maatschappijleer', weet een toenmalige klasgenoot. 'Aan het einde van de les was de stof soms op en mochten wij van de leraar iets voor onszelf doen. Een boek lezen of rustig met elkaar praten, van dat soort dingen. Hoewel eten in de klas bij die gelegenheden absoluut taboe was, ging Dirk dan demonstratief een appeltje schillen.' Als hij daarop wordt aangesproken, laat hij weten niemand kwaad te doen. Hij is absoluut niet van plan de vrucht weg te gooien. 'Achteraf bezien had hij daar misschien gelijk in, maar ik en de rest van de klas waren te angstig om het gezag op die manier te tarten. Wij vonden hem wel dapper.'

De kennismaking met Engele Wijnsma betekent een radicale verandering in het leven van Scheringa. Op een avond lopen hij en een vriend langs zijn huis in Veenwouden en zien zij een bord in de tuin staan waarop lessen in boekhouden worden aangeboden. De twee jongens besluiten vervolgens samen deze cursus te volgen. 'Ik haakte echter snel af', zegt de vriend. 'Boekhouden was niks voor mij. Maar Dirk ging echt zijn best doen en zat bijna elke avond thuis te studeren. In deze periode haalt hij ook nog eens zijn middenstandsdiploma. Zo fanatiek had ik hem nog nooit gezien.' Bij Scheringa breekt het besef door dat als hij carrière wil maken, hij moet leren. Vanaf dat moment neemt hij de stof vol overgave tot zich.

Na deze studie wordt Scheringa jongste bediende op accountantskantoor Germs in Kollum, waar hij belastingformulieren moet invullen en kasboeken moet bijschrijven. Hij beschouwt deze nieuwe baan achteraf als zijn eerste stap op de maatschappelijke ladder. Aan het einde van de dag heeft hij geen vieze inkthanden meer en de muffe stofjas kan hij definitief aan de kapstok hangen. Ook lijkt hij rustiger te worden en wekt hij minder weerstand op bij zijn omgeving. Zo herinneren de oude medewerkers van kantoor Germs hem als een plezierige jongen. 'Vriendelijk en geschikt, iemand die iets van ons wilde aannemen', zegt een van hen. 'Maar ik had alleen de indruk dat hij niet precies wist wat hij wilde.'

De nieuwe levenshouding uit zich ook in het privéleven en de vriendschappen van Scheringa. De desinteresse verdwijnt en met Joop Dijkstra en Willem van der Veen vormt hij een onafscheidelijk trio dat regelmatig met een biertje in de hand vol vuur discussieert over geloof en politiek. Zijn vrienden worden later predikant. De banden zijn dan zo hecht dat als de mannen eenmaal zijn getrouwd, zij ook een aantal keer gemeenschappelijk met de dames op vakantie gaan. Van der Veen is in 2002 tot groot verdriet van Scheringa overleden aan een hersentumor, maar met zijn weduwe en met Dijkstra onderhouden hij en Baukje tot op de dag van vandaag een intens contact.

Naast het werk en de studies neemt Scheringa ook tijd voor ontspanning. De uitgaansavonden beginnen altijd bij de plaatselijke harmonie Excelsior in Veenwouden, waarin hij de grote trom speelt. 'Kennelijk wilde hij toen al imponeren', grapt een van de andere leden van het muziekgezelschap. Zij vervolgt op serieuzere toon: 'Maar de keuze voor dat instrument lag met zijn postuur ook wel voor de hand. Hij was lang en sterk.' Na de repetitie wordt patat gegeten bij cafetaria Wypo en vervolgens gaat de reis naar een discotheek in Leeuwarden of Dokkum. Een enkele keer wordt daar gedanst met de meisjes, maar meestal gaat de voorkeur uit naar geanimeerde gesprekken over het leven en de politiek of naar een spelletje biljart.

Om hun maatschappelijke betrokkenheid vorm te geven, besluiten de drie vrienden lid te worden van de Anti-Revolutionaire Partij en van de Werkende Jeugd, de jongerenclub van het Christelijk Nationaal Vakverbond. Al binnen een jaar is Scheringa voorzitter van de plaatselijke afdeling van deze laatste organisatie. 'Hij trok altijd makkelijk dingen naar zich toe', zegt een vriend. 'Ik bleef meer op de achtergrond, maar wanneer hij gemotiveerd was, zette hij zich altijd voor de volle honderd procent in en had hij een oneindig doorzettingsvermogen.' Maar als zijn interesse niet werd gewekt, liet hij gewoon verstek gaan. 'Hij is echt een kerel van alles of niets, een tussenweg lijkt bij hem niet te bestaan.'

Deze eigenschap komt ook goed tot uiting op het voetbalveld van WTOC in Oudwoude, waar hij in de jeugdelftallen op de positie van rechtshalf speelde. 'Nee, hij was niet gezegend met een puntgave techniek', zegt een toenmalige teamgenoot. 'Maar zijn doorzettingsvermogen maakte veel goed. Hij was nauwelijks te passeren en een tegenstander moest hem bij wijze van spreken drie keer voorbij. Hij bleef maar terugkomen, hij had de conditie van een marathonloper. Hij gaf nooit op, ook niet als wij al op een grote achterstand stonden.'

Ook tijdens de koude winters blijkt hij een echte doordouwer. 'Na een aantal vriesnachten maakten wij met ons clubje een schaatstocht', aldus de vriend. 'Maar Dirk kon niet zo goed meekomen, hij had eigenlijk niet zoveel talent. Op een gegeven moment waren wij het wachten moe en besloten wij maar vooruit te gaan.' Die beslissing werd genomen in de volle overtuiging dat Scheringa later wel zou komen. 'Die redt het wel', zeggen de twee overgebleven vrienden tegen elkaar. En inderdaad duurt het niet lang voordat hij bij het eindpunt ploeterend en met een rood hoofd de bocht omkomt. Later heeft Scheringa les genomen en zelfs de Elfstedentocht uitgereden.

Zoals altijd tijdens zijn reizen wil Scheringa ook in Moskou een mok kopen als souvenir. In alle vroegte gaat hij daarom samen met zijn vrouw naar de markt die tegenover het hotel ligt. Daar begint het spel van loven en bieden met de plaatselijke kooplui. Tot woede van zijn eega zet Scheringa de onderhandelingen voort tot hij ook de laatste roebel in zijn zak kan houden. 'Schaam je, man!' Baukje kan niet verdragen dat de verkoper niets wordt gegund, maar naar haar argumenten wordt niet geluisterd. Dus rest haar weinig anders dan woedend sissend alleen terug te keren naar de hotelkamer. Van deze vertoning wil zij geen deel uitmaken.

Geld is al op jonge leeftijd een belangrijk motief in het leven van Scheringa. Zo heeft hij tijdens zijn schooltijd een eindeloze rij bijbaantjes. Bij een van de eerste mag hij op zaterdag voor de plaatselijke bakker met de broodkar langs de afgelegen boerderijen. Met dat werk verdient hij afhankelijk van de omzet gemiddeld een tientje per dag. Dit bedrag wordt niet gespendeerd aan speelgoed of snoepgoed, maar wordt op advies van zijn ouders braaf op de bankrekening bijgeschreven.

Op vijftienjarige leeftijd moet Scheringa een keer kippen voor zijn vader verkopen. De handelaar wil hem niet tegemoetkomen bij de onderhandelingen en 'geeft hem geen geluk'. Dan niet, denkt Scheringa laconiek. De man loopt het erf af, stapt op zijn fiets en doet alsof hij weg wil rijden. Als hij merkt dat zijn jonge tegenpartij dan nog geen aanstalten maakt om met zijn prijs te zakken, geeft hij zich gewonnen en betaalt hij het gevraagde bedrag. Vanaf dat moment weet Scheringa hoe het werkt en besluit hij nooit te snel toe te happen en nooit te zwichten voor dreigementen.

Zijn grootste succes boekt Scheringa in die tijd als verkoper van tijdschriften als *Libelle*, *Margriet* en *Donald Duck*. Later wordt het assortiment aangevuld met streekromans. Wanneer zijn klanten de boeken of de bladen te duur vinden, zakt hij met zijn prijs en geeft hij in ruil voor de afname van meerdere titels een deel van zijn marge op. 'Mensen krijgen graag korting', zegt Scheringa ook nu nog met gepaste trots. 'Op die manier wist ik veel meer geld op te halen dan mijn collega's.' Het duurt niet lang voordat deze verkooptechnieken hem de titel bezorgen van beste verkoper in de regio Friesland.

Als Scheringa wordt gevraagd naar de herkomst van zijn commerciële inzicht, verwijst hij steevast naar zijn opa van moederskant. Die is marskramer en kan goed verkopen. 'Van hem heb ik mijn zakelijke instincten geërfd.' Voor zijn andere grootvader heeft hij nog meer bewondering. Die schopt het weliswaar niet verder dan landarbeider, maar is wel het aanspreekpunt voor de rijke herenboeren in Groningen. Ook wordt hij voorzitter van de plaatselijke landarbeidersbond. Scheringa omschrijft hem als een 'wijs man' en een 'echte bestuurder die in deze tijd zeker leiding zou hebben gegeven aan een groot bedrijf'. Liefdevol vervolgt hij: 'Mijn opa kon verschrikkelijk hard werken. Niemand was in staat hem bij te houden als hij aardappels rooide.'

Ook tijdens de afspraken met zijn vrienden in het café blijkt de fascinatie van Scheringa voor geld. Zo weet hij aan het einde van de avond precies wie wat heeft gedronken en vooral hoeveel de verschillende consumpties kosten. 'Hij lette echt op de dubbeltjes en kon feilloos uitrekenen wat wij elkaar schuldig waren', zegt een kameraad. 'Natuurlijk is het tekenend dat hij de uitgaven zo nauwkeurig in de gaten hield, maar het werd toch nooit echt storend. Hij presenteerde de berekeningen altijd als een grapje. Wij hadden ook iemand in ons groepje die gedachteloos de hele nota betaalde. Dat was weer het andere uiterste.'

'Als het op geld aankwam, was Dirk een beetje een streberig jongetje', vervolgt zijn kameraad. 'Hij vond het fantastisch om een mooie omzet te behalen, meer te verdienen dan zijn collega's. Daar kon hij echt verschrikkelijk van genieten. Toch geloof ik niet dat het hem in eerste instantie om de winst ging, het spel vond hij belangrijker.' Volgens de mensen in zijn omgeving probeert de jonge Scheringa met zijn nevenverdiensten en zijn onderhandelingsvaardigheden te bewijzen dat hij minstens net zo slim is als anderen en voor vrijwel niemand hoeft onder te doen. 'Hij wil op die manier laten zien dat hij de baas is.'

'Geld is onbelangrijk, geld is niks', bevestigt Scheringa jaren later tijdens een interview. Naar zijn idee is geluk veel belangrijker en dat komt voort uit andere dingen. 'Ze zeggen dat je eerst van jezelf moet houden, voordat je van iemand anders kunt houden. Zo is het. Je moet blij zijn met wie je bent en met hoe je eruitziet.' Op de vraag waarom hij dan toch doorgaat met zoveel te verdienen, antwoordt hij: 'Ik vind werken heerlijk. En ik wil graag winnen, dat zit in me. Sommigen hebben dat, en sommigen niet.'

Scheringa wordt door zijn vrienden ook niet omschreven als een zuinige schraper. 'Ik studeerde theologie in Utrecht en woonde daar met mijn vrouw op een klein kamertje in de binnenstad,' zegt een van hen. 'In die tijd was bij ons thuis schraalhans keukenmeester. Dirk werkte toen bij de politie en had ook niet veel te besteden, maar wel meer dan wij. Als hij en Baukje langskwamen, namen zij ons mee naar restaurant 't Roefke in het centrum van de stad. Na afloop betaalde hij het eten en de drank. Dat was voor hem vanzelfsprekend, daar deed hij nooit moeilijk over. Hij wist ook wel dat wij moesten sappelen en ons deze uitgave niet konden permitteren.'

Ook voor de ontspoorde zoon van zijn jongste zus trekt Scheringa zonder bedenkingen zijn portemonnee. Deze jongen raakt verslaafd aan de drugs en slaapt de meeste nachten in het park in Kollum. Dus krijgen de lijfwachten die Scheringa dan heeft de opdracht om deze jongen te begeleiden en wordt voor hem een baan gezocht en een huis gekocht. 'Dirk was vreselijk begaan met zijn neef', zegt een van hen. 'Hij was vastbesloten hem weer op het rechte pad helpen.' Maar helaas blijken de pogingen tevergeefs. 'Eigenlijk wilde zijn neef niet geholpen worden', zegt de lijfwacht. Met als gevolg dat hij vrijwel nooit op tijd op zijn werk verschijnt en zijn huis laat verslonzen. Het duurt dan ook niet lang voordat hij de weg naar zijn dealer weer weet te vinden.

Ondanks deze goede werken is Scheringa maar moeilijk te spreken over wat zijn vrienden de financiële ethiek noemen. 'Dat onderwerp probeerde hij tijdens onze discussies in het café altijd zo veel mogelijk te vermijden. Dan viel hij stil.' Volgens Scheringa is op dat gebied iedereen zelf verantwoordelijk en bij voorstellen voor ingrijpen door de overheid heeft hij het al snel over een 'betuttelende toon'. Wel zal hij later voorstellen om het vak 'huishoudboekje' op de basisschool te doceren zodat jonge mensen vroeg leren goed met geld om te gaan.

Net als voor de andere klanten heeft het faillissement van DSB Bank in oktober 2009 voor Antje Scheringa-Bruining in het Friese Kollum grote gevolgen. De rekening die zij bij het bedrijf van haar zoon heeft geopend, wordt geblokkeerd en de automatische afschrijvingen worden niet langer verwerkt. Ook het Groene Kruis ontvangt geen geld meer en de thuiszorgorganisatie dreigt de rolstoel en de rollator van de later dat jaar overleden vader Willem op te halen uit het verpleeghuis. Hij is daar in verband met een toenemende zorgbehoefte ruim een half jaar eerder opgenomen en kan zich zonder deze hulpmiddelen niet verplaatsen.

In een poging haar financiën weer op orde te krijgen, besluit Antje het abonnement bij het Groene Kruis maar te laten verlopen. 'Ik kan dit niet meer betalen', zegt zij berustend. 'Wat een gemene vrouw', reageert Baukje verontwaardigd. Wanneer Scheringa van de plannen van zijn moeder hoort, haast hij zich om het geld zelf over te maken. Maar wel wordt de toch al koele relatie vanaf dat moment tot een minimum beperkt. Weliswaar reizen Baukje en Scheringa nog regelmatig naar Kollum, maar zij rijden meestal rechtstreeks door naar zijn vader. Het ouderlijk huis wordt dan zonder bezoek gepasseerd.

De verstoorde verhoudingen bij de familie Scheringa komen op die manier extra onder druk te staan. Want ook zijn jongste zus Ieke laat hij al geruime tijd links liggen. Meestal worden ontmoetingen voorkomen, maar als dat niet lukt, negeren zij elkaar volkomen. In het verpleeghuis wacht Scheringa bijvoorbeeld in de gang tot zijn zus de kamer van hun vader heeft verlaten. Hij verwijt haar de slechte zorg voor haar aan de drugs verslaafde zoon en kan bovendien slecht verkroppen dat zijn zus moeite heeft de drank te laten staan. Met dit probleem wil hij het liefst zo min mogelijk geconfronteerd worden.

De vrienden van Scheringa omschrijven zijn opvoeding als kil en afstandelijk. 'Zijn ouders namen hun verantwoordelijkheid, maar hadden hem op emotioneel gebied weinig te bieden. Overigens was dat toen geen uitzonderlijke situatie in het oosten van Friesland. De mensen moesten hard werken om in hun dagelijkse behoeften te voorzien en hadden weinig tijd en aandacht voor andere zaken.' Dat neemt niet weg dat de jonge Scheringa veel te kort komt. Hij heeft een grote behoefte aan warmte en hartelijkheid. 'Als ik hem ontmoet, krijgen mijn vrouw, maar vooral ik een omhelzing. Hij wil altijd even knuffelen.' Niet voor niets heeft hij het al van jongs af aan vaak over smûk, het Friese woord voor gezellig, knus.

Scheringa zal later tijdens zijn talrijke interviews in de bladen en op televisie vrijwel nooit over zijn ouderlijk huis vertellen. 'Los zand', zijn de weinige woorden die hij over die periode in zijn leven kwijt wil. 'Bij mij thuis moesten de gezinsleden voor zichzelf zorgen', vervolgt hij na enig aandringen. Zijn moeder en zijn zussen blijven verder vrijwel onbesproken. Van zijn oudste zus Gepke laat hij bijvoorbeeld alleen weten dat zij een universitaire opleiding heeft gevolgd. Op die manier respecteert hij hun privéleven en hoeft hij niet al te veel aandacht te besteden aan de pijnlijke episodes uit zijn jeugd. Alleen voor het doorzettingsvermogen van zijn vader uit hij soms zijn bewondering.

Die is overigens niet op alle terreinen wederzijds. Volgens het geruchtencircuit in Kollum adviseert Willem Scheringa op latere leeftijd mensen vooral geen lening af te sluiten bij 'myn soan'. Dan wordt hen naar zijn idee het vel over de oren gehaald. Bovendien heeft hij vanwege zijn gereformeerde achtergrond sowieso moeite met de activiteiten van DSB Bank. Volgens hem moet het geld eerst worden verdiend voordat het mag worden uitgegeven. Leningen en rente kan hij slecht met de uitgangspunten van zijn geloof combineren.

Ook als vader toont Scheringa senior zich vooral als een man van de oude stempel voor wie gehoorzaamheid van groot belang is. 'Op een avond gingen wij op de brommer naar een dancing in het Groningse Leek', herinnert een vriend van Scheringa zich. 'Het was een beetje een miezerige avond en de rails die bij de veiling liggen voor het goederentransport waren spekglad.' De jongens rijden net iets te roekeloos en gaan daar onderuit. Ernstige verwondingen blijven uit, maar de kleren zijn gescheurd en de brommers zijn niet meer aan de praat te krijgen. 'Dus belden wij mijn vader om ons met de auto op te halen', zegt de vriend. 'Hij vreesde – al dan niet terecht – dat Dirk vreselijk op zijn kop zou krijgen en heeft hem dus maar even naar binnen gebracht.' Daar was deze vader in staat de ergste woede te dempen.

Al snel zoekt Scheringa de gezelligheid buiten zijn ouderlijk huis. Zo slaapt hij regelmatig bij de familie van Joop Dijkstra, een van zijn beste vrienden. Daar staat altijd een bed voor hem klaar. Dat is handig omdat Veenwouden het vertrekpunt is tijdens de uitgaansavonden. Van daaruit zetten de vrienden koers naar het station om met de trein naar Leeuwarden of Dokkum te reizen. Oudwoude, de woonplaats van Scheringa, is zeker 's nachts met het openbaar vervoer volkomen onbereikbaar.

Maar bij de keuze voor deze slaapplaats spelen niet alleen praktische overwegingen een rol. De familie Dijkstra heeft twaalf kinderen, zodat Scheringa altijd aanspraak heeft. Bovendien wordt moeder Dijkstra omschreven als een warme en ook wijze vrouw die een groot zwak heeft voor hem. Op die manier lijkt zij in staat in ieder geval deels te compenseren wat hij thuis mist. Scheringa loopt met haar weg en laat zich alleen door haar overreden om na een zware nacht mee te gaan naar de kerk. Hij zou dat bezoek graag willen overslaan, maar hij weet dat hij haar met zijn weigering zou kwetsen.

Ook de ontmoeting met Baukje in Damwoude is voor hem in dit opzicht van grote betekenis. Samen met een vriend gaat Scheringa naar de straat die in de volksmond 'de veiling' wordt genoemd. Daar staan de jongens nonchalant te wachten, terwijl de meisjes rondjes lopen. Als Baukje langskomt met een vriendin, heeft hij zijn keuze al gemaakt. 'Als je nog een keer langskomt, ga ik met je mee', zegt hij tegen zijn toekomstige vrouw. Zo gezegd, zo gedaan en voor ze het weten hebben Baukje en Scheringa min of meer verkering en krijgen zij in de jaren die volgen voor hun verjaardagen lakens en pannen voor hun uitzet. Beiden zijn dan zeventien jaar oud.

Baukje de Vries is afkomstig uit wat Scheringa een 'kluwengezin' noemt. 'Het was een hecht verband waarin alles werd besproken. Het probleem van de een was daar direct het probleem van iedereen.' En Baukje zelf herinnert zich een fijn en beschermd gezin waarin elke cent die gespaard kan worden, opzij wordt gelegd voor de uitzet of de opleiding van de kinderen. Ook ziet zij zich nog aan de hand van haar vader in het park van Driesum lelietjes-van-dalen plukken, en koestert zij warme gevoelens voor haar ruim vijftig familieleden die in de omgeving van het dorp wonen en regelmatig worden bezocht.

Scheringa komt graag thuis bij het gezin van vader en moeder De Vries en wordt daar al snel geaccepteerd als een van de familieleden. 'Baukjes vader had een stuk land van één hectare. In de zomer gingen wij daar samen op de gemotoriseerde bakfiets van mijn grootvader heen om te hooien. Het was zwaar werk, we deden alles met de hand. Maar het was daar altijd gezellig en ik deed het werk met veel plezier.' Op Rinsma State wordt veel later de bakfiets van zijn opa waarin hij toen zijn meisje vervoerde tot in de puntjes opgeknapt. Die vormt voor hem een tastbare herinnering aan deze gelukkige tijd.

In 1973, als Baukje en Scheringa 23 jaar zijn, wordt het huwelijk voltrokken. De twee echtelieden lijken voor elkaar geschapen. Hij heeft een grote behoefte aan geborgenheid, zij wil graag voor hem zorgen. 'Thuis ben ik degene die voor de warmte zorgt', zegt zij jaren later in een interview. 'Ik kom zelf op de laatste plaats en vind het belangrijk dat het eten op tijd klaar is. De kleine dingen neem ik voor mijn rekening.' Dat betekent overigens niet dat zij zich compleet wegcijfert. 'Ik spreek wel degelijk mijn woordje mee, maar ik ben niet bezig met een eigen carrière.'

Dat blijkt bijvoorbeeld als Scheringa al wachtmeester is bij de Rijkspolitie in West-Friesland. 'Tijdens de surveillance in de Volkswagen Kever gingen we vaak koffiedrinken bij hem thuis', herinnert een collega uit die tijd zich. Als haar werk in het verpleeghuis in Hoorn het maar enigszins toelaat, zorgt Baukje dat zij dan thuis is om even een 'bakkie' te zetten. Na het faillissement van DSB Bank is Scheringa aangewezen op de vergaderruimte bij hem thuis. Als hij daar iemand wil spreken, maakt zij geen afspraken buiten de deur. Het is voor haar onacceptabel als de mannen zich op de een of andere manier niet goed verzorgd voelen.

Ook de inrichting bij hem thuis moet bijdragen aan de geborgenheid. Daar gebruikt hij vooral schilderijen voor. Aan de muur hangen uitsluitend kunstwerken in warme kleuren. Tegelijkertijd moet de kamer wel altijd opgeruimd zijn. Alles staat keurig op zijn plaats en op de tafel liggen nooit kranten. 'Voor mij en mijn vrouw is dat een beetje merkwaardig', zegt een goede vriend. 'Bij ons thuis mag het leven zich veel duidelijker tonen. Wij lopen niet de hele dag op te ruimen.'

Scheringa zoekt de gezelligheid niet alleen bij Baukje, maar ook bij zijn dorpsgenoten. Tijdens de koude winters gaat hij regelmatig schaatsen met zijn buurman die betonvlechter is. En in alle jaargetijden houdt hij eens per week een avond vrij voor zijn kaartvrienden, een bollenboer, een fysiotherapeut en een timmerman. Met hen klaverjast hij meestal in het plaatselijke café, maar soms neemt hij ze mee met zijn privévliegtuig naar zijn vakantiehuis in Spanje voor een paar dagen ongestoord plezier. Tijdens de vele interviews worden deze vrienden tot vervelens toe opgevoerd om te bewijzen hoe gewoon hij ondanks zijn succes is gebleven.

Met zijn lijfwachten onderhoudt Scheringa een dubbele relatie. Aan de ene kant vindt hij dat vriendschap ten koste zou gaan van hun professionaliteit. 'Ze moeten elke seconde scherp zijn om hun werk bekwaam te kunnen doen, zij mogen niet worden afgeleid door gevoelens.' Maar aan de andere kant mag de afstand ook niet te groot worden. Als de mannen eens per week gaan sporten, is het vanzelfsprekend dat zij na hun inspanningen gebruikmaken van zijn jacuzzi en van zijn sauna. En als zij tijdens hun diensten op zondag bij de plaatselijke Chinees een maaltijd halen, krijgen zij van Scheringa vaak het verzoek voor hem en zijn gezin het maandmenu mee te nemen.

'Dirk wil graag kwetsbaar zijn en mensen dichtbij laten komen', zegt zijn beste vriend, die hem al sinds de middelbare school kent. 'Maar helaas heeft hij moeite vorm te geven aan vriendschap. Ik kan met hem goed praten over intieme zaken, maar tegelijkertijd heb ik vrijwel nooit de indruk dat de boodschap ook echt aankomt. Dat zal ook wel te maken hebben met de teleurstellingen die hij in de harde financiële wereld te verwerken heeft gekregen. Hij laat zich niet in zijn kern raken, en dan wordt het lastig. Ik hoop van harte dat hij in de toekomst zijn weg op emotioneel gebied nog weet te vinden.'

4

Zelfverheffing

'Ik heb alles gedaan, heb een brede achtergrond. Mijn leven is een soort marathon. Ik ben leergierig en wil me altijd ontwikkelen. Een ander gaat 's avonds lui voor de televisie zitten, maar ik werk liever door of doe nog een extra studie. Daarbij moet ik het vooral hebben van mijn doorzettingsvermogen. In een verslag van de politieacademie indertijd werd al vermeld dat ik wat houterig loop. Maar dat neemt niet weg dat ik wel mooi de snelste van de klas was. Zoek het maar uit, dacht ik. En als verdediger van mijn voetbalteam was mijn techniek weliswaar zeer beperkt, maar ik liet geen aanvaller passeren.'

Tijdens een interview met *Het Financieele Dagblad* in april 2009 in het hoofdkantoor van DSB Bank steekt Scheringa de trots op zijn prestaties niet onder stoelen of banken. Als het gesprek een uur of twee aan de gang is, staat hij op en haalt hij uit de kast een stapel klappers. 'Dit zijn mijn eerste boekhoudschriften.' Daarnaast ligt een beduimelde plastic insteekmap met foto's en een groene multomap vol diploma's. Handelskennis, makelaardij, assurantiën, om maar enkele van de door hem gevolgde cursussen te noemen. Hij studeert zelfs nog een jaar rechten aan de Rijksuniversiteit Utrecht. En de vergunningen van de Nederlandsche Bank, de Verzekeringskamer en het ministerie van Economische Zaken hangen keurig ingelijst aan de muur.

Zelfs prestaties die andere mensen allang vergeten zijn, worden door hem nauwkeurig in zijn archief vastgelegd. 'Kijk', zegt hij als hij een oranje kaartje tevoorschijn trekt, 'mijn dansdiploma. Engelse wals een acht.' Vervolgens toont hij gretig de foto's uit zijn verleden. Scheringa als jonge vader, tijdens de eedaflegging bij de politie, met een struikje op zijn helm in militaire dienst, in judopak, verscholen achter de grote trom in de tijd van de harmonie en naast trainer Louis van Gaal op het veld van voetbalclub AZ. Alles keurig geordend naar de fase van zijn leven.

Keer op keer benadrukt Scheringa vooral zijn volharding. Hij vertelt graag dat hij bij zijn geboorte geen zilveren lepel in zijn mond had en hoe hij met hard werken zijn imperium heeft opgebouwd. En daar heeft hij ook alle reden toe. Het komt immers niet vaak voor dat de zoon van een kaasmaker die op de laagste sport van de maatschappelijke ladder is begonnen het uiteindelijk weet te brengen tot bankdirecteur, eigenaar van een voetbalclub en oprichter van een museum. Hij is de vleesgeworden Amerikaanse droom en het is alsof hij zichzelf moet overtuigen van de realiteit van de gebeurtenissen.

Dankzij zijn noeste arbeid weet Scheringa zich redelijk staande te houden in de wereld van 'haute finance'. In 2006 of 2007 organiseert DSB Bank een congres over ingewikkelde onderwerpen als renterisico's. Na afloop moet Scheringa een samenvatting geven. 'Tot mijn verbazing sloeg hij geen flater en wist hij in acceptabel Engels de hoofdpunten te noemen', zegt een deelnemer aan die bijeenkomst. 'En dat terwijl ik bijna zeker weet dat hij weinig van de stof begrepen had. Die ging hem gewoon ver boven de pet.'

Scheringa is zich terdege bewust van deze prestaties en heeft geen last van al dan niet valse schaamte. 'Nog steeds hebben mijn veiligheidsmensen veel moeite mij bij te houden wanneer ik gewoon wandel', zegt hij tegen journalisten van *de Volkskrant.* 'Ik loop altijd heel hard. Ook in mijn hoofd schakel ik razendsnel. Ik neem honderden beslissingen per dag, die neem ik allemaal binnen een seconde. Het is soms om bang van te worden. Ik hoef nergens lang over na te denken. Ik weet precies wat ik wil, weet waar ik naartoe wil en overzie meteen of mijn plannen betaalbaar zijn.'

Op het kantoor van DSB Bank worden wat dat betreft vooral de maandagen gevreesd. Dan heeft Scheringa op de tribune van AZ of van de club die wordt bezocht de tijd gehad om na te denken. Alle nieuwe ideeën die dan bij hem bovenkomen, worden in de avonduren uitgeschreven en vervolgens in plastic mapjes gestopt. Tijdens de ochtendvergadering haalt hij die tevoorschijn en moeten zijn ondergeschikten hun uiterste best doen hun baas af te remmen en weer terug te brengen in de realiteit.

Dat valt niet altijd mee. Ook niet omdat het ongebreidelde enthousiasme van Scheringa erg aanstekelijk werkt. 'Zelfs nu', zegt een medewerker die al in een vroegtijdig stadium afscheid nam bij DSB Bank, 'zou ik grote moeite hebben weerstand te bieden aan zijn geestdrift. Natuurlijk ga ik na alles wat is gebeurd nooit meer met hem in zee, maar ik zou mijn verstand moeten inschakelen om niet akkoord te gaan met zijn nieuwe plannen. Zijn dominantie in het bedrijf is niet alleen gebaseerd op zijn dwingende karakter, zijn vermogen om te overtuigen speelt ook een belangrijke rol.'

Scheringa ziet zichzelf dan ook niet als een dictator in een ivoren toren, en zegt dat hij het werk goed aan anderen kan overlaten. 'Zij moeten wel over de nodige kwaliteiten beschikken.' Dan komt hij met een tot op de dag van vandaag onbegrepen uitspraak: 'Sommigen voelen zich snel bedreigd door mensen die misschien beter zijn dan zij zelf. Maar ik ben de beste, daar hoef ik dus niet bang voor te zijn', zegt hij tegen *Het Financieele Dagblad.*

De vraag waarom hij dan toch zo fanatiek speurt naar duurbetaalde medewerkers met veel kennis van zaken, blijft onbeantwoord.

Hij mag nu vol zelfvertrouwen zijn, in zijn jeugd heeft Scheringa geen hoge dunk van zichzelf en schuwt hij confrontaties. Maar in militaire dienst verandert zijn zelfbeeld snel. 'In het begin was hij een supergewoon joch', zegt een dienstmaat met wie hij de opleiding in het Gelderse Harskamp volgt. 'Het zou echter niet lang duren voordat hij mee ging doen aan de onderlinge pesterijen. Bed omhoogzetten als je sliep, dat soort geintjes moest hij natuurlijk ook ondergaan.' En eigenlijk vindt Scheringa dat wel prettig; het geeft hem het gevoel deel uit te maken van een groter verband.

Uiteindelijk wordt Scheringa ondergebracht bij de geneeskundige troepen. Daar zit hij in een groep met juristen, ingenieurs, artsen en sociologen, allemaal jongens van de universiteit en van technische hogescholen. In eerste instantie merkt hij dat hij bij fysieke vakken als hardlopen en vechten niet voor hen hoeft onder te doen. En later blijkt hij ook tijdens de discussies zijn mannetje te staan. Zijn goed opgeleide jaargenoten accepteren hem als een van hen en zien hem niet als een 'domme provinciaal'. Dat betekent een doorbraak: voor het eerst van zijn leven begint hij te denken dat hij intelligent is.

Na zijn diensttijd keert Scheringa terug naar zijn vroegere werk bij accountantskantoor Germs in Kollum. Maar dat zal niet lang duren: hij wil hij meer verdienen dan daar mogelijk is. Gezien zijn goede ervaringen bij het leger besluit hij te solliciteren bij de gemeentepolitie van Amsterdam. Daar wordt hij zonder problemen aangenomen, maar als hij aangeeft maar een paar jaar in de hoofdstad te willen dienen, kan hij per direct vertrekken. Dit korps beschouwt zichzelf als de elite van Nederland en aan jongens die daar niet volledig voor willen gaan bestaat geen behoefte. Dat zijn in de ogen van de leiding in de toekomst mogelijke probleemgevallen.

Scheringa beproeft dan zijn geluk bij de Rijkspolitie. Als een van de weinige kandidaten wordt hij aangenomen en in 1972 gaat hij naar de Politieacademie in Apeldoorn. 'Je leerde hard werken', zegt hij. 'Praktijklessen, wapenleer en 's morgens vroeg naar het zwembad voor het B-diploma. Het was zwaar maar we waren allemaal fanatiek en supergemotiveerd. Het was een hele prettige opleiding met veel structuur en discipline.' Ook de onderlinge sfeer bij de rekruten is goed en Scheringa zal later het liefst ook zijn eigen zoons naar deze opleiding toe willen sturen.

Toch valt Scheringa niet bij al zijn jaargenoten in de smaak. Zo vermoedt een van hen dan al dat het slecht met hem zal aflopen. 'Hij was soms briljant, maar af en toe ook uiterst schizofreen en eigenwijs. Wantrouwend was hij in ieder geval altijd.' Deze bron omschrijft Scheringa als een buitenbeentje in de klas. 'Als hij zegt dat hij volledig werd geaccepteerd, vrees ik dat bij hem de wens de vader van de gedachte is. Ik was zeker niet de enige die hem merkwaardig vond en het liefst wat afstand tot hem hield.'

Op de Politieacademie is Johan Gerhasse de favoriete leraar van Scheringa. Tot verbazing van Gerhasse zelf. 'Waarom heb je adjudant Bouwman niet gekozen?' vraagt hij Scheringa tijdens een door dagblad *Trouw* georganiseerde ontmoeting. 'Bouwman was een vriendelijke, zachte man en eigenlijk in alles mijn tegenpool.' 'Dat is waar, maar jij had iets speciaals', geeft Scheringa als antwoord. 'Je was streng, maar had toch een klein hartje.' Gerhasse doceert vakken als rechts- en wetskennis, staatsinrichting en procesverbaal opmaken, het stampwerk waar Scheringa de nodige moeite mee heeft. 'Opper, hoe kan het nou dat u al die wetsteksten uit uw hoofd kent?' vraagt hij in die tijd regelmatig aan zijn leermeester.

Maar van de speciale band die Scheringa toen met zijn leraar heeft gevoeld, lijkt Gerhasse zich niet bewust. Zo kijkt hij verbaasd als hem wordt verteld dat hij al talenten in zijn pupil ontdekte die hij bij anderen niet zag. Scheringa verduidelijkt zijn uitspraak met een anekdote. 'Ik werd destijds gevraagd tijdens een bijzondere zitting de rol van procureur op mij te nemen. Dat was volgens mij omdat ik een goede babbel had.' Gerhasse schiet bij die opmerking in de lach: 'Ja, die heb je nog steeds, op dat gebied ben je maar door weinig mensen te verslaan.'

Dat blijkt bijvoorbeeld als Scheringa in 1976 een vervolg geeft aan de politieke ambities uit zijn jeugd en lid wordt van de ARP. Binnen de kortste keren weet hij zich op te werken tot fractievoorzitter in de overwegend katholieke gemeenteraad. En dat terwijl hij de jongste is en een gereformeerde achtergrond heeft. Tot zijn komst wordt de scepter in deze partij, het latere CDA, in de gemeenten Spanbroek en Opmeer gezwaaid door katholieken. Ook hier worden vooral zijn verbale vaardigheden geroemd; zijn inhoudelijke bijdragen hebben bij zijn voormalige collega's een minder grote indruk achtergelaten.

Zelf kan hij zich uit deze tijd vooral zijn ergernis over het rookgedrag van de raadsleden herinneren. Die steken herhaaldelijk dikke sigaren of sigaretten op zodat de zaal binnen de kortste keren blauw staat. 'Dat kon toen nog', zegt hij achteraf. 'Het lukte mij niet om de vergaderingen rookvrij te krijgen, voor dat voorstel kreeg ik onvoldoende steun. Dus ging ik de ramen dan maar elke keer openzetten.' In 1979 stopt hij met zijn raadswerk omdat hij het te druk krijgt met zijn werk bij Frisia. Wel is hij bereid nog jarenlang voorzitter te blijven van de afdeling van zijn partij.

In 1983, als hij inmiddels 32 jaar oud is, wordt hij lid van de Junior Kamer in West-Friesland. Hij wordt voorgedragen door twee leden en aarzelt geen moment om hun voordracht te omarmen. Een betere opleiding voor jonge ondernemers is volgens hem niet te vinden. De primaire doelstelling van deze club wordt door hem in het boek *50 jaar JCI Nederland* omschreven als 'leren, leren en nog eens leren'. Hij is een trouwe bezoeker van de vergaderingen in café De Vriendschap in Wadway en besteedt naar eigen zeggen gemiddeld een dag per week aan de Junior Kamer. En dat terwijl hij door de groei van zijn bedrijf al te maken heeft met een overvolle agenda.

Ook de internationale congressen van de Junior Kamer staan Scheringa levendig voor de geest. Die geven hem de gelegenheid zijn vleugels ook buiten de landsgrenzen uit te slaan. 'Puerto Rico, Miami en Cannes waren dynamisch, inspirerend en leerzaam!' zegt hij met een grote glimlach. De beste training die hij ooit volgt is van Allan Pease: 'How to use body language for power, success and love'. Tijdens zijn talrijke interviews zal hij later vaak verklaren dat deze opleiding hem miljoenen heeft opgeleverd. Vanaf dat moment hecht hij evenveel waarde aan zijn lichaamstaal als aan zijn verbale vaardigheden.

'Je kunt bepaalde typen mensen onderscheiden aan de manier waarop zij je de hand schudden. Let maar eens op: als iemand zó een hand geeft, met de rug naar boven en de palm naar beneden, is hij voor de volle honderd procent dominant. Houdt hij de palm naar boven, dan heeft hij een meer timide persoonlijkheid.' Op die manier beoordeelt hij mensen en zegt hij te kunnen inschatten of zij een bod wel of niet interessant vinden. Dat geeft hem naar eigen zeggen een groot voordeel bij onderhandelingen. Uit angst te veel van zijn bedrijfsgeheimen te verraden, wil hij niet meer vertellen over deze inzichten.

Bij de Junior Kamer komt Scheringa voor het eerst in aanraking met kunst. Een van de leden organiseert in 1988 een lezing van een bekende verzamelaar in Amsterdam en Scheringa besluit mee te gaan naar de hoofdstad. Na afloop krijgt het gezelschap een uitnodiging om een veiling te bezoeken. Als een getekend zelfportret van Carel Willink onder de hamer komt, wil hij dolgraag bieden. Dus leent hij een lot van zijn clubgenoot. Uiteindelijk mag hij zich voor 3200 gulden de eigenaar noemen van zijn eerste kunstwerk. Diezelfde middag krijgt hij de gelegenheid *Zwitsers Landschap* van dezelfde schilder aan te schaffen, maar die kans laat hij aan zich voorbijgaan. De kosten van 28.000 gulden vindt hij te hoog. Later koopt hij dit schilderij alsnog, maar moet dan 125.000 gulden betalen.

In die tijd ontmoet Scheringa ook Loek Brons, een man die zijn fortuin heeft vergaard met textielwinkels die hij aan zijn branchegenoot Zeeman heeft verkocht. Vanaf dat moment ontpopt Brons zich als kunstverzamelaar en koopt hij ongeveer vijftig van de 54 schilderijen die van Willink in omloop zijn. Als Scheringa bij hem boven aan de trap een afbeelding van Mathilde ziet hangen, geeft hij aan die van hem over te willen nemen. 'Ik weet dat je daar 800.000 gulden voor hebt betaald', zegt hij om de onderhandelingen te openen. 'Ja, maar dat betekent niet dat ik hem voor die prijs ook verkoop', luidt het antwoord. Ook het bod van 900.000 gulden is voor Brons niet voldoende. Jaren later verwerft Scheringa het doek voor ongeveer 1,6 miljoen gulden.

Ondanks zijn enthousiasme over de Junior Kamer valt Scheringa eigenlijk al vanaf het begin uit de toon. Zo weet zijn mentor nog het eerste bezoek dat hij krijgt van zijn pupil. 'De club bestond uit beginnende ondernemers die nog niet veel te besteden hadden. Maar Scheringa komt met een gigantische Mercedes voorrijden. Daar komt dan zo'n zielig mannetje uit dat niet eens weet hoe de parkeermeter werkt.' Verder wordt hem verweten dat hij vooral kennis komt halen, en vrijwel geen inbreng heeft. 'Het is de bedoeling dat iedereen af en toe een lezing of een excursie organiseert. Maar die van Dirk waren nauwelijks de moeite waard. Die vertelde alleen maar saaie verhalen waarin hij zelf de hoofdrol speelde.'

Ook zijn maatschappelijke ambities zorgen voor de nodige verbazing bij de clubleden. Als hij voor de cursus 'mindmappen' moet vertellen over de carrière die hij zich wenst, vertelt hij zonder blikken of blozen dat hij later staatssecretaris wil worden. 'Ik vond dat een uiterst merkwaardige uitspraak', aldus een van de leden. 'Minister ligt dan veel meer voor de hand. Hij was als een voetballer die droomt van de eerste divisie. Misschien dat hij toen nog vond dat het hoogste niveau niet voor hem was weggelegd. Anders zou ik het ook niet weten.'

In 1988 sluit Scheringa zich aan bij een clubje dat het jaar daarop het bestuur van de Junior Kamer wil vormen. Voor hem is dan de rol van secretaris weggelegd. De verkiezingen zijn altijd een beetje een melige aangelegenheid. Vanwege tijdgebrek staat niemand te springen om bestuurslid te worden, maar iedereen vindt dat hij een bijdrage moet leveren aan het voortbestaan van de club. De leden stellen zich weliswaar kandidaat, maar vinden het niet erg door een ander verslagen te worden. De ene gegadigde probeert de mensen te overtuigen met een mooie fietstocht, de ander probeert ze te verleiden met een excursie naar een boerderij waar zij de koeien mogen melken.

Voor Scheringa blijken de verkiezingen echter een uiterst serieuze zaak. Tijdens de campagne verklaart hij zich bereid de contributie van de andere leden voor zijn rekening te nemen. Daarbij gaat het om een totaalbedrag van ongeveer 7000 gulden. Een kleine meerderheid vindt dat een aantrekkelijk idee en de delegatie waar Scheringa deel van uitmaakt wordt gekozen. Maar een aantal leden vindt het plan niet passen bij de vriendschappelijke sfeer van de Junior Kamer en sommigen beëindigen zelfs hun lidmaatschap na de stemming. Ook omdat van de campagne de suggestie uitgaat dat zij zelf niet aan hun verplichtingen zouden kunnen voldoen.

In 1989 wil Scheringa hogerop en besluit hij zich op te werpen voor het voorzitterschap van het jaar daarna. Om deze positie te verwerven stelt hij de club tijdens de verkiezingscampagne ditmaal een subsidie van 20.000 gulden in het vooruitzicht. Op dat moment is de club gewend aan zijn methoden, en aangezien Scheringa in het verleden keurig de maandelijkse bijdragen heeft overgemaakt, wordt hij zonder veel tegenspraak op het schild gehesen. Blijdschap alom en die avond wordt op zijn benoeming nog enthousiast het glas geheven.

Maar het enthousiasme blijkt van korte duur. Als het geld niet wordt overgemaakt naar de rekening van de club, maakt de vreugde snel plaats voor chagrijn. De leden besluiten Scheringa bij zijn eindpresentatie ter verantwoording te roepen over zijn belofte. Bij die gelegenheid toont hij hun een declaratie. Daarop kunnen de leden lezen hoeveel uren hij en zijn secretaresse aan de Junior Kamer hebben besteed en hoeveel kilometers hij heeft gereden. Die getallen zijn vermenigvuldigd met een volgens de delegatie behoorlijk onbescheiden tarief. Op die manier hebben hij en zijn bedrijf naar zijn eigen idee aan de verplichtingen voldaan.

Daar wordt binnen de club duidelijk anders over gedacht. De leden voelen zich bedonderd en de verontwaardiging over de gang van zaken stijgt tot het kookpunt. Al snel wordt besloten dat Scheringa na zijn afscheid niet wordt geaccepteerd als senator, een eretitel voor leden die zich in het verleden verdienstelijk hebben gemaakt voor de Junior Kamer. 'Als hij wordt voorgedragen, dan stap ik op', klinkt het van diverse kanten. Wanneer Scheringa veertig jaar wordt en volgens de statuten geen lid meer kan zijn, wordt aan zijn vertrek dan ook nauwelijks aandacht besteed. 'Opgeruimd staat netjes', vindt het grootste deel van de afdeling West-Friesland.

Helaas is dat te vroeg gejuicht. Want wanneer Scheringa niet wordt voorgedragen als senator, aarzelt hij niet zichzelf kandidaat te stellen. Het zorgt wederom voor grote consternatie binnen de club en de leden besluiten omwille van de lieve vrede hem vriendelijk te kennen te geven dat hij niet voor deze eretitel in aanmerking komt. Dat moet volgens de leden voldoende zijn om hem duidelijk te maken dat zijn betrokkenheid bij de Junior Kamer in West-Friesland niet langer op prijs wordt gesteld. Zij zien geen noodzaak hem die boodschap op een hardere manier onder de aandacht te brengen.

Scheringa zoekt het jaren later nog hogerop. In eerste instantie speelt hij de bal via de voorzitter van Racing Genk, een Belgische voetbalclub waar AZ in het kader van een Europees toernooi tegen moet spelen. Die is ook lid geweest van de Junior Kamer en heeft wel het senatorschap gekregen. Als hij hoort dat Scheringa daar niet voor in aanmerking is gekomen, schrijft hij een brief naar het Nederlandse bestuur van de Junior Kamer met het verzoek deze kwestie recht te zetten. Maar volgens de reglementen moet deze beslissing door de afdeling West-Friesland worden genomen, en die is nog steeds niet bereid hem deze titel te verlenen. Het senatorschap is immers weggelegd voor mensen die zich op een bijzondere manier verdienstelijk hebben gemaakt voor de club. En voor dat criterium kwalificeert Scheringa zich niet.

Nog weer later sponsort Scheringa een internationaal congres van de Junior Kamer. Met als gevolg dat het Europese bestuur bij het Nederlandse hoofdkwartier informeert waarom Scheringa nooit senator geworden is. Wanneer deze vraag wordt doorgespeeld aan de afdeling West-Friesland gaan de hakken definitief in het zand. Hoe hoger de druk, des te groter de koppigheid. Scheringa heeft het senatorschap niet verdiend en daarmee uit. Pas dan legt Scheringa zich neer bij de gang van zaken en accepteert hij dat hij zonder het speldje van senator door het leven zal moeten, en kan deze kwestie worden afgesloten. Maar vergeten is die niet, zoals blijkt uit de woede die de naam Scheringa nog altijd oproept bij de toenmalige leden van de Junior Kamer.

'Het was echt onvoorstelbaar', zegt een van hen. 'Zoiets heb ik nog nooit meegemaakt. Toen wij de voordeur barricadeerden, probeerde hij door de achterdeur naar binnen te komen. Toen ook die gesloten bleef, zocht hij naar een raam dat op een kier stond om zich daardoorheen te wurmen. Deze man heeft niet genoeg aan een half woord en blijft zich schaamteloos opdringen om zijn zin te krijgen. De antipathie die hij daarmee oproept, lijkt hem niet te deren.'

Begin 1993 wordt Scheringa lid van de Rotary in Hoorn. Hij heeft al eerder een uitnodiging ontvangen, maar heeft dan niet de mogelijkheid om de vergaderingen die altijd in de middag worden gehouden bij te wonen. Hij is niet de enige voor wie dat tijdstip problemen oproept, dus splitst een deel van de club zich af om de bijeenkomsten in de avonduren te houden. Daarmee verdwijnen de praktische bezwaren van Scheringa, neemt hij het speldje in ontvangst en wordt hij rotarian. 'In het begin was hij een vriendelijke, misschien een beetje terughoudende man', zegt een van de toenmalige leden.

Dit beeld slaat snel om. Eerst wekt zijn afstandelijkheid de nodige bevreemding. 'Hij praat veel, maar zegt weinig', aldus een clubgenoot. 'Eigenlijk vond ik hem tamelijk eenzaam.' Grapjes worden door hem niet gemaakt en gedurende de feestavonden proberen de andere leden een beetje bij hem uit de buurt te blijven. Zij zijn al snel moe van zijn verhalen die vooral lijken bedoeld om hen te imponeren. 'Op een gegeven moment kreeg hij tijdens de vergadering een telefoontje en ging hij op luide toon onderhandelen over de prijs van een voetballer.' Als hij weer heeft opgehangen, zegt hij dat hij de voorzitter van Real Madrid aan de lijn had. 'Maar volgens mij was het gewoon een vriend die hij had gevraagd hem te bellen zodat hij met dit toneelstukje indruk op ons kon maken.'

Tijdens zijn inwijding blijft hij aan de veilige kant. Bij die gelegenheid wordt van de leden verwacht dat zij in een toespraak vertellen wie zij zijn en dat zij hun kwetsbare kanten en levenspijn tonen. Maar Scheringa weigert zich bloot te geven en zijn toespraak wordt omschreven als een vlakke opsomming van feiten en jaartallen met als meest pikante onderdelen zijn geitenwollen sokken en zijn Friese afkomst. 'Hij zei tegen ons dat hij over zijn intieme gevoelens alleen met zijn beste vrienden wilde praten. Op die manier werden wij als het ware al in het begin buitengesloten. Volgens mij was de Rotary voor hem alleen een statussymbool. Hij liep altijd wel met het speldje van de club op zijn colbert.'

Dit heeft tot gevolg dat Scheringa niet volop profiteert van de mogelijkheden die deze organisatie biedt. Rotarians worden geacht elkaar te corrigeren en elkaars plannen en ideeën te beoordelen. De clubgenoot: 'Ik kon weleens wat al te rondborstig voor mijn mening uitkomen. Dan werd mij door de andere leden verteld dat het in verband met de effectiviteit van mijn opmerkingen beter was mijn toon wat te matigen. Daar heb ik veel aan gehad.' Maar bij Scheringa gebeurt dat nooit. Door zijn behoudende opstelling maakt hij zich onbereikbaar voor kritiek.

De ergernis komt tot ontploffing rond de kerstactie. De afdeling Hoorn van de Rotary verzorgt elk jaar kerstpakketten voor de een of andere organisatie om geld te verdienen voor een goed doel. In de vorige jaren hebben de leden dat onder andere gedaan voor een ziekenhuis, voor de politie en voor een transportbedrijf. De ene keer wordt het verzamelde bedrag overgemaakt naar een tandartsenpraktijk in Joegoslavië, een andere keer wordt het besteed aan een school in Afrika. Gemiddeld gaat het om 25.000 gulden waar drie à vier weekeinden collectief hard voor gewerkt moet worden.

In 1997 wordt Scheringa benaderd voor deze actie. Het lijkt een ideale combinatie, hij is lid van de club en bij DSB werken dan al ongeveer 1200 mensen. In eerste instantie deelt Scheringa dat oordeel. De voorzitter van het comité krijgt toestemming om op het kantoor in Wognum langs te komen en zijn voorstel toe te lichten. 'Natuurlijk moest ik tien minuten wachten', zegt die. 'Zo gaat dat bij die mensen. Vervolgens werd ik opgehaald door een beeldschone secretaresse.' De onderhandelingen verlopen voorspoedig en Scheringa laat weten dat hij snel een beslissing zal nemen over de definitieve samenstelling van het pakket.

Geen vuiltje aan de lucht, denkt de voorzitter van het comité. Tot hij een woedend telefoontje krijgt van de dame die de ingrediënten en de dozen voor het kerspakket levert. 'Scheringa had achter onze rug om een brief naar haar geschreven waarin hij zich beklaagde over de marges die zij in rekening bracht. Zij was diep beledigd en dreigde zelfs helemaal geen zaken meer met ons te willen doen. En dat terwijl wij al jarenlang een uitstekende relatie met haar hadden. Uiteraard was ook ik hevig ontdaan, maar ik wilde eerst het verhaal uit de mond van Scheringa zelf horen.'

Tijdens het telefoontje dat volgt, zwakt Scheringa het verhaal af. 'Hij zei dat het allemaal niet zo bedoeld was en dat hij de brief had geschreven om de onderhandelingen open te breken. Van een ultimatum was volgens hem geen sprake. Met deze wetenschap reist de voorzitter naar de dame en krijgt daar te horen dat 'Scheringa liegt dat hij barst'. 'Loop maar even mee, dan laat ik je de brief zien.' En inderdaad wordt daarin hoog van de toren geblazen en wordt op dwingende toon een lagere prijs geëist.

Bij de Rotary wordt een noodoverleg georganiseerd. In eerste instantie krijgt Scheringa van de overige leden het voordeel van de twijfel, maar als zij de brief onder ogen krijgen, slaat ook bij hen de verbijstering toe. Zij kunnen niet geloven dat een clubgenoot achter hun rug om dergelijke acties onderneemt. Als de gemoederen weer enigszins tot bedaren zijn gekomen, besluiten zij tot een verzoeningspoging. Daarin zegt Scheringa zonder zijn excuses aan te bieden dat het niet zijn bedoeling was de zaak op scherp te zetten. Maar ook wordt afgesproken dat hij de kerstpakketten voor een lagere prijs geleverd krijgt.

'Deze zaak werd in der minne geschikt', zegt de voorzitter van het comité. 'Maar tijdens de jaren die volgden weigerde Scheringa het woord tot mij te richten. Ik werd door hem gewoon genegeerd. Dat was vervelend, niet omdat ik nog op hem gesteld was, maar wel omdat het afbreuk deed aan de sfeer in de club. Gelukkig verscheen hij in die tijd steeds minder op de vergaderingen.' Tot zijn opluchting ontvangt de Rotary rond 2000 een korte brief van Scheringa waarin hij wegens zijn drukke werkzaamheden bedankt voor het lidmaatschap. 'Eigenlijk was hij ook wel klaar bij de Rotary. Zijn bedrijf was inmiddels zo ver doorgegroeid dat onze problemen niet meer de zijne waren.'

5

Winnaarsmentaliteit

Eind jaren tachtig is het bedrijf dat dan nog Frisia heet het kantoor aan de Klaproos in Opmeer definitief ontgroeid. Om een verdere uitbreiding mogelijk te maken, laten Scheringa en Baukje hun oog vallen op het leegstaande oude Sint-Agnesklooster van de franciscanessen in het vijf kilometer verderop gelegen dorp Wognum. 'Het is een sobere orde', zegt Scheringa in een interview met *de Volkskrant*. 'Dat beeld past bij ons, wij lopen hier altijd neuriënd door de gangen.' Zijn vrouw, die op dat moment ook nog in de leiding van Frisia zit, valt vooral voor de serene sfeer van het gebouw, die haar een warm gevoel geeft.

Aanvankelijk is het klooster veel te groot voor de medewerkers. Dat probleem wordt opgelost door sommige cellen van de nonnen om te bouwen tot gastenverblijven. Dan hoeft voor hen geen hotelkamer te worden gehuurd als zij zich voor een bijscholing in Wognum melden en dat scheelt in de kosten. Maar die situatie is slechts tijdelijk. Door de onstuitbare groei van Frisia wordt het vijf jaar later noodzakelijk het voormalige café Hendriks te kopen dat tegenover het hoofdkantoor ligt. In 1990 heeft Scheringa daar al een deel van verworven en verbouwd tot een appartement waar hij woont tijdens de crisis die zijn huwelijk aan het eind van de eeuw zal teisteren. Maar op den duur wordt ook dit verblijf opgeofferd om de niet-aflatende stroom van nieuwe medewerkers te huisvesten.

De voorzieningen in het café zijn minimaal en gipsplaten vormen de enige scheiding tussen de werkruimten en de toiletten. Die blijken niet in alle gevallen in staat het lawaai en, erger nog, de geur op te vangen. 'Ik kon de drollen bij wijze van spreken horen plonzen', zegt een werknemer van de financiële afdeling wiens computer en bureau worden geplaatst in het voormalige appartement van Scheringa. Merkwaardig genoeg werkt de situatie bij de meeste mensen eerder op de lachspieren dan op de zenuwen. Klachten over de omstandigheden in wat de medewerkers de disco noemen, worden vrijwel nooit ingediend.

Want in de jaren negentig is de sfeer bij Frisia zonder meer uitstekend. In die tijd gaat vrijwel iedereen met veel plezier naar zijn werk. Vooral de saamhorigheid wordt geroemd. Politieke spelletjes ontbreken en de meeste medewerkers krijgen de vrijheid om zich te bekwamen in hun vak. 'We hebben erg veel gelachen', zegt een bron. 'En als iemand bijvoorbeeld een familielid verloor, werd het verdriet ook samen gedeeld. De stemming verschilde drastisch van die bij traditionele banken. Met een aantal mensen uit die tijd ben ik tot op de dag van vandaag goed bevriend. Het waren echt de polonaisejaren.'

Veel van de medewerkers zijn nog jong en zitten in min of meer dezelfde fase van hun leven. Zij begrijpen van elkaar welke problemen ze tegenkomen en welke ambities ze willen realiseren. Deze band wordt verder versterkt doordat iedereen deel is van hetzelfde avontuur. De werknemers zijn vastbesloten om het bedrijf uit het nietige West-Friese Wognum te laten opboksen tegen de Amsterdamse bancaire elite. Iedereen is bereid extra inspanningen te leveren om dat doel te bereiken. Als beloning voor deze inspanningen worden de successen altijd breed gedeeld.

Dat gebeurt ook wanneer een ingewikkelde financiële transactie wordt afgesloten en een obligatieportefeuille tegen een mooie prijs aan een institutionele belegger wordt verkocht. Dan krijgt het verantwoordelijke team toestemming voor een gemeenschappelijk dagje uit. Alle leden gaan bijvoorbeeld vissen op de Noordzee of naar een pretpark als de Efteling. In de avonduren wordt het feest voortgezet tijdens het zogenoemde *closing dinner*, waarbij ook Scheringa en zijn vrouw vaak verschijnen om mee te eten en de medewerkers te prijzen. 'Die bijeenkomsten waren altijd erg gezellig', aldus een van de deelnemers. 'De meeste mensen stelden de komst van Scheringa bijzonder op prijs omdat zij hem oprecht een aardige man vonden. Hij stelde zich tijdens deze gelegenheden niet op als baas, maar was een van ons.'

De medewerkers spreken van een bijna familieachtige sfeer. Zij gaan voor hetzelfde doel en van animositeit tussen de verschillende afdelingen is nog nauwelijks sprake. Dat is voor een groot deel te danken aan de financiële man Bert Rozemond en aan Menno Haisma die dan de verkoopdivisie onder zijn hoede heeft. Als iemand problemen heeft, bieden deze oudgedienden altijd een luisterend oor en zoeken zij naar een bevredigende oplossing. Op die manier scheppen zij een veilige omgeving waarin de meeste mensen volop tot hun recht komen. Als iemand blijk geeft over bijzondere kwaliteiten te beschikken, krijgt hij ook de kansen om die verwezenlijken.

'Ik weet nog dat ik een keer als jongste bediende mee mocht naar een presentatie waarbij wij een obligatieportefeuille probeerden te verkopen. Eigenlijk was het de bedoeling dat ik op die manier als toehoorder het vak zou leren. Maar op een gegeven moment kreeg mijn baas een telefoontje en ging hij de zaal uit. Toen hij opstond, zei hij tegen mij dat ik de vragen van de beleggers maar moest beantwoorden. Ik werd als het ware in het diepe gegooid. Natuurlijk kreeg ik het erg warm en stonden de zweetdruppels op mijn voorhoofd. Maar achteraf gezien was dat een uitstekende methode om ervaring op te doen. Ook anderen konden rekenen op dergelijke mogelijkheden.'

'Bij ons heerste een winnaarsmentaliteit', zegt een toenmalige werknemer. 'Wij trokken de klanten als het ware uit hun luie stoel en behandelden hen met alle denkbare egards. Misschien waren wij wat agressief met onze campagnes, maar dat is altijd nog beter dan de gezapige strategie van de andere banken. Die bleven wachten tot de mensen zich op hun kantoor zouden melden en als zij dat eenmaal deden, werden zij ook nog slecht geholpen. Ik kijk vol trots terug op de periode die ik bij Frisia heb gewerkt en de dingen die wij voor elkaar hebben gekregen. Al die badinerende opmerkingen over onze prestaties worden voor een belangrijk deel verklaard door jaloezie. Niet voor niets werden onze verkoopmedewerkers vaak benaderd voor een overstap.'

Dirk Scheringa zelf levert ook een belangrijke bijdrage aan de goede sfeer. Hij vergroot de saamhorigheid door samen met Baukje het hele land af te reizen en op de plaatselijke vestigingen zijn betrokkenheid te tonen. Hij is dan altijd aardig tegen zijn ondergeschikten en brengt steevast een positieve boodschap over hoe geweldig het is dat ook dit jaar de doelen weer zijn gehaald. Bovendien bezit hij het vermogen alle medewerkers het gevoel te geven dat zij belangrijk zijn voor de groei van het bedrijf. Daarbij maakt hij geen onderscheid tussen de verschillende functies, ook de koffiejuffrouw kan rekenen op een pluim. Om zijn betrokkenheid te onderstrepen, luistert hij naar de suggesties die gedaan worden. Niet dat hij die altijd direct in het beleid verwerkt, maar wel slaat hij alle opmerkingen op in zijn achterhoofd om daar in een later stadium op terug te komen.

Buitenlandse partijen die Wognum bezoeken, zijn stomverbaasd over de sfeer bij DSB. 'Bij de lunch kreeg ik bijvoorbeeld een glas melk en broodjes kaas', zegt een vertegenwoordiger van een grote Amerikaanse investeringsmaatschappij. 'Dat was mij nog nooit gebeurd. Ik vond die bescheidenheid en dat gebrek aan dikdoenerij erg plezierig. Ik kreeg de indruk dat het geld niet over de balk werd gegooid.' Als hij later een rondleiding krijgt door het bedrijf, hoort hij een medewerker tegen een klant zeggen dat die zich moet schamen voor zijn achterstand. 'Geweldig, in de Verenigde Staten sorteert een beroep op de schaamte geen enkel effect.'

Eens in het jaar komen de directeuren van de 25 vestigingen in het land in Wognum bij elkaar voor de zogenoemde terugkomdagen. De aanwezigen herinneren zich deze bijeenkomsten als een creatief genoegen. 'De sfeer was altijd erg open en niemand nam een blad voor de mond of was bang dat Scheringa zijn ideeen belachelijk zou maken', zegt een van de deelnemers. 'Het was beslist geen verplicht nummer, ik vond het altijd plezierig om aanwezig te mogen zijn.' Na afloop van de vergadering arriveren de partners van de directeuren en volgt een gezellig diner in een restaurant aan de dijk tussen Hoorn en Edam. Rond een uur of tien in de avond gaat iedereen enthousiast weer naar huis.

Verder houdt Scheringa de bureaucratie in zijn bedrijf beperkt en zijn de lijnen kort. Als iemand bijvoorbeeld een bepaalde investering wil doen, krijgt hij volop de gelegenheid zijn voorstel aan de baas voor te leggen. 'Zijn kantoor was vlak bij het mijne', zegt een medewerker uit die tijd. 'Wanneer hij aanwezig was, ging ik gewoon even bij hem langs, een afspraak was daar niet voor nodig. Die bijeenkomsten duurden vrijwel nooit langer dan drie minuten, dan was de beslissing genomen. Dirk stelde meestal de juiste vragen over de noodzakelijkheid van de uitgaven, maar als hij eenmaal overtuigd was, had hij nooit moeite zijn portemonnee te trekken.'

In 1996 neemt Scheringa GCI over. Deze verzekeraar is gevestigd op het Britse Kanaaleiland Guernsey. De eerste jaren na deze transactie gaat Scheringa mee naar de aandeelhoudersvergadering en is hij persoonlijk betrokken bij het boekenonderzoek. 'Dat waren erg leuke uitstapjes', zo zegt een werknemer. 'Baukje ging ook vaak mee en de sfeer in het privévliegtuig was gemoedelijk. De aanwezigheid van het echtpaar was niet echt nodig, omdat de cijfers altijd keurig in orde waren. Maar het was wel goed dat hij liet zien nauw betrokken te zijn bij zijn nieuwe aanwinst.'

Het enthousiasme van Scheringa werkt aanstekelijk op zijn medewerkers. Vooral als hij van vakantie terugkomt, bruist hij altijd van de nieuwe ideeën. Die zijn zoals gezegd keurig ondergebracht in plastic mapjes die hij op grote schaal verbruikt. Tijdens de vergaderingen van Frisia worden die tevoorschijn gehaald, een proces dat de andere bestuursleden omschrijven als het 'bakje van Dirk'. 'Overigens kon hij tijdens deze bijeenkomsten ook goed kritiek verdragen op zijn invallen', zegt een van de aanwezigen. 'Hij treurde niet te lang als die werden afgeschoten. Het kostte hem immers niet veel tijd om nieuwe plannen te verzinnen. Eigenlijk was dit proces erg leuk om mee te maken.'

Zijn belangstelling voor de persoonlijke wederwaardigheden van de medewerkers draagt bij aan de goede sfeer in het bedrijf. Zelfs als bij Frisia al meer dan 500 mensen werken, blijft hij bij hen op kraamvisite komen. Samen met Baukje staat hij dan voor de deur om de jonge ouders met een rompertje of een bos bloemen te feliciteren. En tijdens de kantooruren vraagt hij regelmatig naar het persoonlijk welzijn van de werknemers. Daarbij blijkt hij een vrijwel feilloos geheugen te hebben voor de verhalen die zij hem tijdens eerdere gelegenheden hebben verteld. Die hartelijkheid en attentie leveren hem veel krediet op in het bedrijf.

Als iemand naar een voetbalwedstrijd wil, regelt Scheringa persoonlijk voor hem een kaartje voor AZ. Vooral de medewerkers van het eerste uur kunnen altijd rekenen op een plek in het stadion. De tijd en moeite die hem dat kost, neemt hij graag voor lief om zijn loyaliteit te tonen. Tot op de dag van vandaag worden deze inspanningen op prijs gesteld. Ondanks alle latere ontwikkelingen en ondanks alle gebroken carrières is vrijwel niemand van de voormalige werknemers uitsluitend negatief over Scheringa. Natuurlijk heeft iedereen wat op hem aan te merken, maar hun sympathie is meestal niet volledig verdwenen.

'Voor zo'n man loop je wat harder dan voor andere mensen', zegt een medewerker uit die tijd. 'Nadat hij prins carnaval van Spanbroek was geweest, nam hij het genootschap van voormalige prinsen onder zijn hoede. Natuurlijk had hij al snel genoeg van het werk dat daarbij hoorde, hij heeft nu eenmaal een gruwelijke hekel aan regels en bureaucratie. Dus vroeg hij aan mij de administratie van deze club te verzorgen. Ik vond het geen enkel probleem om aan zijn wens tegemoet te komen en deed het werk in mijn vrije tijd. Geen moment heb ik overwogen de uren die ik daarvoor maakte te declareren. Ik had toen een goede relatie met hem, ik kan niet anders zeggen.'

Toch was volgens deze werknemer van vriendschap geen sprake. 'Dat moet van twee kanten komen. Weliswaar vertelde ik regelmatig over mijn persoonlijk leven, maar Dirk hield zich altijd wat op de vlakte. Zijn verhalen gingen bij wijze van spreken uitsluitend over zijn schaapjes en zijn geitenwollen sokken, hij vertelde nooit over de relatie met zijn vrouw of over de avonturen van zijn kinderen. Het was net alsof hij een slag om de arm wilde houden. Op zich vond ik dat prima, maar het voelde ook als een gebrek aan vertrouwen waardoor ik mij na verloop van tijd wat afstandelijker ging gedragen.'

Ook in financieel opzicht is in de jaren negentig weinig op Scheringa aan te merken. Zijn behoeften zijn relatief bescheiden en hij laat verreweg het grootste deel van de winst keurig in het bedrijf zitten om een verdere groei van Frisia en later DSB mogelijk te maken. In het begin maakt hij zelfs geen aanspraak op dividend, een regeling waar hij als enige aandeelhouder zonder problemen gebruik van zou kunnen maken. De buitensporige geldonttrekkingen zijn pas van een latere datum. Die worden dan nodig om zijn museum en voetbalclub te financieren.

De grote inzet en de goede sfeer werpen hun vruchten af. Aan het eind van de jaren negentig stijgt de winst met gemiddeld 30 procent per jaar, tot ongeveer 60 miljoen euro in 2001. Het bedrijf heeft dan verspreid over het land zeventien vestigingen en rond de 700 werknemers. Deze mensen zijn grotendeels nodig voor de marketingmachine, maar worden ook ingezet op de afdelingen die de verkoopdivisie moeten ondersteunen. Vanwege de kosten besteedt Scheringa niet graag werkzaamheden uit. De activiteiten wat betreft marketing, reclame, ICT, opleidingen en trainingen houdt hij allemaal in eigen huis. Ook voor de facilitaire diensten zoekt hij geen ander bedrijf.

Tot 1993 verdient Frisia zijn geld als tussenpersoon. De leningen die de consumenten afsluiten, worden niet op het eigen boek gehouden, maar doorgeplaatst naar andere partijen. Als beloning ontvangt Scheringa een eenmalige aanbrengpremie en een jaarlijkse provisie. Op die manier is sprake van een constante inkomstenbron tegen een zeer gering risico. Want als de klant niet meer aan zijn verplichtingen kan voldoen, vallen voor Frisia alleen de commissies weg. Het leeuwendeel van de pijn wordt geleden door de bedrijven die de leningen hebben verstrekt en de verzekeraars die het gevaar afdekken. In die tijd gaat het uitsluitend om doorlopend krediet en persoonlijke leningen.

Frisia verstevigt zijn marktpositie door een groot aantal andere bedrijven aan te kopen. Op die manier ontstaat een landelijke dekking, waarbij de klanten door lokale kantoren te woord worden gestaan, maar de verwerking centraal in Wognum gebeurt. Dat levert schaalvoordelen op en een hogere omzet waardoor de positie verbetert ten opzichte van de partijen die de lening daadwerkelijk verstrekken. Dankzij het groeiende marktaandeel krijgt Scheringa steeds meer volmachten en mag hij in toenemende mate zelf beoordelen of een consument voor een krediet in aanmerking komt. Bovendien krijgt hij de mogelijkheid om scherp met de financiers te onderhandelen over de percentages die hij over de leningen in rekening kan brengen.

Maar gaandeweg beginnen de eerste problemen zich af te tekenen. De partijen die de leningen verstrekken staan in een onbehaaglijke spagaat. Aan de ene kant is Frisia voor hen een aantrekkelijke partner omdat het bedrijf grote volumes kan realiseren. Aan de andere kant willen zij zelf zakendoen met de klanten en met hen in contact blijven. Dan hebben zij namelijk meer invloed op de prijsstelling en kunnen zij proberen langs hun eigen verkoopkanalen ook andere producten te verkopen. In het jargon is sprake van distributieconflicten. Daarbij ontstaan onaangename discussies over de klantrechten, die bepalen wie gebruik mag maken van de gegevens en de consumenten mag benaderen.

Frisia doet zaken met ongeveer vijftien financieringsmaatschappijen. Die geven voldoende concurrentie om een mooie prijs te bewerkstelligen. Maar Vola wordt ING, Direct Bank wordt Fortis, OV Bank wordt in eerste instantie een deel van Achmea en later Rabobank, en Finata-Bank wordt ABN Amro. En vervolgens begint ook SNS Reaal bedrijven op te kopen. Deze fusiegolf zorgt voor een sterkere positie voor de partijen waar Scheringa zaken mee doet en op den duur voor lagere prijzen. Daardoor komt de winst van Frisia, die is gebaseerd op volmachten en marketing, onder druk te staan. De hoge marges uit het verleden zijn steeds moeilijker te realiseren.

Scheringa van zijn kant wil graag een groter deel van de omzet naar zich toe halen. Tot zijn ongenoegen kan hij niet de hele opbrengst van de transactie in zijn zak steken, maar moet hij een belangrijk deel van de opbrengst aan andere partijen laten. Weliswaar heeft hij een stabiele inkomstenstroom, maar dit bedrijfsmodel heeft ook zijn beperkingen. Het blijft een beetje schrapen, grote klappers zijn nauwelijks te realiseren. Dat ervaart hij als onrechtvaardig omdat hij en zijn medewerkers naar zijn idee al het werk doen. De financieringsmaatschappijen zorgen alleen maar voor het geld, en worden volgens hem slapend rijk. Hoog tijd voor een nieuwe stap waarbij hij zelf kan zorg dragen voor het hele traject.

Dus wordt in 1991 een zogenoemde voorschotbank opgericht. Een dergelijke bank is gespecialiseerd in het aanbieden van leningen aan particulieren en houdt zich niet bezig met andere activiteiten. Voor de financiering van de kredieten mag geen beroep worden gedaan op de spaarmarkt, maar is het wel toegestaan om leningen bij andere financieringsmaatschappijen en banken aan te gaan. Voor een voorschotbank is geen volledige vergunning van de Nederlandsche Bank nodig, maar volstaat een beperkte controle op basis van de beperkte vergunning in het kader van de Wet consumptief krediet. De toezichthouder is namelijk van mening dat de partijen waarmee zaken worden gedaan goed in staat zijn zelf de risico's te berekenen.

'De banken hadden behoorlijk grote kredietlijnen richting DSB', zegt een bankier. 'Daar stonden bedragen uit tussen de 25 en 50 miljoen euro.' Deze strategie maakt het mogelijk leningen op eigen boek te houden en niet langer alles naar andere partijen door te moeten sluizen. Op die manier hoeft het bedrijf geen genoegen meer te nemen met een provisie, maar wordt een veel grotere marge gerealiseerd. 'Over de uitstaande leningen kregen wij 8 à 9 procent per jaar', zegt een medewerker van Frisia. 'Tegelijkertijd betaalden wij voor de banklijnen een percentage van 4.' Met andere woorden, terwijl in de oude situatie slechts 15 procent van de renteopbrengsten van het krediet wordt gepakt, verdient Scheringa nu minimaal 4 procent over de hoofdsom.

Geen wonder dat de nieuwe mogelijkheden door Scheringa en zijn mensen optimaal worden benut. In 1990, als Frisia nog geen voorschotbank heeft, worden alle kredieten bij andere partijen ondergebracht, maar in 1995 heeft het bedrijf uit Wognum al tussen de 40 en 50 procent van de uitstaande leningen in eigen beheer. Op die manier ontwikkelt Frisia zich steeds meer van een tussenpersoon tot een financieringsmaatschappij. Dit heeft tot gevolg dat de winst en daarmee ook het risico stijgen. Over dat laatste maakt niemand zich dan nog druk.

Dat is goed verklaarbaar. Scheringa weet de gevaren voor zijn bedrijf namelijk op een ingenieuze manier in te dammen. De goede leningen van mensen zonder vermelding bij het Bureau Krediet Registratie in Tiel, of van klanten met een vaste baan met mooie vooruitzichten, houdt hij zelf. Bij die kredieten is het risico op wanbetaling slechts zeer gering. De leningen waarbij het gevaar groter is, worden doorgeplaatst naar andere bedrijven. Frisia kan zich geen buil vallen omdat over de dubieuze leningen een risicoloze provisie wordt ontvangen en bij de betrouwbare klanten de hele opbrengst kan worden opgestreken.

Als het onverhoopt toch misgaat en klanten die als betrouwbaar zijn beoordeeld in gebreke blijven, gaat op het kantoor van Frisia een belletje rinkelen. De wanbetaler wordt dan telefonisch benaderd met een voordeliger aanbod en vervolgens wordt deze nieuwe lening zo snel mogelijk ondergebracht bij een andere partij. Dit alles uiteraard tot groot ongenoegen van de collega's van Scheringa. 'Enerzijds financierden wij hun activiteiten met onze leningen', zegt een bankier, 'maar in ruil kregen wij alleen hun rotzooi. Zelfs bij de betere leningen werden wij zonder scrupules gebruikt als schroothoop.'

Dat geeft weliswaar een slecht gevoel, maar anderzijds kunnen de banken niet zonder Frisia. Het bedrijf heeft zich een stevige positie verworven en op het laatst loopt 30 tot 40 procent van de consumentenleningen via Scheringa en zijn vele labels. 'Hoe graag wij ook zouden willen, wij konden Frisia niet negeren of droogleggen', aldus de bankier. 'Anders zouden wij ook in ons eigen vlees snijden. Maar wel hielden wij de uitstaande leningen altijd zo beperkt mogelijk.' Dit heeft tot gevolg dat Scheringa zijn financiers in toenemende mate in het buitenland gaat zoeken.

Bovendien ontdekt Frisia al in een vroegtijdig stadium de zogenoemde securitisaties. In 1997 worden met behulp van dit in de kredietcrisis berucht geworden instrument voor het eerst de leningen die aan consumenten zijn verstrekt, gebundeld en in een speciale entiteit ondergebracht. Vervolgens verkoopt deze entiteit effecten aan institutionele partijen, die zo een belang krijgen. Frisia houdt zelf de effecten met de grootste risico's en is dus gebaat bij goede prestaties van de gesecuritiseerde leningen. Dankzij het geld dat op deze manier binnenstroomt, ontstaat op de balans weer ruimte om nieuwe leningen te verstrekken. Een ander voordeel is natuurlijk dat het risico van wanbetaling over meerdere partijen wordt verspreid.

Op dit gebied ontwikkelt DSB zich zelfs tot een voorloper in de financiële wereld. Als eerste Europese partij securitiseert het bedrijf uit Wognum namelijk consumentenkredieten. Dat levert veel erkenning op in de financiële wereld: tot dan toe wordt deze techniek op het oude continent alleen toegepast bij hypotheken. Scheringa is erg trots op deze prestatie en leest met groot genoegen de artikelen in de vakbladen die over deze methode worden geschreven. Naar zijn idee kan de 'haute finance' zijn bedrijf nu niet langer kan negeren. Dat is reden voor een feest op het hoofdkantoor.

6

Geestelijk dividend

Woensdag 21 oktober 2009. In het Scheringa Museum voor Realisme in Spanbroek hangt een merkwaardige stemming. De bezoekers kunnen alleen nog genieten van een overzichtstentoonstelling van de schilder Jan van Tongeren; de eigen collectie wordt niet meer getoond. Waar eens schilderijen hingen van onder anderen Carel Willink, Dick Ket, Lucian Freud en Giorgio de Chirico, moeten de gasten het nu doen met lege plekken. Toch zijn ze massaal op komen dagen om hun steun te betuigen. Met viltstiften schrijven ze teksten op de muur van het museum, bedanken zij de leiding en eigenaar Dirk Scheringa en wordt de hoop uitgesproken dat de collectie in de toekomst niet over diverse locaties wordt verspreid.

Een dag eerder legt ABN Amro beslag op de schilderijen van het museum. De bank heeft de werken in onderpand en ziet het faillissement van het museum met rasse schreden naderbij komen. De kunstwerken worden met grote haast verwijderd omdat die anders misschien door de fiscus of door andere schuldeisers worden opgehaald. Wellicht begrijpelijk, maar het blijft wel merkwaardig dat ABN Amro een normaal en geen gespecialiseerd verhuisbedrijf heeft ingeschakeld. De bank heeft klaarblijkelijk onvoldoende kennis van de kwetsbaarheid van dit transport. Doordat men pas in de avond met de vrachtwagens komt voorrijden, krijgt deze actie voor de omwonenden ook nog eens een wat luguber karakter.

Op 17 november moet het museum de deuren definitief sluiten. De problemen van moederbedrijf DSB Beheer en financier DSB Bank blijken fataal; ook de collectie in bruikleen gaat retour afzender. De directie kan niet anders dan de negentien personeelsleden ontslaan en afscheid nemen van de 55 vrijwilligers. Daarmee komt een einde aan een geschiedenis die twaalf jaar eerder is begonnen en die het West-Friese dorp Spanbroek bij kunstkenners op de kaart heeft gezet. Door de jaren heen hebben velen de weg weten te vinden naar de voormalige huishoudschool waar het museum onderdak heeft.

Al kort na de start van zijn eigen bedrijf, in de tweede helft van de jaren zeventig, heeft Scheringa het plan opgevat een eigen museum te beginnen. Goede vrienden vertelt hij regelmatig dat het hem een goed idee lijkt om de oude landbouwwerktuigen van zijn schoonvader permanent tentoon te stellen. Dat moet een soort eerbetoon opleveren aan vervlogen tijden en aan het eenvoudige leven van de familie van Baukje. Met beeldende kunst heeft hij dan nog weinig tot niets. Zo weten zijn klasgenoten van de middelbare school dat hij in die tijd absoluut geen bijzondere belangstelling heeft voor de tekenlessen.

Pas in 1988 zet Scheringa onder invloed van de Hoornse kunstverzamelaar Vincent Vlasblom zijn eerste schreden op het kunstpad. Tijdens een voor de Junior Kamer georganiseerd uitstapje naar Amsterdam koopt hij zijn eerste werk, een tekening van Carel Willink. Als zijn interesse eenmaal is gewekt, gaat het hard, zeker wanneer hij in contact komt met Loek Brons, die op dat moment een belangrijke handelaar is in onder meer schilderijen van Willink en andere magisch realisten. In 1997 wordt de verzameling van Scheringa te groot om nog langer in zijn huis te op te slaan en besluit hij de voormalige huishoudschool die hij eerder heeft gekocht om kantoren in te beginnen, in te richten als museum. Met deze stap wil hij niet alleen de naamsbekendheid van zijn bedrijf vergroten, maar ook zijn toenemende voorspoed delen met anderen. In het boek *Iets wat zoveel kost, is alles waard* van Renée Steenbergen geeft hij als motivatie om het museum te stichten: 'Veel mensen snappen niks van kunst, maar dit werk is betrekkelijk eenvoudig te begrijpen, omdat je kunt zien wat het voorstelt.' Hij zegt vaak dat hij iets wil terugdoen voor de gemeenschap.

Een paar jaar eerder zoekt Scheringa contact met de weduwe van Carel Willink. Hij heeft dan al een aantal werken van de schilder aangekocht. 'Graag zouden mijn vrouw en ik U een keer willen ontmoeten in Amsterdam, bij ons op kantoor of bij ons thuis om over kunst en over Willink in het bijzonder te praten', schrijft hij in een brief. Vijf maanden later vindt de ontmoeting plaats en mag het echtpaar het atelier komen bekijken. Bij die gelegenheid worden ook afspraken gemaakt voor een tegenbezoek aan de collectie in Spanbroek. Maar dat wordt later door Willink afgezegd vanwege een artikel in de *Provinciale Zeeuwse Courant* waarin Scheringa vertelt over zijn voornemen een 'Willink-museum' te openen.

Daarmee maakt Scheringa inbreuk op het merkrecht. Hij heeft Sylvia Willink nooit toestemming gevraagd om de naam van haar overleden man te mogen gebruiken. Dus volgt een brief op poten waarin hij wordt gewezen op de werking van het auteursrecht. In zijn antwoord van 7 april 1995 vraagt Scheringa of de raadsman van Sylvia Willink voor hem een handleiding over dit onderwerp zou kunnen schrijven. Vanwege de kosten van een dergelijke operatie wordt dat voorstel van de hand gewezen. 'U spreekt de hoop uit dat wij toch "on speaking terms" kunnen blijven', schrijft Willink aan Scheringa. 'Mijn korte ervaring met u leert mij dat u mondelinge toezeggingen aan mij niet nakomt...

daarom lijkt het mij beter het voor zover nodig op "on writing terms" te houden.'

De verhoudingen verzuren verder wanneer Scheringa op 27 september 1995 in *Het Parool* vertelt over de medewerking die Sylvia Willink zou hebben gegeven aan de plannen van Scheringa. Hij laat weten dat zij die 'fantastisch' vindt en 'alle medewerking' heeft toegezegd. Maar dat is gezien de vorige contacten op zijn best een halve waarheid. Willink voelt zich geschoffeerd door wat zij niet meer vindt dan een 'leenboer' en schrijft een ingezonden brief naar de Amsterdamse krant. 'Mijn belangstelling voor een door zakenman Scheringa uitgebaat privémuseum is dan ook nihil. Ik ben niet ingegaan op de toenaderingspogingen van Scheringa.'

Op de achtergrond van deze controverse speelt een tweetal kwesties. In de eerste plaats vindt Willink dat aan het werk van haar man geen recht wordt gedaan wanneer dat in een dorp in de provincie wordt tentoongesteld. De schilderijen horen volgens haar thuis in een gerenommeerd museum, niet in een privécollectie waarbij de schilder wordt gekoppeld aan Frisia Financieringen, de naam die het zakelijk imperium van Scheringa dan nog heeft. De gebrekkige kennis over kunst die zij hem toedicht, maakt dit initiatief voor haar extra onverdraaglijk.

Verder bestaat onenigheid over het belang dat Scheringa wil toedichten aan Mathilde, de extraverte en aan drugs verslaafde vorige vrouw van Willink. Tot ongenoegen van Sylvia moet het schilderij *Afscheid van Mathilde* uit 1975 op een prominente plaats in het museum komen te hangen. Later laat Scheringa zelfs de jurk die zij daarop draagt namaken door de bekende modeontwerpster Fong Leng. Volgens hem is het protest van Sylvia gebaseerd op jaloezie op de aandacht voor haar voorgangster, een verhaal dat ook in de media doorsijpelt. Maar zijzelf voelt zich een beschermer van het erfgoed van haar man. In zijn testament neemt die nog eens nadrukkelijk afstand van Mathilde en het is volgens Sylvia ongepast die laatste wil niet te eerbiedigen. Voor het museum levert dat natuurlijk een onmogelijke positie op omdat Mathilde een belangrijke rol in het leven en het werk van de schilder heeft gespeeld.

Sylvia zet haar hakken in het zand. Zij verbiedt Scheringa reproducties te maken van de werken van Carel Willink en komt in verzet wanneer zij ontdekt dat in het logo dat ter gelegenheid van de opening van het museum wordt gemaakt, een detail van een van zijn schilderijen is opgenomen. Dat beeldmerk moet zo snel mogelijk van de markt verdwijnen, zo laat zij hem in een brief van haar advocaat weten. Later geeft zij geen toestemming de weg die loopt voor het nieuwe kantoor van Scheringa te vernoemen naar haar man. Het is pikant dat dit verzoek wordt gedaan door de gemeente Wognum, niet door Scheringa zelf. In 2005 echter, als het museum een collectiecatalogus samenstelt, geeft Sylvia toestemming voor de reproductie van zeven schilderijen van Carel Willink.

In de zomer van 2007 laait de woede van Sylvia weer op. Dan wil het museum een expositie wijden aan het werk van Carel Willink en mag het enkele werken van verzamelaars lenen. Vanwege de waarde van een van die schilderijen eist de bruikleengever dat daarvoor een beschermende plaat wordt aangebracht. 'De kosten zouden ongeveer 100 euro zijn', schrijft de directrice aan de eigenaar. 'Helaas is ons budget voor de tentoonstelling erg beperkt en hebben wij dergelijke kosten niet ingecalculeerd. Wij willen daarom vragen of u de plaat kunt vergoeden.' Hoewel deze kwestie nooit met haar besproken wordt, is dit voor de weduwe van Willink opnieuw een bewijs van de platvloersheid van Scheringa. 'De liefde van Dirk Scheringa voor Willink blijkt heel dun en zuinig', zegt zij later naar aanleiding van deze kwestie. Uiteindelijk neemt het museum de kosten op zich.

Toch geeft Sylvia Willink haar volledige medewerking aan deze tentoonstelling, helpt zij bij de samenstelling en neemt zij zelfs de opening voor haar rekening. Naar eigen zeggen wil ze zo voorkomen dat onzin over haar man wordt verteld. Na afloop gaat zij zelfs met Scheringa mee naar een restaurant om daar in een groter gezelschap de maaltijd te gebruiken. Maar als hij probeert met haar een ontspannen gesprek over voetbal aan te knopen, wordt definitief duidelijk dat zij voor deze man nooit vriendschap zal voelen.

Scheringa trekt zich niet te veel aan van de tegenstand van de weduwe en gaat onverdroten voort met het verzamelen van kunst. Zijn grote voorliefde gaat uit naar de periode tussen de twee wereldoorlogen, als vooral in Nederland veel schilders zich bezighouden met het magisch realisme. In deze stroming worden met grote precisie taferelen geschilderd die strikt genomen niet onmogelijk zijn, maar zeker geen hoge waarschijnlijkheidsgraad hebben.

Kwade tongen beweren dat hij deze voorkeur heeft te danken aan Loek Brons, die in Scheringa een ideale afzetmarkt zou zien. 'Maar dat geloof ik niet', zegt een kunstkenner. 'Natuurlijk is Brons een goede verkoper en natuurlijk heeft hij veel werken aan Scheringa kunnen slijten. Maar Dirk is niet iemand die zich een passie laat aanpraten. Hij gaat altijd volstrekt zijn eigen weg en zijn smaak is absoluut authentiek. Vooral het mysterieuze element in het werk van bijvoorbeeld Willink heeft hem altijd erg aangetrokken. De dreigende luchten die veel andere mensen wellicht afschrikken, vindt hij juist prachtig.' (Met naakten hebben Scheringa en zijn vrouw in de begintijd van hun verzameling meer moeite. Wanneer een kunsthandelaar begin jaren negentig een foto toont van een schilderij van Francis Picabia, vraagt het echtpaar hem die afbeelding achter te laten. De kenner spreekt van een buitenkansje en dat is voor Baukje en Scheringa reden om nog even na te denken. Maar drie weken later staat Baukje

Dirk Scheringa in 2005 met het het oude logo van DSB Bank op de kraag van zijn jack. *Foto Henk Heetebrij*

Scheringa en zijn vrouw Baukje, in oktober 2005 bij de uitreiking van de Televizierring in Amsterdam. *Foto Robert Vos/ANP*

De bedrijfstop van DSB Bank op de jaarlijks terugkerende Kantorendag in juni 2005. Vlnr op de eerste rij: Jaap van Dijk, Bert Rozemond, Scheringa, zijn vrouw Baukje, Hans van Goor. Achter hen, uiterst links op de foto Ronald Buwalda. *Foto Henk Heetebrij*

linksboven: Scheringa met Jaap van Dijk (links) en Bert Rozemond (rechts) in 2002. *Foto Henk Heetebrij*

linksonder: Het Frisia Museum twee dagen voor de opening op 18 februari 1997. Grote publiekstrekker is het schilderij van Mathilde Willink, met de door Fong Leng ontworpen mantel in de vitrine ervoor. Ook het dodenmasker van Mathilde is tentoongesteld. *Foto Raymond Rutting/ANP*

Scheringa en zijn vrouw tijdens het feest na de afsluiting van de jaarlijkse Kantorendag in juni 2005. *Foto Henk Heetebrij*

Scheringa stelt zijn nieuwe schaatsploeg voor aan de pers, 21 april 2000. Vlnr: Trainer Leen Pfrommer, Marianne Timmer, Scheringa en Ids Postma. *Foto Hans Steinmeier/ANP*

een beetje bedremmeld bij hem op de stoep met de foto in haar hand. 'Hier zijn wij nog niet aan toe', zegt zij als zij de prent overhandigt. De borsten van het model blijken in de ogen van haar en haar man te dominant aanwezig op het schilderij. Van een aankoop wordt dan ook afgezien.)

Ondanks zijn eigenzinnigheid heeft Scheringa een goed contact met Brons. Bij hem worden bijna alle schilderijen gekocht en Scheringa laat zich graag voorlichten door deze voormalige eigenaar van een textielketen die op latere leeftijd kunstgeschiedenis is gaan studeren. Hij ziet in deze bijna twintig jaar oudere man een autoriteit van wie hij veel kan leren. Brons van zijn kant laat bij sommige schilderijen die hij op een beurs tentoonstelt kaartjes aanbrengen om te laten weten dat de kapitaalkrachtige Scheringa klant bij hem is. Het is een soort reclame voor het toenmalige Frisia Museum.

Eeuwigdurend is de relatie evenwel niet. Volgens Brons komt de breuk als Scheringa vindt dat hij genoeg heeft geleerd en als een tovenaarsleerling zijn oude leermeester wil overvleugelen. In dit kamp is de toon nog steeds een beetje bitter. Volgens de andere partij ligt de aankoop van een kunstwerk aan de ruzie ten grondslag. Daarbij gaat het nadrukkelijk niet om een schilderij dat Scheringa tegen een te hoge prijs van Brons zou hebben gekocht, de meest logische verklaring voor de onenigheid.

Scheringa heeft een vast repertoire om zijn bewondering voor zijn schilderijen tot uitdrukking te brengen. Bezoekers worden door hem steevast gewezen op de aderen op de hand die Carel Willink zo natuurgetrouw heeft weten te schilderen en hij legt keer op keer de nadruk op de nauwkeurig weergegeven netkousen van een van de modellen. 'Het was alsof hij op een knopje drukte', zegt een vrijwilliger van het museum. 'Hij uitte zich altijd in dezelfde termen over kunst. Ik hoorde hem eens een vraag over *La Musicienne* van Tamara de Lempicka beantwoorden alsof het over een werk ging uit het magisch realisme. Af en toe stond ik met gekromde tenen te luisteren wanneer hij de opening van een tentoonstelling inleidde. Daar hadden ze hem beter kunnen weghouden. Al moet ik wel toegeven dat hij en vooral Baukje in de loop van de tijd veel geleerd hebben van de directrices.'

Herkenning is voor Scheringa van belang. In het vakwerk, in het oog voor detail en in de ondernemende geest van de kunstenaar ziet hij zichzelf terug. De toegankelijkheid van het magisch realisme is vergelijkbaar met de transparantie die hij volgens bronnen ook zichzelf en zijn producten toedicht. 'Dergelijk gedrag zie je vaak', zegt een op kunstverzamelaars gepromoveerde kenner. 'In eerste instantie moeten de kunstwerken iets met de koper gemeen hebben, iets over hem zeggen. Scheringa herkent zich in de selfmade man Willink. Hij noemt zijn schilderijen "vakwerk dat nog honderden jaren meegaat, netjes, goed, nononsense, niet overdone". Voor Scheringa was dat de ontbrekende opsmuk, de nette penseelvoering. Ook Baukje viel voor dat soort kunstwerken.'

Scheringa kiest voor het magisch realisme op het moment dat deze stroming weer enigszins in de lift zit en de prijzen stijgen. Maar dominant is de beweging niet. De voorkeur van het merendeel van de kunstwereld gaat uit naar werken waar de verf het liefst met een plamuurmes of een spuitbus op is aangebracht, niet naar het priegelwerk met het fijne penseel. Volgens de kenners betaalt hij regelmatig te veel voor een schilderij. De elite gniffelt om het gedrag van deze buitenstaander en het is niet verstandig op een verjaardagsfeest in de Amsterdamse grachtengordel te vertellen over een bezoek aan het Frisia Museum in Spanbroek. De erkenning is dan nog ver te zoeken.

Overigens maken Dirk en Baukje in een relatief korte tijd een grote ontwikkeling in hun keuzes door. Van Carel Willink naar Pyke Koch, van Pyke Koch naar Charley Toorop, van Charley

Toorop naar René Magritte, van René Magritte naar Lucian Freud en van Lucian Freud naar Marlene Dumas. Waar zij in de jaren tachtig nog vrijwel uitsluitend kiezen voor direct herkenbare taferelen, beginnen zij later ook de schoonheid van de verbeelding te waarderen. Ze blijven weliswaar overtuigd van hun eigen voorkeuren, maar zien ook dat voor de opbouw van een professionele verzameling een bredere opzet en goed advies onontbeerlijk zijn.

Erkenning is weliswaar belangrijk voor Scheringa, maar weegt niet zwaar genoeg om bij hem grote veranderingen te veroorzaken. Hij geniet met volle teugen wanneer de erkenning als vanzelf komt, maar hij is niet van plan zichzelf te verraden om bij andere mensen in de smaak te vallen. Hij wil waardering voor zijn eigen keuzes. Zo toont zijn glimmende gezicht het genoegen als hij een hand krijgt van de koningin of van een andere autoriteit, maar laat hij zich tegelijkertijd bij de samenstelling van zijn verzameling niet leiden door hun voorkeuren. Zijn liefde voor herkenbare voorstellingen wordt niet aangetast door het dedain in de Randstad, de kunstpausen kent hij waarschijnlijk niet eens van naam.

'Hij wrong zich niet in allerhande bochten om erkenning af te dwingen', zegt een kunstkenner. 'Wanneer hij mij uitnodigde voor een diner, bleek hij wel vaak tegenover mij te zitten. Hij vond het interessant met mij te praten, maar vertoonde geen kruiperig gedrag. Ook de openingen van tentoonstellingen in Amsterdam waar hij in gesprek kon komen met de elite, liet hij meestal links liggen. Ik kan me niet herinneren dat ik hem daar ooit heb gezien. Waarschijnlijk voelde hij zich bij die gelegenheden niet zo thuis.'

Het financiële aspect van de kunst is hem natuurlijk wel op het lijf geschreven. Loven en bieden op een veiling, de tegenstanders in de ogen kijken en de diepte van hun portemonnee inschatten.

Net als vroeger kan hij met zijn handelsgeest mensen verslaan, en zeker wanneer dat beroemdheden zijn toont hij zijn trots zonder schroom. Als hij bijvoorbeeld het genoemde *La Musicienne* voor de neus van popster Madonna wegkaapt, glundert hij op televisie van oor tot oor. Hij heeft het als zoon van een eenvoudige kaasmaker toch maar zover geschopt dat hij de strijd aankan met de groten der aarde. En nog wint ook. De passie en de macht maken zijn investeringen meer dan de moeite waard.

De winst van kunstinvesteringen wordt volgens de specialist in verzamelaars doorgaans uitgekeerd als 'geestelijk dividend'. 'Dat zie je veel bij grote ondernemers die een verzameling aanleggen. Zij zijn niet eendimensionaal gericht op geld verdienen, zij willen na verloop van tijd meer in het leven. Kunst maakt ze tot een ander mens. Kunstenaars zijn vaak ook pioniers gericht op vernieuwing, iets waar veel ondernemers zich in herkennen. De contacten zijn een belangrijke aanvulling op hun werkkring, en het is natuurlijk best leuk om met een wat eigenzinnige kunstenaar een glas te drinken in een bohemienachtig café.'

Maar voor Scheringa telt ook de geldelijke waarde. Zo krijgt hij eens met een select gezelschap een rondleiding in de Hermitage in Sint-Petersburg. De museumdirectie wil graag een bijdrage om het dak lekdicht te maken en geeft hem daarom een voorkeursbehandeling. Wanneer het gezelschap de zaal met schilderijen van Picasso inkomt, vraagt hij om even alleen achter te mogen blijven om van de schilderijen te genieten. Als hij zich zichtbaar aangedaan weer aansluit bij de andere mensen, kan hij toch niet nalaten te zeggen: 'In die zaal hangt wel voor een godsvermogen, zeg.'

Het uitstapje naar Sint-Petersburg is georganiseerd door Ernst Veen. Veen is niet alleen directeur van de Nieuwe Kerk in Amsterdam en van de Hermitage in de hoofdstad, maar ook kamerheer van Hare Majesteit de Koningin. 'Scheringa wist natuurlijk ook wel dat hij met een donatie aan de Hermitage dichter bij de koninklijke familie kon komen', zegt een voormalig werknemer die hem in de omgeving van Willem-Alexander en Máxima heeft meegemaakt. 'Scheringa kan goed rekenen.'

Een ander aspect van het museum is de imagoverbetering die Scheringa ermee beoogt. Langzamerhand lijkt hij in deze opzet te slagen. Als hij bijvoorbeeld in 2005 een werk koopt van Lucian Freud, wordt hem veel lof toegezwaaid door de Nederlandse elite. Freud wordt door een aantal critici immers als een van de belangrijkste moderne schilders gezien. Scheringa richt zich op dat moment al lang niet meer uitsluitend op het magisch realisme en hij koopt ook modernere werken. Niet dat het dedain geheel verdwijnt, maar wel reizen een aantal kunstpausen af en toe naar Spanbroek voor een bezoek aan het museum en hebben zij minder schroom om zich met Scheringa te vertonen. Van die ontwikkeling heeft hij voor de ineenstorting van zijn imperium nog geruime tijd kunnen genieten.

In 1996 wordt Emily Ansenk benaderd om directeur te worden van het museum. Zij is afgestudeerd in het magisch realisme en werkt op dat moment bij ING als conservator van de kunstcollectie. Later wordt Belia van der Giessen toegevoegd aan de staf en wanneer Ansenk overstapt naar de Kunsthal in Rotterdam, wordt zij haar opvolgster. Onder leiding van de directie wordt een strategie ontwikkeld voor de richting en de betekenis van het museum. In de beginjaren wordt een verzameling opgebouwd met schilderijen van Willink, Koch, Ket, Wim Schuhmacher en Raoul Hynckes.

Maar na ongeveer drie jaar wordt de markt in deze stroming steeds dunner en wordt de koers verlegd richting de realistisch werkende tijdgenoten in binnen- en buitenland. Daarbij gaat het om minder bekende kunstenaars, maar ook om de grote namen als Toorop, Magritte, De Chirico en De Lempicka. Scheringa speelt nu in een andere divisie, waar ook veel buitenlandse verzamelaars aan deelnemen en waar de prijzen aanzienlijk hoger liggen. In die periode gaat het goed met zijn bedrijf zodat hij zich wel wat kan veroorloven.

De volgende stap begint in 2002, als het museum een schilderij koopt van Co Westerik. Het blijkt het startsein voor een uitbreiding van de collectie met kunst uit de jaren na de Tweede Wereldoorlog. De keuze valt op realisme dat niet magisch is, maar juist het rauwe leven toont. Zo confronteert Lucian Freud de toeschouwer 'met de mens van vlees en bloed, in alle eerlijkheid en zonder maskers', staat in *Nieuw Realisme*, de laatste overzichtscatalogus van het museum. En ook in het werk van bijvoorbeeld Herman Gordijn wordt weinig moeite gedaan het leven mooier te tonen dan het in werkelijkheid is.

Zoals gezegd is Scheringa bereid om, met het oog op een duurzaam waardevolle collectie, zich te laten adviseren. Dat betekent natuurlijk nog niet dat hij zonder slag of stoot akkoord gaat met de voorstellen van zijn conservatoren. Over elke aankoop neemt hij de eindbeslissing. Zo wil het museum in 2003 een werk van Jean Rustin kopen, maar Scheringa en Baukje vinden het helemaal niks. De aankoop gaat niet door – totdat het echtpaar in 2005 alsnog overstag gaat. Dan wordt het schilderij aan de verzameling toegevoegd. Als het voor het eerst wordt tentoongesteld, verzucht Scheringa dat hij het prachtig vindt; blijkbaar heeft hij zich het werk eigen gemaakt.

De conservatoren moeten dus het nodige geduld betrachten in de omgang met de Scheringa's. Zij proberen hen te sturen, maar kunnen niet beslissen. Dus nemen zij het echtpaar mee naar allerhande tentoonstellingen, stellen zij hen voor aan meestal jonge kunstenaars en maken zij een voorselectie. Maar als Scheringa anderzijds werken koopt die de adviseurs niet geschikt achten om in de collectie op te nemen, rest hem weinig anders dan thuis een plekje aan een van de muren te zoeken. Soms is hij zo bevlogen over een schilderij dat hij het per se wil hebben. Hij blijft zichzelf en maakt zijn eigen keuzes, maar de directie bepaalt wat uiteindelijk in het museum komt te hangen.

De voorstellen voor de nieuwe aankopen worden gedaan tijdens de wekelijkse vergadering. Die kosten ongeveer twee uur per week en verlopen doorgaans in goede harmonie. Verder bezoekt Scheringa regelmatig kunstenaars en beurzen. Maar hij gaat lang niet altijd mee; regelmatig gaat de directeur ook alleen met Baukje op pad. Zij heeft meer tijd en vindt het erg leuk om tentoonstellingen af te reizen. Scheringa zelf besteedt volgens een schatting gemiddeld één dagdeel per week aan de kunst. Hij kent zijn beperkingen, weet wie de experts zijn en is in staat hun de nodige vrijheid te geven.

In het begin spendeert Scheringa via DSB Beheer een paar ton per jaar aan zijn museum, maar dat bedrag loopt op zodra met DSB Bank meer winst wordt gemaakt. Het uitgavenpatroon ademt mee met het bedrijf. Als het daar beter gaat, mag meer gekocht worden. Soms wordt aan een schilderij zelfs een paar miljoen uitgegeven. Vooral na 2000 kunnen ook duurdere werken worden aangekocht en gaat Scheringa de strijd aan met de internationale kunstwereld. Volgens een kunstkenner betaalt hij voor het werk van Lucian Freud in 2005 ongeveer 3,5 miljoen euro. 'Dat is overigens niet zo veel. Van tevoren stond eigenlijk al vast dat de waarde van dat schilderij voorlopig niet zou dalen. Freud was toen echt in opkomst en ook vanuit financiële perspectieven was de aankoop verstandig te noemen.'

Ook op de vele vrijwilligers wordt door Scheringa over het algemeen niet beknibbeld. Voor hen wordt elk jaar een verrassingsdag georganiseerd. Dan vertrekt het hele gezelschap in de ochtend in afgehuurde bussen naar een onbekende bestemming. 'In de loop van de tijd hebben wij het Singer Museum in Laren bezocht, de Kunsthal in Rotterdam en het Haags Museum. Deze reisjes waren altijd prima verzorgd en erg gezellig. Ook aan de diners na afloop denk ik nog steeds met veel genoegen terug. Verder werd in de zomer altijd een barbecue geregeld waar Scheringa zelf zijn gezicht liet zien. Maar wij hadden over het algemeen meer te maken met Baukje. Dat is echt een schat van een vrouw die altijd voor je klaarstond en altijd in je geïnteresseerd was.'

Alleen in 2005 steekt bij de vrijwilligers een storm van protest op. De traditionele kerstpakketten mogen dan niet langer van de belastingen worden afgetrokken en dus ontvangen de medewerkers vanwege de kosten dat jaar geen geschenk. Met als gevolg dat de motivatie een flinke deuk oploopt en bij de koffiemachine vervelende gesprekken worden gevoerd. Een paar maanden later ziet Scheringa in dat hij zich op die manier wel erg van zijn zuinige kant laat zien en organiseert hij voor de mensen een diner. Om de openstaande rekening definitief te vereffenen, mogen de vrijwilligers na afloop wat lekkers mee naar huis nemen.

In de loop van de jaren is de waarde van de collectie flink opgelopen. Dat wordt op 1 mei 2009 op een vervelende manier duidelijk. Dan worden de medewerkers geconfronteerd met een aantal gemaskerde mannen die na binnenkomst direct doorlopen naar schilderijen van Tamara de Lempicka en Salvador Dalí. Terwijl een bewaker en enkele bezoekers met een vuurwapen op afstand worden gehouden, halen de dieven de werken van de muur en brengen die naar hun auto. Scheringa betreurt het verlies maar is nog meer aangeslagen door het gevaar waaraan de mensen hebben blootgestaan. De doeken behoren tot de belangrijke werken van het museum en de verzekeringsmaatschappij looft een ongekende beloning uit van 250.000 euro. Dat bedrag gaat naar degene die over informatie beschikt waarmee deze misdaad kan worden opgelost en de doeken teruggevonden kunnen worden.

Bijna een jaar later worden twee mannen van 29 en 43 jaar oud aangehouden. Beiden zijn afkomstig uit Breda. Even ontstaat hoop bij de directie van het museum, maar wegens gebrek aan bewijs moeten de mannen een dag later weer worden vrijgelaten. Wel laat de politie weten dat zij verdachten blijven in deze zaak. Tot verdriet van Scheringa en de directie van het museum zijn de schilderijen tot op de dag van vandaag niet teruggevonden. Dat zal nog wel gebeuren; de schilderijen zijn zo bekend dat ze nauwelijks kunnen worden verkocht.

De laatste jaren wordt minder geld vrijgemaakt voor de collectie. Dan geeft Scheringa architect Herman Zeinstra opdracht voor hem een nieuw museum te ontwerpen op een stuk grond dat hij eerder in buurgemeente Opmeer heeft gekocht. De bouw slokt een groot deel van de beschikbare financiën op. Hierdoor is minder beschikbaar voor nieuwe aankopen, maar het vooruitzicht van de mogelijkheden in een veel groter museum is bijzonder aantrekkelijk.

Het gebouw wordt speciaal voor de collectie van Scheringa ontworpen. Vooral aan de klimaatbeheersing en de daglichtconstructie wordt veel aandacht besteed. Kosten noch moeite worden gespaard – het gebouw moet zich kunnen meten met de toonaangevende musea in Nederland. Op het moment van het faillissement is de bouw voor ongeveer 80 procent voltooid en treffen de medewerkers al voorbereidingen om de collectie vanuit de oude huishoudschool te verhuizen naar het nieuwe onderkomen. Maar de val van DSB Bank zet een streep door de rekening en de bouw wordt door de aannemer stilgelegd. Gezien de laatste ontwikkelingen is de kans klein dat het museum nog wordt voltooid.

Na de ontmanteling van het bedrijf en het museum ontstaat kritiek op de organisatiestructuur van het museum. Tot het einde toe is sprake geweest van een besloten vennootschap, terwijl andere musea vrijwel altijd stichtingen zijn. Een bv heeft verschillende voordelen, maar als nadeel dat in het geval van faillissement de kunstcollectie wordt meegezogen in de ondergang.

'Eigenlijk zijn de schilderijen nooit het eigendom van Scheringa geweest', aldus een kunstkenner. 'Een echte verzamelaar zou dan ook voor een andere oplossing hebben gekozen.'

Toch werd ook bij het museum al langer gekeken naar de beste structuur om de continuïteit te waarborgen. Zo stelde men zich de vraag wat met de collectie zou gebeuren als Scheringa en Baukje plotseling kwamen te overlijden. Maar deze plannen werden ingehaald door de tijd. Kort voor het faillissement kan de besloten vennootschap niet meer worden omgezet in een stichting om te voorkomen dat de schuldeisers de kunstwerken opeisen. De schilderijen zouden daarmee aan de boedel worden onttrokken en dat zou juridisch niet correct zijn.

Inmiddels is de collectie eigendom van Deutsche Bank. Deze bank heeft van ABN Amro het deel van de zakelijke activiteiten gekocht waar ook de collectie deel van uitmaakt. De directie is nog niet ontslagen en probeert een doorstart te maken en te verhinderen dat de schilderijen op de markt worden gebracht. Dat zou het definitieve einde van de verzameling betekenen, volgens de conservatoren in het boek *Nieuw Realisme, 159 kunstwerken uit de collectie van het voormalige Scheringa Museum voor Realisme.* Gezien de kunsthistorische waarde van de collectie moet dat ten koste van alles worden voorkomen.

7

Warm bad

21 september 2000. Ter gelegenheid van zijn vijftigste verjaardag pakt Dirk Scheringa groot uit. Hij heeft een feestzaal in Wognum afgehuurd en naast zijn familie, vrienden en een aantal vaste medewerkers ook de leden van zijn schaatsploegen en de spelers van AZ uitgenodigd. De laatste groep besluit de voorzitter te verrassen en speelt voor hem een bestuursvergadering van de Alkmaarse voetbalclub na. Spits Johnny Bosman neemt daarbij de rol van Scheringa voor zijn rekening. Hij opent de bijeenkomst en kijkt daarna ongeïnteresseerd om zich heen als de andere bestuursleden hun plannen ontvouwen. Met 'Zo gaan we het dus niet doen' besluit hij de 'vergadering'. Scheringa ziet de overeenkomsten met de werkelijkheid en slaat zich schaterend op de knieën.

Ook in de sportwereld is Scheringa anders dan de anderen. Hij houdt als voorzitter geen bestuurlijke afstand tot zijn spelers, maar wil hun vreugde en ellende juist delen. Als AZ in 2005 tijdens een wedstrijd tegen het Portugese Sporting Lissabon in de laatste seconde de finale van de Uefa Cup mist, staat hij in de kleedkamer vooraan om troostende woorden te spreken. Ondanks het verdriet over de gemiste kans is hij bij deze gelegenheid op zijn best. Veel sporters en supporters waarderen zijn oprechte betrokkenheid en dat levert hem een grote populariteit op.

'Ik weet nog dat AZ voor een Europese wedstrijd een keer tegen Bremen moest spelen', zegt een voormalig lid van de raad van commissarissen van de voetbalclub. 'Het gemeentebestuur was bang voor hooligans en had een grote politiemacht op de been gebracht. Volstrekt overbodig. Onze supporters bouwden op het centrale plein van de stad een fantastisch feest waar ook Dirk met volle teugen van genoot. Hij maakte met iedereen een praatje en ging op een gegeven moment zelfs op de schouders. Machtig vond hij dat. Die behandeling was voor hem als een warm bad.'

Scheringa voelt zich thuis bij de supporters, de voetballers en zeker ook bij de marathonschaatsers van zijn ploeg. Met hen maakt hij een jaarlijks uitstapje naar de Weissensee in Oostenrijk. 'Dan werd een mooi appartement gehuurd', zegt een van de leden van die ploeg. 'Na de lunch viel Dirk op het balkon te midden van al die jongens standaard even in slaap. Dat was mooi om te zien. Zijn ontspanning was af te leiden uit de vredig glimlach op zijn gezicht. Hij voelde zich dan echt helemaal op zijn gemak.'

Zelfs zijn soms ongepolijste uitspraken worden hem met graagte vergeven. In het voorjaar van 2001 staat AZ ondanks de investeringen slechts op de veertiende plaats van de competitie. Scheringa is woedend, hij vindt dat de spelers niet voldoende hun best doen. Dus kondigt hij aan de bezem door de selectie te halen. 'Ze moeten maar een tijdje achter de vuilniswagen gaan lopen', briest de voorzitter. 'Misschien dat ze dan beseffen dat ze een bevoorrecht leven leiden.' De spelers klagen bij de trainer, maar de supporters vinden dat hij eigenlijk wel gelijk heeft.

Anderzijds kan Scheringa ook bijzonder loyaal zijn. Zo heeft de Amerikaanse schaatser Chad Hedrick na een aantal glorieuze seizoenen in 2003 een mindere periode en de leiding van de schaatsploeg wil dat hij niet meer in aanmerking komt voor een nieuw contract. Maar daar is Scheringa het niet mee eens. Hij heeft met eigen ogen het fanatisme gezien waarmee Hedrick de oefenstof doorwerkt en biedt hem weer een nieuw dienstverband aan. 'Dat heeft hij gewoon verdiend', zegt hij bij die gelegenheid. Een jaar later wordt Hedrick onverwachts wereldkampioen.

Zowel bij het schaatsen als bij AZ claimt hij jarenlang een grotere invloed op de technische zaken dan zijn collega-voorzitters van andere clubs. Trainer Henk van Stee moet in de seizoenen 2000-2001 en 2001-2002 elke week verantwoording komen afleggen op het hoofdkantoor van DSB in Wognum. Van Stee houdt zich groot en zegt dat hij geen moeite heeft met het gedrag van de voorzitter. Scheringa betaalt immers zijn salaris en heeft naar zijn idee recht op een verklaring voor een bepaalde verkoop of een bepaalde wissel. Daarom ook neemt hij een kwartier voor het begin van elke wedstrijd met hem de opstelling door, een gang van zaken die voor weinig andere trainers acceptabel is.

De bemoeizucht van Scheringa beperkt zich niet tot de technische aspecten. Ook bij de bouw van het nieuwe stadion van AZ laat hij zijn invloed gelden. Zelfs de kleur op het toilet van de kleedkamers heeft hij zelf uitgekozen. 'De spelers keken wel een beetje verbaasd', zegt hij in een interview met *Het Financieele Dagblad*. '"Lila deuren", riepen zij in het begin vol afschuw. Maar al snel voelden zij zich daar volkomen op hun gemak. Als je bij FC Utrecht naar de wc gaat, krijg je bijna hoofdpijn van de schreeuwende kleuren. Maar bij ons kom je juist heerlijk tot rust.' Het is deze eigenwijze bemoeizucht, en de combinatie van gekruide uitspraken en verregaande loyaliteit die Scheringa in Alkmaar lange tijd tot een volksheld maken.

In 1979 wordt Dirk Scheringa lid van de businessclub van wat dan nog AZ '67 heet. Vanaf de tribune maakt hij in 1981 het kampioenschap mee. Maar wanneer elektronicaketen Wastora wegvalt als hoofdsponsor, zet het verval in. In 1988 volgt zelfs degradatie naar de Eerste Divisie. Vervolgens gaat shirtsponsor Swingbo failliet en drastische bezuinigingen zijn de enige mogelijkheid om te overleven. Dan kunnen geen nieuwe spelers meer worden gekocht en de club moet het doen met zelfopgeleide voetballers uit de omgeving en een enkel talent uit de amateurregionen. Scheringa is bereid de helpende hand te bieden en voor 150.000 gulden per jaar wordt zijn bedrijf shirtsponsor. De schulden bij de club blijven echter oplopen.

Vanaf 1993 heeft Scheringa de touwtjes in handen bij AZ. In ruil voor sanering van de schulden mag hij een groot deel van het bestuur benoemen. Scheringa wordt voorzitter, Bert Rozemond secretaris en ook Baukje wordt lid van het bestuur. Op die manier heeft Scheringa altijd de meerderheid van de stemmen. Hij wil wel als geldschieter fungeren, maar alleen als hij ook de macht krijgt. Dat geeft hem de mogelijkheid de lijnen uit te zetten en de controle te behouden over de besteding van het geld. Bij de ondertekening van de documenten kondigt hij aan 'geen gekke dingen te gaan doen'.

Onmiddellijk maakt AZ duidelijk dat het in de top van de Eerste Divisie een rol kan spelen en wint het een aantal periodetitels. In het seizoen 1995-1996 wordt de club kampioen, waarmee de zo felbegeerde rentree in de hoogste voetbaldivisie is bereikt. Maar dat blijkt van korte duur. AZ eindigt het volgende jaar op de laatste plaats en dan moet de club weer voor vrijwel lege tribunes in weinig inspirerende stadions spelen. Gelukkig behaalt AZ in 1997 wederom het kampioenschap en wordt de oversteek naar de Eredivisie weer gemaakt. Dit keer voor langere tijd.

Vanaf 1999 wordt Scheringa ook actief in andere takken van sport. In eerste instantie sponsort hij een schaatsteam voor de marathon en een jaar later wil hij ook een eigen ploeg voor de lange baan. Hij strikt sprinter Jan Bos voor een transferbedrag van 350.000 gulden en ook Marianne Timmer en Ids Postma maken in ruil voor een hoog salaris de overstap naar DSB. De leiding van Spaarselect, een van de concurrerende teams, dient vanwege de hoogte van de lonen zelfs een klacht in tegen Scheringa. Dit signaal wordt ook opgepakt door de media. Zo moppert journalist Joop Holthausen in *Het Parool*: 'Schaatsers zijn zakenmensen geworden.'

Door de tegenvallende prestaties blijft de publicitaire waarde van de schaatsploegen echter ver beneden peil. In de winter van 2004 besluit Scheringa dan ook te stoppen met deze sport. Een paar weken later is hij alweer van gedachten veranderd. 'Dit is een grote fout geweest', zegt hij in maart tegen een medewerker. Dan duurt het niet lang voordat Scheringa weer een nieuwe ploeg onder zijn hoede neemt. 'Schaatsen is een van zijn grote liefdes', aldus de medewerker. 'Daar kon hij geen afstand van doen.'

De voetbalsuccessen zijn opmerkelijk. In 1999 wordt door AZ de negende plaats bereikt en wanneer de club in 2000 zelfs als zevende eindigt, lijkt de aanval op de subtop ingezet. Maar een jaar later volgt een forse tegenvaller en weet AZ ternauwernood aan de nacompetitie te ontkomen. Trainer Gerard van der Lem besluit op te stappen, maar dat mag niet baten. Ook onder Henk van Stee wordt de negatieve spiraal niet doorbroken. Hij wordt opgevolgd door Co Adriaanse en onder zijn leiding wordt de club vijfde in de competitie, een plaats die recht geeft op deelname in het toernooi om de Uefa Cup. Scheringa is euforisch en laat T-shirts drukken met de tekst 'We gaan Europa in'.

Dat toernooi is een groot succes voor AZ. Met attractief voetbal worden tegenstanders Paok Saloniki en Glasgow Rangers uitgeschakeld. De club overwintert niet alleen, maar weet zelfs de halve finale te bereiken. Pas op het allerlaatste moment gaat de eerder genoemde wedstrijd tegen Sporting Lissabon verloren. Maar het verdriet is van korte duur. In de vaderlandse competitie staat de ploeg op dat moment op de eerste plaats. Enig punt van zorg is de positie van de trainer: Co Adriaanse heeft aangekondigd de club aan het einde van het seizoen te willen verlaten. Hij heeft naar zijn idee al het mogelijke bereikt met AZ.

Met de komst van Louis van Gaal is het vertrek van Adriaanse snel vergeten. Onder zijn leiding wordt de aanval op de top van de competitie ingezet. In 2007 lijkt het kampioenschap de club uit Alkmaar niet meer te kunnen ontgaan. De laatste speelronde wordt begonnen met een punt voorsprong op Ajax en PSV en bovendien is de tegenstander het zwakke Excelsior uit Rotterdam. Maar het noodlot slaat toe. In de negentiende minuut wordt keeper Boy Waterman uit het veld gestuurd. De wedstrijd wordt met 3-2 verloren waardoor PSV uiteindelijk met twee punten voorsprong de schaal in ontvangst mag nemen.

Scheringa is zwaar teleurgesteld en neemt na afloop zijn toevlucht tot complottheorieën. Naar zijn idee is alles in het werk gesteld om het kampioenschap in handen te laten vallen van de gevestigde orde. Vooral de rechtvaardigheid van de rode kaart wordt door hem bestreden. Aan een speler van Ajax of PSV zou de scheidsrechter die op dat moment nooit hebben uitgedeeld. Dat hij na het missen van het kampioenschap ook de Champions League met de daaraan verbonden miljoenen euro's aan zich voorbij ziet gaan, maakt de pijn extra groot.

Maar zoals Johan Derksen in een televisie-uitzending kort na de wedstrijd al voorspelt, gaat Scheringa niet bij de pakken neerzitten. 'Nu hij aan het kampioenschap heeft geroken, trekt Scheringa zonder twijfel de portemonnee', zegt de hoofdredacteur van *Voetbal International.* 'Hij heeft natuurlijk wel gelijk', laat Scheringa de volgende dag op kantoor weten. Niet lang daarna blijkt dat hij zijn pijlen heeft gericht op Afonso Alves. Hij wil de succesvolle Braziliaanse spits op voorspraak van trainer Van Gaal voor een bedrag van 18 miljoen euro naar AZ halen. De topscorer van de Eredivisie moet AZ het laatste zetje geven en alsnog het kampioenschap bezorgen.

Tot opluchting van de raad van commissarissen kiest Alves op het laatste moment voor een andere club. 'Met Alves haal je niet alleen een voetballer binnen', zegt een van de toezichthouders achteraf, 'maar ook een hele entourage van duistere zaakwaarnemers. Bovendien moest hij een vorstelijk salaris krijgen en zou hij veel meer verdienen dan de rest van de selectie. Daarmee was hij een mogelijke splijtzwam. En dat terwijl eendracht altijd een van de grootste wapens was van AZ.' Ook bij DSB bestaat blijdschap over de gang van zaken. Daar wordt vooral de invloed van het transferbedrag op de balans en de solvabiliteit gevreesd.

Op bestuurlijk niveau kan Scheringa alleen worden afgeremd door oorzaken van buitenaf. Bij de schuldensanering in februari 2005 heeft hij alle aandelen in handen gekregen en kan hij dus doen en laten wat hij wil. Zo heeft hij het recht de raad van commissarissen te ontslaan die hem als voorzitter moet controleren. Maar door het sportieve succes wordt tegen deze ongezonde situatie geen actie ondernomen. De structuur van de organisatie lijkt op dat moment een luxeprobleem en geen van de commissarissen ziet reden om met zijn aftreden de zaak op scherp te zetten. Liever proberen zij met voorzichtig trekken en duwen het beleid van de voorzitter in goede banen te leiden. Die strategie wordt bijvoorbeeld toegepast bij het plan om de capaciteit van het nieuwe stadion met een tweede ring uit te breiden van 17.500 tot 44.000 plaatsen. 'Dat zou voor veel lege plekken zorgen', zegt een van de commissarissen. 'Dirk werd erg euforisch, maar het achterland is simpelweg niet groot genoeg. Daar hebben wij hem op gewezen.' Het onderwerp komt elke keer terug in de vergadering. Uiteindelijk verdwijnt het van de agenda zonder dat ooit een besluit wordt genomen.

'Dirk omringde zich met mensen die hij kon vertrouwen', vervolgt de voormalige commissaris, 'en wilde dat de bestuurskamer een soort huiskamerachtige uitstraling zou hebben. Een van de belangrijkste onderdelen van de wedstrijd was de zogenoemde nazit. Dan werd met de vrouwen en de trainer tot middernacht geborreld.' Op die manier wordt bij Scheringa alles persoonlijk en zijn alle tegenslagen tekenen van een gebrek aan loyaliteit en van verraad. 'Hij liet zich makkelijk krenken en het was dan ook niet verstandig met hem de confrontatie aan te gaan. Eigenlijk had hij op bestuurlijk niveau zijn eigen tegenstand moeten organiseren, maar dat kwam niet bij hem op.'

Doordat Scheringa vaak het persoonlijke met het zakelijke vermengt, lopen conflicten altijd hoog op; hij voelt zich immers persoonlijk beledigd. Neem de affaire Moens. In 1996 wordt deze talentvolle keeper gekocht van Go Ahead Eagles. Het eerste jaar verloopt de samenwerking tot volle tevredenheid van beide kanten en in 1997 wordt zelfs een tienjarig contract getekend. Bovendien koopt Scheringa dan het recht om die periode de naam en de beeltenis van de doelman in reclames van DSB te mogen gebruiken. Dat laatste contract levert Oscar Moens een bedrag op van maar liefst 1,4 miljoen gulden per jaar.

Maar in 2000 begint de ellende. Scheringa stopt met betalen omdat hij van mening is dat Moens zijn contractuele verplichtingen niet nakomt. De keeper concentreert zich liever op zijn werk en heeft eigenlijk geen zin om als fotomodel op te treden. Het is het begin van een lange weg vol met wederzijdse pesterijen en juridische procedures. Zo wordt Scheringa door de zaakwaarnemer van Moens beschuldigd van 'NSB-gedrag' en weigert Moens zelf de hand te schudden van de voorzitter en maakt hij hem uit voor rotte vis. Scheringa is diep beledigd en zorgt dat de doelman vijf dagen wordt geschorst. In 2003 wordt zelfs beslag gelegd op de bezittingen van Moens.

De affaire is uitzichtloos en Moens wordt verhuurd, eerst aan RBC en vervolgens aan Willem II. De carrière zit dan definitief in het slop. Via het Italiaanse Genua keert Moens terug naar Willem II, om vervolgens plaats te nemen op de reservebank van PSV. Hij beëindigt zijn carrière in 2007 bij een club uit de derde divisie in de Verenigde Staten. Een roemloos einde voor een keeper die ooit werd beschouwd als een van de grootste talenten op de Nederlandse velden. Journalisten wijzen Scheringa aan als schuldige voor deze gang van zaken. Hij zou Oscar Moens bewust kapot hebben gemaakt.

De werkelijkheid is gecompliceerder. Op voorspraak van de zaakwaarnemers van Moens is het contract over het portretrecht gesloten met Global Images op het Kanaaleiland Jersey. Deze constructie moet allerhande belastingvoordelen opleveren – daar profiteert zowel Scheringa als Moens van. Tenminste, zo lijkt het. Want wanneer Moens niet in de reclame-uitingen van DSB wordt gebruikt, besluit de belastingdienst in te grijpen. In de ogen van de fiscus is sprake van een normaal loon en die wil daarom van AZ 1,4 miljoen euro aan niet-betaalde heffingen ontvangen. De voetbalclub speelt deze rekening vervolgens door aan Moens.

'Moens is onbetwist het grootste slachtoffer van deze zaak', zegt iemand die betrokken was bij de onderhandelingen. 'Maar dat maakt Scheringa nog niet tot dader. Natuurlijk heeft hij onhandig gehandeld, maar hij wilde Moens beslist niet kapotmaken.' Volgens deze partij zijn de zaakwaarnemers de ware schuldigen. Zij wisten op voorhand van de complicaties van de constructie en hebben naar zijn idee geen open kaart gespeeld. Dus begint DSB een slepende rechtszaak met als doel in ieder geval een deel van het bedrag terug te halen. 'En het mooie van Scheringa is dat hij Moens van die regeling wilde laten profiteren.'

De volledige toedracht is vanwege de grote zwijgzaamheid van de betrokken partijen moeilijk meer te achterhalen. Maar wel staat vast dat Moens niet staat te juichen bij de val van DSB. Journalisten van *Algemeen Dagblad* bellen hem kort na het faillissement op, in de hoop een lekker fel citaat te kunnen optekenen. Moens weigert zijn medewerking en blijft zwijgen. Ook staat vast dat eerder al, onder leiding van de vrouw van Moens, een soort verzoening heeft plaatsgevonden.

Ongeveer vijf jaar later komt Scheringa in conflict met Martin van Geel. Als technisch directeur is hij mede verantwoordelijk voor de onverwachte tweede plaats die het Tilburgse Willem II in 1999 in de competitie bereikt. Scheringa haalt hem dan over om de overstap te maken naar AZ. Samen met Co Adriaanse vormt hij een gouden duo. Onder hun leiding maakt de Alkmaarse club een opmars in de Eredivisie en wordt de halve finale van de Uefa Cup gehaald.

Maar dan gaat het mis. Van Geel krijgt een aanbieding van Ajax en hij besluit bij de Amsterdamse club in dienst te treden. Van de ene op de andere dag maakt hij zijn vertrek bekend. Scheringa had op meer loyaliteit gerekend en is des duivels. Dat hij Ajax beschouwt als zijn erfvijand, maakt de pijn alleen maar heviger. Dus krijgt Van Geel een stadionverbod. Deze maatregel is nauwelijks uit te voeren, want als Ajax op bezoek komt kan hem de toegang niet worden geweigerd. Door bemiddeling van Henk Kesler van voetbalbond KNVB wordt het verbod ongedaan gemaakt, maar Van Geel is zo verstandig de confrontatie niet op te zoeken en laat de wedstrijden in Alkmaar aan zich voorbijgaan.

Voor Scheringa is dat echter niet voldoende. In het kader van de loting voor de Europese toernooien moeten AZ en Ajax op dezelfde dag naar Monaco. Daar komen beide delegaties elkaar op een gegeven moment tegen in een nauwe steeg. 'Ha Dirk', groet de toenmalige Ajax-voorzitter John Jaake dan joviaal. Als antwoord zegt Scheringa op koele toon: 'Meneer Jaake'. En wanneer Scheringa Van Geel passeert draait hij zijn hoofd demonstratief de andere kant op. Voor de voorzitter van AZ is de kwestie vergeven noch vergeten.

Met voorzitter Riemer van der Velde van SC Heerenveen ontstaat in 2007 het hierboven al genoemde conflict over de transfer van Afonso Alves. Na een succesvol seizoen heeft deze veelscorende spits de interesse opgewekt van vele clubs, waaronder AZ. Tot woede van Alves wil Heerenveen een hoog bedrag voor hem ontvangen. Eigenlijk zou hij zich begin augustus bij de selectie van deze Friese club moeten voegen, maar hij kwam niet opdagen. Daarmee lijkt hij op een breuk aan te sturen. Na een lang gesprek met het bestuur krijgt hij een hoger salaris en een boete die hij aan een zelfgekozen goed doel mag overmaken.

Als in 2008 de transfermarkt opengaat wil AZ Alves overnemen voor een bedrag van 18 miljoen euro. De Alkmaarse club meent dat de zaak beklonken is omdat de spits in een eerder stadium al een contract heeft ondertekend. Maar dat blijkt niet meer geldig. Ondertussen heeft Alves ook overeenstemming met het Engelse Middlesbrough. AZ verliest vervolgens een bij de KNVB ingediende arbitragezaak, waarna Alves eind januari alsnog de overstap naar Groot-Brittannië maakt.

In Friesland kan het gedrag van Scheringa rekenen op felle verwijten. Volgens Heerenveen heeft Alves uit Alkmaar het advies gekregen niet meer op de trainingen te verschijnen en zijn kastje alvast leeg te maken. Ook moest hij volgens dit kamp toen van Scheringa zeggen dat hij nooit meer voor Heerenveen zou voetballen. Op het Sportgala van 2007 spreekt Van der Velde over 'wolven in schaapskleren die ook in de zaal aanwezig zijn'. Een paar dagen later wordt Van der Velde gebeld door Scheringa met de vraag of hij met die uitlating hem in gedachten had. 'Wie de schoen past, trekt hem aan', krijgt Scheringa dan als antwoord. 'Het feit dat je belt, lijkt in die richting te wijzen.'

Deze gang van zaken vertaalt Scheringa op zijn geheel eigen wijze. In een interview met *Voetbal International* laat hij weten dat Van der Velde niet heeft gezegd dat hij het was. Dat is formeel juist, maar tegelijkertijd toch ver bezijden de waarheid. Op eerste kerstdag volgt vanuit Heerenveen een verzoeningspoging. Van der Velde pakt de telefoon en krijgt een van de zonen van Scheringa aan de lijn. Op de vraag of zijn vader beschikbaar is, krijgt Van der Velde als antwoord dat hij over een uur nog maar even moet terugbellen. Dan kan Scheringa nog even nadenken. Bij de tweede poging verdwijnt de kou uit de lucht en adviseert Scheringa Van der Velde zelfs nog over hoe een museum in Friesland het beste beheerd kan worden.

Bij het marathonschaatsen springt vooral de ruzie met Henk Angenent in het oog. Deze winnaar van de Elfstedentocht krijgt in 1999 een contract bij Frisia. Maar na twee jaar houdt hij het voor gezien vanwege een verschil van inzicht. Volgens Angenent benadert de ploeg het schaatsen voornamelijk vanuit zakelijk oogpunt, terwijl hij meer als sportman wil functioneren. Hij zou zijn eigen trainingsschema niet mogen bepalen en in de zomer moeten hardlopen terwijl hij liever wil fietsen om zijn conditie op te bouwen. En dat wordt allemaal zonder overleg voor hem bepaald.

Maar bij de voormalige leiding van de schaatsploeg wordt deze verklaring met het nodige hoongelach ontvangen. 'Het was altijd wat met Henk Angenent, altijd gedonder over contracten en andere zaken. Hij wilde zijn eigen baas zijn en zijn vrouw moest zijn manager worden. Hij probeerde alles om dat doel te realiseren. Op die manier zorgde hij voor veel onrust in de ploeg. Na een jaar hadden wij het eigenlijk wel met hem gehad en mocht hij wat ons betreft zo snel mogelijk vertrekken.'

Ook wat betreft Scheringa mag Henk Angenent in 2000 zijn eigen weg kiezen. 'Dirk vroeg de leden van zijn marathonploeg op een gegeven moment nog even een stukje te rijden met zijn doodzieke vriend en groot schaatsliefhebber Willem van der Veen', aldus een van de leiders van de ploeg. 'Alle schaatsers stemden als vanzelfsprekend in met het verzoek, maar Angenent deed moeilijk. Het was voor Dirk onbegrijpelijk dat iemand een dergelijke dienst niet wilde verlenen, een stervende man niet een laatste pleziertje gunde. En dat terwijl Dirk zoveel voor de marathonsport heeft betekend.' Toch zal Angenent nog een jaar bij Frisia in dienst blijven omdat Hans van Goor bang is voor de negatieve publicitaire gevolgen van een breuk. Niet zo'n rare gedachte omdat rond die tijd ook de problemen met Oscar Moens beginnen te spelen.

Met de aanstelling van trainers als Co Adriaanse en later Louis van Gaal neemt Scheringa meer afstand van het reilen en zeilen bij AZ en zet hij verdere stappen naar een professionalisering van de club. Hij moet met name op voetbaltechnisch gebied toegeven geen expert te zijn. Wanneer Scheringa bijvoorbeeld met Van Gaal een gesprek over de gevolgde tactiek wil hebben, ontploft de trainer op zijn gebruikelijke wijze. 'Dus jij dacht verstand van voetbal te hebben?' roept hij met luide stem. Om zijn woorden kracht bij te zetten priemt hij bij elke lettergreep de voorzitter met een vinger gevoelig in zijn schouder. Scheringa is beduusd over deze behandeling en kan niet meer dan een paar onbetekenende woorden mompelen. Vanaf dat moment weet hij dat hij met een autoriteit te maken heeft die niet met zich laat spotten.

Ook organisatorisch maakt Scheringa een professionalisering mogelijk. 'Zowel de technische als de medische staf werd uitgebreid', analyseert Gerrit Valk in het boek *AZ is de naam*. 'Pas met de aanstelling in 2002 van een nieuwe directie in de vorm van Martin van Geel, die verantwoordelijk werd voor het technische beleid, en Toon Gerbrands, die het algemeen directeurschap op zich nam, kwam de Alkmaarse club in rustiger vaarwater terecht.' Vanaf dat moment bemoeit Scheringa zich minder met de dagelijkse gang van zaken en durft hij meer te vertrouwen op zijn medewerkers.

Rond 2000 beginnen de problemen rond de bouw van het nieuwe stadion van AZ. Om dit complex te kunnen bekostigen, wil

Scheringa in de buurt een winkelcentrum ontwikkelen. Daar zijn de plaatselijke middenstanders fel op tegen: zij vrezen dat dan omzet weglekt uit de binnenstad. Alkmaar telt met zijn achterland naar hun idee onvoldoende inwoners om ook de nieuwe winkels aan een behoorlijke winst te helpen. De middenstanders hebben juridisch gezien een sterke positie, aangezien in het bestemmingsplan van 1997 staat dat voor nieuwe winkelgebieden geen ruimte is.

Scheringa zet de gemeente onder druk en dreigt met zijn club te vertrekken naar Zaanstad of Almere. Dus wordt een nieuw onderzoek gedaan, waarbij volgens de middenstanders alles in het werk wordt gesteld om te bewijzen dat extra vierkante meters geen bezwaar zijn. Zelfs de notulen van de vergaderingen worden naar het idee van de winkeliers achteraf in het voordeel van Scheringa aangepast. Ook denken zij dat Scheringa de lokale media onder druk zet om te voorkomen dat die voor de winkeliers positieve artikelen schrijven.

Eind 2002 wordt de bouwvergunning voor het stadion toch afgegeven. De middenstanders stappen naar de rechter en krijgen gelijk. Ondertussen beginnen ook de supporters zich met deze kwestie te bemoeien. Door de website van de fanclub van AZ wordt de voorzitter van de winkeliersvereniging verkozen tot de meest gehate persoon van Alkmaar. Scheringa roept in zijn nieuwjaarstoespraak van 2003 de fans op geen brandbommen te gooien. Maar daar is op dat moment helemaal geen sprake van, zodat deze uitlatingen de gemoederen absoluut niet tot bedaren brengen en eerder werken als olie op het vuur.

De verhoudingen verzuren verder wanneer de winkeliers in verzet komen tegen het plan om Scheringa de grond van het oude stadion met een waarde van 13 miljoen euro voor slechts 1 euro te laten kopen. Dit terrein ligt vlak bij het centrum van Alkmaar en is bij uitstek geschikt voor woningbouw. De middenstanders maken opnieuw een zaak aanhangig. Als tegenzet laat Scheringa, volgens de winkeliers, de makelaar vervolgen die de waarde van de grond heeft getaxeerd. Beide partijen halen in deze harde strijd alle middelen uit de kast om hun gelijk te halen.

Vanaf dat moment ontspoort de situatie. Bij de winkeliers worden meerdere keren de ramen ingegooid, hun klanten worden geïntimideerd tijdens een demonstratie en supporters proberen de huisadressen van de middenstanders te achterhalen. Die krijgen vervolgens van de politie het advies om een *strongroom* in hun huis te laten inbouwen. Tegelijkertijd laat Scheringa in een interview met *De Telegraaf* weten dat de winkeliers alleen maar de waarde van de grond die zij bezitten in de buurt van hun zaak willen opdrijven. In dat artikel noemt hij de voorzitter van de vereniging ook bij naam.

Ondanks alle problemen laat Scheringa in 2002 de bouw van het stadion symbolisch van start gaan. In een processie wordt de eerste paal naar het terrein gereden en daar neergelegd. Een van winkeliers heeft ondertussen een vliegtuigje gehuurd dat een doek sleept met de woorden: 'Dirk Scheringa gefeliciteerd, winkelstad RIP'. Om deze woorden te onderstrepen komt hij ook nog eens met een lijkwagen voorrijden. Eerst reageert Scheringa nog sportief en zegt hij tegen de lokale radiozender blij te zijn dat hij wordt gefeliciteerd. Maar een dag later heeft hij een draai gemaakt van 180 graden en voelt hij zich door deze acties bedreigd.

'Scheringa heeft deze zaak nogal onhandig aangepakt', zegt iemand die nauw bij de kwestie betrokken was. 'Als enige had hij de woede van de supporters kunnen dempen en dat heeft hij niet gedaan. Sterker nog, hij wilde de winkeliers een stadionverbod opleggen en zorgde daarmee voor nieuwe onrust. Hij was kwaad en voelde zich onrechtvaardig behandeld. Maar Dirk had toen ook een slechte tijd, hij zat emotioneel aan de grond. Hij maakte zich grote zorgen over zijn gezondheid en vreesde zelfs dat hij kanker had. Naar die ziekte zijn nog een aantal onderzoeken gedaan. Gelukkig zijn daarbij geen tumoren aangetroffen.'

Uiteindelijk vinden de partijen na intensieve bemiddeling toch een compromis. De winkels worden vervangen door kantoren, een bowlingbaan en een sauna. Daarbij wordt zelfs vastgelegd dat de sauna geen crèmes mag verkopen aan de deur, maar pas wanneer de klanten al in hun badjas lopen. Verder mag, om oneerlijke concurrentie te voorkomen, overdag niet gratis worden geparkeerd op het terrein bij het stadion. Uiteindelijk gaat de eerste paal pas in 2006 de grond in, waarna de bouw in ongeveer driekwart jaar is voltooid. Op 4 augustus speelt AZ in het nieuwe stadion zijn eerste wedstrijd tegen Arsenal. De bezoekers uit Londen blijken duidelijk te sterk en winnen met 0-3.

Scheringa mag dan net zoveel conflicten als successen kennen in de sport, in beide situaties toont hij zijn sterke betrokkenheid. En die wordt gewaardeerd. 'Zo'n man komt nooit meer terug in de sport', zegt een voormalige medewerker. 'Iedereen vindt dat erg. Niet alleen vanwege het geld, maar ook door zijn grote betrokkenheid. Hij was altijd oprecht geïnteresseerd in zijn schaatsers en voetballers, en de meesten vonden het leuk als hij bij de wedstrijden aanwezig was.'

Zo kan op zondag 10 mei 2009 na de met 3-1 gewonnen thuiswedstrijd tegen Heerenveen de kampioensschaal eindelijk worden uitgereikt aan de club uit Alkmaar. Scheringa haast zich van de eretribune naar het veld. Hij wil meedoen en met de voetballers het veld rondrennen, het gejuich over zich heen laten komen. Als voorzitter heeft hij immers een serieuze bijdrage geleverd aan de prestaties van het afgelopen seizoen. De spelers hebben het echter al snel gezien. Na een half rondje haken de meesten af en uiteindelijk loopt Scheringa vrijwel alleen langs de feestende supporters. Dat lijkt de voorzitter in het geheel niet te deren.

Ook na de uitreiking van de schaal is Scheringa niet van het veld te slaan. In een hoekje van het stadion is dan nog een klein aantal supporters aanwezig. Scheringa loopt naar hen toe, zij klimmen over het hek en nemen de voorzitter op hun schouders. Voor bijna lege tribunes wordt Scheringa rondgedragen. Maar het is alsof de supporters zelf ook voelen dat hier sprake is van een merkwaardige situatie en al snel staat Scheringa weer met beide voeten op het gras. Wel krijgt hij tot zijn genoegen dan nog de nodige schouderklopjes.

Het kampioenschap is al een aantal weken eerder veiliggesteld. Als directe concurrent Ajax op zondag 19 april 2009 met maar liefst 6-2 verliest van PSV, kan AZ niet meer worden achterhaald. Op die manier wordt zonder zelf te spelen de titel in de wacht gesleept. Bij het stadion in Alkmaar verzamelen zich de supporters en arriveren na verloop van tijd ook de spelers. In de tussentijd maakt Scheringa van de gelegenheid gebruik door op het balkon van het stadion de toejuichingen in ontvangst te nemen. Als de toeschouwers 'Dirk bedankt' scanderen steekt hij in een overwinningsgebaar de duimen in de lucht. 'Terecht', zegt een van de voormalige commissarissen. 'Zonder hem was dit nooit gebeurd.'

Ook als Scheringa na de val van zijn zakelijk imperium noodgedwongen moet terugtreden als voorzitter van AZ, wordt hij door de club in maart 2010 nog uitbundig in het zonnetje gezet. Het supportershome wordt naar hem vernoemd, hij wordt benoemd tot erevoorzitter, hij krijgt het ere-insigne in goud van de stad Alkmaar en AZ geeft hem en zijn vrouw een seizoenskaart voor het leven. 'Na zestien jaar neem ik afscheid van de mooiste club van Nederland', zegt een hevig geëmotioneerde Scheringa bij die gelegenheid vanaf de middenstip. De tranen houdt hij dan nauwelijks in bedwang.

8

Gemeenschap van goederen

'Eenmaal, andermaal...' De veilingmeester heft zijn hamer en staat op het punt de koop te sluiten. Maar als Baukje achter in de zaal op het laatste moment '21.000 gulden!' roept, onderbreekt hij zijn beweging. Zij overtreft het tot dan toe hoogste bod van haar man en dus moet de procedure opnieuw beginnen. Scheringa wil niet verder gaan dan 20.000 gulden en verspeelt op die manier zijn kansen om een dag met de plaatselijke schone aan zijn zijde te mogen pronken. De organisatoren van de in de regio bekende 'kerkeveiling' zien de gang van zaken met veel genoegen aan. Nog nooit eerder hebben zij zoveel geld kunnen overmaken aan de kerk en aan de voetbalclub, de organisaties die de opbrengst van dit initiatief mogen verdelen.

Hoewel dit verhaal hoogstwaarschijnlijk verzonnen is, roept het in Spanbroek en Opmeer toch de nodige hilariteit op. De West-Friezen zien de parallel met de realiteit omdat zij weten van de problemen die spelen in het gezin Scheringa. Rond de eeuwwisseling neemt de onenigheid daar grote vormen aan en vertoont dit bolwerk van gezelligheid en smûk steeds meer barsten. Van de gelofte van eeuwige trouw die beide echtelieden bij hun huwelijk nog vol overtuiging hebben uitgesproken, is dan weinig meer over. Dit vooral tot verdriet van Baukje, die de vele avontuurtjes van haar man dapper draagt, al bezorgen ze haar veel pijn.

Vol heimwee herinnert zij zich de verlovingstijd en de eerste jaren van het huwelijk. Dan gaan zij en haar man samen op de bakfiets naar haar vader om hem te helpen op het land en is hij een volwaardig lid van haar grote en warme familie. Later brengt hij zijn verering voor het gezin van zijn vrouw tot uitdrukking door in het Museum voor Realisme een speciale De Vries-zaal te laten inrichten. Daarin staan de werktuigen opgesteld die zijn schoonvader ooit gebruikte op zijn boerenbedrijf. Ook Scheringa is het verlangen naar het simpele leven van vroeger niet vreemd.

Het grote probleem is het verschil in ontwikkeling tussen de partners. Waar Scheringa door de groei van het bedrijf steeds met nieuwe mensen en inzichten in aanraking komt, blijft Baukje feitelijk zo goed als stilstaan. Sinds de geboorte van de kinderen heeft zij zich langzaam teruggetrokken in het gezin. Zij ziet de opvoeding als haar voornaamste taak en bestiert daarnaast het huishouden. Weliswaar vertoont zij zich nog af en toe op de vergaderingen van Frisia en later DSB, maar eigenlijk kan zij die inhoudelijk niet meer volgen. Wel neemt zij altijd koekjes mee en levert zij tijdens deze bijeenkomsten nog een bijdrage aan de gezelligheid. Niet onbelangrijk, maar onvoldoende om thuis het gesprek met haar man gaande te houden.

Scheringa op zijn beurt doet nauwelijks pogingen zijn echtgenote van de ontwikkelingen bij DSB Bank op de hoogte te houden. Ook laat hij haar niet delen in de eer die hij in de loop van de tijd ontvangt. Wanneer hij bijvoorbeeld een toespraak houdt ter gelegenheid van zijn uitverkiezing tot ondernemer van het jaar 2008, blijft haar naam ongenoemd. 'Hij heeft het echt niet alleen gedaan, hoor', sist Baukje op dat moment woedend tegen een van de lijfwachten in de zaal. Een andere uitlaatklep heeft zij niet, want zij weigert haar ongenoegen aan haar man te vertellen. Waardering moet in haar ogen vanzelf komen en kan niet worden afgedwongen.

Dit gevoel van miskenning valt goed te begrijpen. Zeker in het begin heeft Baukje immers ook keihard gewerkt om het bedrijf tot een succes te maken. Zij is de eerste die in de jaren zeventig haar baan als verpleegster opzegt om zich volledig aan de klanten te kunnen wijden. En later heeft zij Scheringa vrijgespeeld door alle taken in het huishouden op zich te nemen. Maar belangrijker nog is de strategische bijdrage die zij waarschijnlijk onbewust levert. Met haar gezelligheid en attentie staat zij feitelijk aan de wieg van het huiskamerconcept dat voor een groot deel de latere groei van DSB Bank verklaart.

Hoe groter de voorspoed van het bedrijf, hoe minder Scheringa rekening houdt met zijn vrouw. Zelfs in aanwezigheid van anderen geeft hij haar een gevoel van minderwaardigheid. Dat doet hij bijvoorbeeld door haar in het openbaar af te snauwen. 'Dan snoert hij haar tijdens de vergadering op brute wijze de mond', zegt een voormalige werknemer. 'Op andere momenten werd haar inbreng volkomen genegeerd. Het was echt heel naar om daar getuige van te zijn. Ik snapte niet dat zij niet in opstand kwam en alles gelaten over zich heen liet komen. Deze behandeling moet haar volgens mij veel verdriet hebben gedaan. Zij is een lieve vrouw die altijd klaarstaat voor anderen.'

Ook als het echtpaar besluit deel te nemen aan een schaatswedstrijd over tweehonderd kilometer in Japan, biedt Scheringa zijn vrouw geen steun. Bij aankomst op het vliegveld in Tokio is een van haar koffers zoekgeraakt. Baukje is in paniek en weet niet wat te doen in dit land waar zij de taal niet spreekt en de symbolen op de borden niet kan lezen. Maar Scheringa loopt gewoon door en besteedt geen aandacht aan de gemoedstoestand van zijn vrouw. Uiteindelijk kan een van de andere leden van het gezelschap de situatie niet langer aanzien en zorgt die dat de vermiste bagage bij de eigenaar wordt terugbezorgd.

Het vertrek van Martin van Geel bij AZ levert een ander vervelend inkijkje op in de verhouding tussen de echtelieden. Tot woede van Scheringa kondigt de technisch directeur van de ene dag op de andere zijn afscheid aan en laat dan tot overmaat van ramp weten naar aartsvijand Ajax te gaan. Scheringa voelt zich verraden en weigert nog met Van Geel te spreken. Hij verwacht van Baukje eenzelfde houding en verbiedt haar de telefoon op te nemen als zij later gebeld wordt door de vrouw van Van Geel. Dat betekent het einde van een van de zeldzame vriendschappen van Baukje en een vergroting van haar eenzaamheid.

Dit gebrek aan gelijkwaardigheid heeft ook zakelijk gezien de nodige consequenties. Baukje ziet al in een vroeg stadium onheilspellende signalen. Zo laat zij in 2006 tijdens een bezoek van een aantal mensen van de Nederlandsche Bank aan het Museum voor Realisme weten bang te zijn alle rijkdom op den duur weer te moeten inleveren. Wanneer haar wordt gevraagd wat zij daar precies mee bedoelt, zegt zij alleen: 'Ik ken mijn man.' Voor haar gesprekspartner is dat dan nog een raadselachtige opmerking, maar achteraf blijkt hier sprake van een vooruitziende blik. Door de lijdzaamheid van Baukje en door het gebrek aan belangstelling van Scheringa wordt aan deze kanttekening verder helaas geen aandacht besteed.

Verder heeft Baukje bedenkingen bij de voorkeursbehandeling die Hans van Goor van haar man krijgt. 'Als Dirk mocht overlijden, dan wordt hij absoluut niet de nieuwe topman', vertelt zij tijdens een feest van het bedrijf. Voor Baukje is hij niet alleen te jong, maar zij twijfelt ook aan zijn strategie. Naar haar idee neemt hij te veel risico's, is te veel gericht op de verkoop en luistert hij niet voldoende naar de ervaren krachten bij DSB. In deze combinatie ziet zij een groot gevaar voor de continuïteit van de onderneming.

Op het laatst hebben Scheringa en Baukje bijna geen gespreksonderwerpen meer over. Dat uit zich bijvoorbeeld in de auto tijdens de gemeenschappelijke ritjes naar Friesland naar de vader van Scheringa en naar zijn schoonfamilie. 'Wat is de temperatuur buiten?' opent Baukje of Scheringa dan de conversatie. 'Verleden week was het warmer', of 'Ik denk dat de zon later nog wel doorbreekt', luiden de mogelijke antwoorden. Ondertussen worden de thuis klaargemaakte broodjes op de achterbank opgegeten. Van genegenheid lijkt geen sprake en als over het weer niets meer is te zeggen, valt het echtpaar stil en verzinken beiden in hun eigen gedachten of sluiten zij de ogen om even te gaan slapen.

Ook met de onderlinge aanraking hebben Scheringa en zijn vrouw het moeilijk. Als hij op 13 maart 2010, voorafgaand aan de thuiswedstrijd tegen RKC ter gelegenheid van zijn afscheid als voorzitter van AZ, naar de middenstip wordt geroepen, probeert hij zijn arm op de schouder van Baukje te leggen. Maar hij heeft zoveel moeite met dat gebaar dat de tederheid niet waarneembaar is. Voor het oog van de televisiecamera en een uitverkocht stadion besluit hij zijn poging dan maar te staken. 'Uiterst pijnlijk', zegt een aanwezige goede vriend. 'Ik kon het niet aanzien en ben in de bar maar even een drankje gaan halen.'

Door deze verwijdering gaat Scheringa zijn vertier steeds vaker buiten de deur zoeken. Vooral wanneer hij verwikkeld is in spannende onderhandelingen of een spectaculair nieuw plan, spelen de hormonen hem parten. Volgens zijn dorpsgenoten hebben de door hem uitverkoren vrouwen over het algemeen lange benen en een vlotte babbel, maar vallen zij meestal niet in de categorie van spectaculaire schoonheden. 'Macht erotiseert', klinkt het in Spanbroek. 'Natuurlijk valt het niet mee om weerstand te bieden aan de verleidingen', volgt dan vaak vergoelijkend. 'Ach, wie maakt zich in het bedrijfsleven niet schuldig aan dergelijke uitspattingen?'

De tijdelijke relaties worden meestal ontvangen in het appartement dat hij laat bouwen in het voormalige café Hendriks tegenover het toenmalige hoofdkantoor van DSB Bank. Deze locatie maakt het hem mogelijk ook tussen de middag even over te steken. Als die ruimte door de groei van het bedrijf nodig is voor nieuwe medewerkers, wijkt hij soms uit naar een motel. Verder heeft hij inmiddels het oude raadhuis tegenover de kerk gekocht en laten verbouwen tot een appartement. Net als het café ligt dit pand op loopafstand van kantoor. Als hij terugkomt op zijn werk zijn zijn nog natte haren keurig gekamd.

In het dorp weet iedereen van zijn escapades, daar maakt Scheringa geen geheim van. Het is daarom des te opmerkelijker dat daar in de roddelbladen nooit over wordt gepubliceerd. Waarschijnlijk durven die dat niet aan omdat zij voor hun inkomsten sterk afhankelijk zijn van de advertenties van de vele labels van DSB Bank. Als *KRO Reporter* bijvoorbeeld in mei 2001 een in de ogen van Scheringa en vele anderen oneerlijk programma maakt over de advertenties van DSB Bank, het verdienmodel en over de affaire Oscar Moens worden na de uitzending alle ingezonden mededelingen uit het omroepblad teruggetrokken. De boycot kost de KRO veel geld: DSB is op dat moment de grootste adverteerder in het magazine. Volgens Scheringa heeft de KRO deze financiële aderlating uitsluitend aan zichzelf te wijten. Want waarom zou hij een organisatie ondersteunen die hem slecht gezind is?

Zelfs de lokale omroep, die wat betreft inkomsten niet van hem afhankelijk is, laat hij naar zijn pijpen dansen. Wanneer RTV Noord-Holland opnames maakt van een voor een goed doel georganiseerd evenement, krijgen de journalisten het dringende verzoek hem en de dame die hem vergezelt niet in beeld te nemen. De verslaggevers gehoorzamen omdat zij weten dat Scheringa tot het uiterste gaat om zijn imago van gewone jongen en trouwe huisvader te beschermen. Dan worden ook langdurige gerechtelijke procedures niet geschuwd.

Op deze manier weet hij zelfs zijn tijdelijke scheiding buiten de publiciteit te houden. In 1999 besluit Baukje het gedrag van haar man niet langer te tolereren en wordt Scheringa verbannen naar het appartement boven het voormalige café. Als hij overspel wil plegen, dan moet hij dat daar maar doen. Na ongeveer een jaar wordt de ruzie weer bijgelegd en keert hij terug naar zijn gezin. Dat betekent overigens niet dat de buitenechtelijke uitstapjes dan stoppen. Ook na de verzoening wordt Scheringa nog regelmatig gesignaleerd in het gezelschap van andere vrouwen. Baukje weet daarvan, maar besluit omwille van de lieve vrede te zwijgen. Zo vraagt zij vaak aan de mannen van de bewaking of die weten waar haar man is. Wanneer zij dan 'het raadhuis' als antwoord krijgt, laat zij deze kwestie met een gekwelde blik rusten. De situatie is immers al pijnlijk genoeg. 'Maar toch hebben zij een sterk huwelijk', zegt een goede vriend van de familie. 'Bij beiden leeft het verlangen om de problemen te overwinnen. Hij kan niet zonder de geborgenheid die zij biedt.' Verder wil hij zich vanwege zijn loyaliteit aan Scheringa niet over deze kwestie uitlaten.

De kracht van het huwelijk blijkt slechts een deel van het verhaal. Wanneer Baukje aan het einde van de jaren negentig tijdens een bijeenkomst van de Rotary in Hoorn wordt gevraagd hoe zij het gedrag van haar man verwerkt, antwoordt zij met een triomfantelijk lachje: 'Ach, zolang wij in gemeenschap van goederen zijn getrouwd, zal hij wel bij mij blijven.' Want bij een scheiding moet de rijkdom gedeeld worden en dat is een absoluut schrikbeeld voor Scheringa. Voor Baukje geeft deze regeling de zekerheid dat zij de rest van haar leven niet alleen hoeft door te brengen.

Tijdens de opening van een expositie in het Museum voor Realisme laat Scheringa zich in dezelfde bewoordingen uit. Hij vertelt dan dat de gemeenschap van goederen hem weerhoudt van een scheiding van Baukje. Wel laat hij in deze tijd de aandelen die zijn vrouw heeft op zijn eigen naam zetten. Hoewel dat zakelijk en financieel gezien niets uitmaakt, wil hij deze regeling per se doorvoeren, waarschijnlijk op basis van emotionele argumenten. Zo staat DSB Bank uitsluitend geregistreerd op zijn naam en dat geeft hem een goed gevoel.

Verder deelt het echtpaar hun belangstelling voor de kunst. Samen met de directrice van het Museum voor Realisme vliegt Baukje de wereld rond om tentoonstellingen te bezoeken en beelden en schilderijen voor de collectie te selecteren. Soms reist Scheringa mee, maar meestal is hij te druk met zijn bedrijf en zijn sportploegen. Ook de restauratie van Rinsma State, het landhuis waar het huwelijk is gesloten, neemt zij voor een groot deel voor haar rekening. Tot het moment dat geld moet worden uitgegeven. Die bevoegdheid geeft hij niet uit handen: uiteindelijk is hij degene die de beslissingen neemt.

En natuurlijk wordt het echtpaar gebonden door hun twee zoons. Als Scheringa over hen praat heeft hij het steevast over 'echte knuffels'. Hun geluk staat bij hem hoog in het vaandel. Zo komen zij naar zijn idee niet in aanmerking om zijn plaats in te nemen in het bedrijf. 'Zij hebben andere interesses', zegt hij. 'Bovendien heeft DSB Bank inmiddels bijna 3000 werknemers, dat kun je ze niet aandoen. Mij is het langzaam overkomen en ik ben meegegroeid.' Hij komt tot deze overtuiging tijdens een congres dat hij bijwoont over bedrijfsopvolging. Daar blijkt dat voor kinderen die in de voetsporen van hun succesvolle vader moeten treden over het algemeen een ellendig leven in het verschiet ligt.

Harry is geboren in 1983 en de jongste in het gezin. Hij heeft inmiddels een eigen evenementenbedrijf. Zo regelt hij bijvoorbeeld het geluid in het AZ-stadion. 'Hij moest net als alle andere belangstellenden een offerte indienen en bleek toen het goedkoopste aanbod te doen', zegt Scheringa vol trots. Willem is vier jaar ouder en wil studeren, waarbij hij twijfelt tussen recht en luchtvaart. Hij wordt door zijn vader omschreven als een 'laatbloeier'. Waarmee Scheringa bedoelt dat hij langzaam op gang komt, maar dat als hij eenmaal zijn pad heeft gevonden niet meer is te stuiten. 'Net als ik mag hij graag lange afstanden lopen.'

Scheringa wil zijn kinderen vooral coachen en met hen zijn inzichten over het leven delen. Daarom neemt hij ze bijvoorbeeld mee naar vernietigingskampen van de nazi's in Duitsland. Deze bezoeken maken een diepe indruk op hem en zijn kroost. Later gaan hij en zijn gezin met het eigen vliegtuig op vakantie naar Cuba. Daar wil hij zijn kinderen de gevolgen van het communisme tonen. Met de organisatie van dit uitstapje heeft hij haast omdat het naar zijn idee niet lang meer kan duren voordat het regime van de gebroeders Castro ten val zal komen.

In het openbaar valt Scheringa zijn kinderen nooit af, ook niet als zij daar met hun gedrag aanleiding toe geven. Tijdens het verblijf op Cuba bijvoorbeeld wil de familie de verjaardag van Harry vieren met een diner in een of ander luxe restaurant. Tegen het vallen van de avond staat bijna iedereen in zijn beste kleren te wachten in de hal. Alleen Willem ontbreekt nog. Hoewel hij op de hoogte is van de plannen, blijkt hij de maaltijd al via de roomservice op zijn kamer te hebben gebruikt. Scheringa zegt niets, maar op zijn gezicht is duidelijk zijn ongenoegen te lezen. Die is ook hoorbaar in zijn gepijnigde zuchten. Op dat moment zeggen de bewakers al tegen elkaar dat het die avond niet laat zal worden en dat het verstandig is zo snel mogelijk te eten.

Toch beleeft de familie deze vakantie ook fijne momenten. Scheringa huurt een busje om met zijn gezin het eiland te gaan verkennen. Daarbij rijden zij over een hobbelige weg en Baukje, Scheringa en hun zoons laten zich met veel plezier door elkaar schudden. 'Eindelijk konden zij om dezelfde dingen lachen', zegt een lijfwacht. 'De stemming was uitgelaten.' Maar de bewaker en zijn collega kunnen de lol niet ontdekken en vrezen voor de vering van het voertuig en hopen dat hun rug dit uitstapje overleeft. Op gezette tijden werpen zij een blik naar achteren en kijken dan wat meewarig naar de pret van de Scheringa's.

Willem en Harry laten overigens niet na om hun vader duidelijk te maken dat zij de vakantie liever elders hadden gevierd. Zij willen duiken en daarvoor zien zij op Cuba maar beperkte mogelijkheden. Dus reist het gezelschap snel af naar een nieuw adres op Aruba. Maar ook hier blijven de flessen, brillen en snorkels in de bagage omdat deze sport volgens hen immers ook bij het vakantiehuis in Spanje kan worden beoefend. Van de politieke vorming komt op die manier maar weinig terecht. Om deze deceptie te verwerken, bedenkt Scheringa dat zijn kinderen misschien ook nog wel te jong zijn voor de lessen die hij voor hen in petto heeft.

Een soortgelijk voorval speelt zich af in 2009. De gezondheid van de vader van Scheringa gaat hard achteruit en hij en Baukje vrezen dat hij spoedig zal sterven. Het echtpaar vertrekt op stel en sprong naar Friesland om hem misschien voor de laatste keer te bezoeken. Vanuit de auto belt Scheringa met zijn oudste zoon en vraagt hem de mobiele telefoon naast zijn bed te leggen zodat hij van de toestand van zijn opa op de hoogte kan worden gebracht. Maar Willem weigert, hij heeft namelijk net een artikel gelezen over de gevaren van de straling van dit apparaat. Zijn vader rest weinig anders dan zijn teleurstelling over dit gebrek aan betrokkenheid in stilte te verbijten.

Willem wordt door mensen in de nabijheid van de familie omschreven als een jongen die vaak naar aandacht hengelt en die moeilijk een passende houding vindt. Zo wil hij bijvoorbeeld dat de bewakers de koffers uit zijn kamer naar de auto dragen. Dit wordt geweigerd omdat die vinden dat Willem daar zelf prima toe in staat is. 'Maar toch vind ik hem wel aardig', zegt iemand die betrokken is bij zijn opleiding. 'Hij loopt zo duidelijk met zijn ziel onder zijn arm dat ik weinig moeite heb hem zijn inderdaad soms wat merkwaardige gedrag te vergeven. Dat wordt vergemakkelijkt door zijn soms grote attentie. Dan komt hij bijvoorbeeld onverwachts een flesje wijn brengen om mij te bedanken voor de bewezen diensten.'

Harry zorgt voor minder problemen. In het dorp wordt hij omschreven als een 'toffe peer' en tot groot genoegen van zijn vader is hij een behoorlijke voetballer. Scheringa laat zelfs een van de jeugdtrainers van AZ overkomen om hem te laten testen voor de Alkmaarse club. Na afloop krijgt hij geen contract aangeboden omdat zijn talenten toch net tekortschieten. Maar daar kan Harry niet echt mee zitten. Vanaf dat moment werpt hij zich met volle overgave op de computers en de muziek, zijn andere hobby's.

Ook over de gevolgen die de ondergang van het imperium van zijn vader voor hem persoonlijk heeft, kan hij zich snel heen zetten. Harry woont eerst in een van de panden aan de Spanbroekerweg die Scheringa in de loop van de tijd heeft aangekocht, maar moet dat huis door het faillissement ontruimen. Dus trekt hij in bij zijn vriendin die in een studentenflatje in Haarlem woont. Hij heeft weinig moeite zich aan deze nieuwe situatie aan te passen. Als de muren op hem afkomen, slaapt hij gewoon thuis op zijn oude kamer. Hij weet immers dat zijn beide ouders altijd blij zijn met zijn komst. Ondanks alle problemen thuis is dat boven elke twijfel verheven.

9

Rugdekking

Rond de eeuwwisseling lijkt alles wat Dirk Scheringa aanraakt zonder moeite in goud te veranderen. Tot onvrede van de Nederlandse grootbanken vergroot zijn bedrijf jaar op jaar het marktaandeel, zijn museum trekt steeds meer bezoekers en AZ wordt in de Eredivisie langzamerhand een ploeg om rekening mee te houden. Maar toch vormen zich in deze periode in het West-Friese landschap ook de eerste wolken aan de horizon. Zo begint hij zich steeds onveiliger te voelen en wordt zijn argwaan een factor van betekenis. Met als gevolg dat hij uitsluitend in gepantserde wagens rijdt en lijfwachten inhuurt die constant voor zijn rugdekking moeten zorgen.

Deze ontwikkeling heeft een concrete aanleiding. In 1999 krijgt Scheringa een telefoontje van de heer Klok van het politiekorps van Alkmaar, die hem laat weten dat hij volgens de Criminele Inlichtingen Dienst hoog op de hitlijsten van het gilde staat. Dat betekent zijn eerste kennismaking met de keerzijde van zijn rijkdom; tot dan toe heeft hij nooit serieus rekening gehouden met een ontvoering. Dus moet de beveiliging worden opgevoerd en geprofessionaliseerd. Speciaal daarvoor wordt politieman Gerard Wuite aangetrokken. Die kent hij van de plaatselijke voetbalclub en via Baukje die nog met zijn moeder in het verzorgingshuis heeft gewerkt.

Dit betekent een drastische ommekeer in het leven van Scheringa. Waar hij zich vroeger vrij kon bewegen, moet hij nu bij wijze van spreken voortdurend over zijn schouder kijken. De kroeg kan niet meer zonder voorbereiding worden bezocht en ook spontaan winkelen behoort niet meer tot de mogelijkheden. Het gevoel van onveiligheid wordt vergroot doordat hij geen idee heeft waar het gevaar vandaan kan komen en niet weet wanneer hij op zijn hoede moet zijn en wanneer hij de teugels kan laten vieren. Dus neemt hij het zekere voor het onzekere.

De eerste jaren maken de beveiligers bijna deel uit van het gezin Scheringa. In de ochtend krijgen zij een broodje, een kop koffie en vaak ook een stukje fruit van Baukje. En Scheringa zelf gebruikt onderweg in een restaurant vaak de maaltijd met hen. Dan worden zonder enige schroom de problemen besproken die hij tegenkomt in zijn bedrijf. Sommige veiligheidsmensen op hun beurt bezoeken hem soms op de zondagen en nemen dan tot vreugde van Scheringa en zijn vrouw hun kinderen mee. Eigenlijk is op dat moment eerder sprake van vriendschap dan van een zuiver professionele relatie.

Maar dat ongedwongen karakter blijkt niet houdbaar. In de loop van de tijd groeit de afdeling beveiliging uit tot negen mensen. Dat is meer dan het aantal lijfwachten van bijvoorbeeld de Italiaanse premier Silvio Berlusconi. Deze dienst wordt ondergebracht in een aparte bv, gevestigd in een pand dat op het erf van de familie Scheringa wordt gebouwd. Van daaruit houden de beveiligers constant de beelden in de gaten die de camera's rondom het huis verzamelen en luisteren zij naar de geluiden die de microfoons opvangen. Als het om de beveiliging gaat, zijn de kosten voor Scheringa niet snel te hoog.

Terwijl bij de bank nog wel eens wordt gemopperd over het salaris, hebben zijn bewakers op dat gebied weinig te klagen. 'De baas betaalde niet slecht', zegt een van hen. Dat is ook nodig omdat Scheringa zich uitsluitend wil omringen met de beste mensen, die hij standaard laat rekruteren bij de politie. 'Door zijn eigen ervaring bij het korps vertrouwde hij die jongens', aldus een voormalig hoofd van de beveiliging. 'In de auto werd van alles besproken en hij kon het zich niet permitteren dat zijn lijfwachten naar de pers zouden lekken.' Scheringa begrijpt dat aan deze loyaliteit een prijskaartje hangt.

Volgens geruchten in het dorp heeft Scheringa zelfs kazematten in zijn huis laten inbouwen. Op die manier zou hij mogelijke ontvoerders willen dwarsbomen die een aanval via het dak overwegen. Maar dat verhaal wordt met kracht weersproken door iemand van zijn veiligheidsteam. 'Ik ben bij de verbouwing van de stolpboerderij betrokken geweest', zegt deze man. 'Dus ik kan het weten.' Wel erkent hij dat het huis een zogenoemde strongroom heeft. Daarin kan de familie Scheringa zich bij gevaar verschansen totdat de politie of de bewaking komt om verdere ellende te voorkomen. 'Een dergelijke constructie is in Nederland heel gebruikelijk bij mensen van zijn kaliber', aldus de voormalige beveiliger.

Ook de kinderen en de vrouw van Scheringa worden in de gaten gehouden door de beveiligingsdienst. Harry gaat naar een mavo in Hoorn en Willem zit op een internaat in Leiden. Daar worden zij niet de hele dag gevolgd, maar wel krijgen deze instituten af en toe bezoek van de veiligheidsmensen, die dan de situatie in ogenschouw nemen. Verder draagt de familie de hele dag elektronische apparatuur zodat de beveiligers op de hoogte zijn van hun verblijfplaats. Volgens de plaatselijke roddels zijn bij Willem en Harry zelfs 'chippies' ingebouwd om het gevaar van een ontvoering te beperken. En als Baukje in de middag een wandeling maakt, rijden de bewakers af en toe langs om te informeren of alles in orde is.

Verder vraagt Scheringa herhaaldelijk een nieuw nummer aan

voor zijn mobiele telefoon. De angst afgeluisterd te worden zit diep, zeker als het einde van DSB Bank nadert en de gevoelige informatie regelmatig op straat ligt. Daarom worden de bestuurskamer en de woonhuizen van een aantal bestuursleden ongeveer een keer per maand onderzocht op de aanwezigheid van verborgen microfoons. Zelfs de elektronische apparatuur en de afstandsbediening van de televisie worden dan onder de loep genomen. Bij die inspecties wordt nooit iets gevonden, de verdachte bromtoon blijkt steeds afkomstig van de een of andere lamp of van een draadloos netwerk.

Ook in de ondergrondse parkeergelegenheid van het nieuwe kantoor aan de Ketlaan in Wognum dat in 2003 wordt opgeleverd, heeft Scheringa de nodige voorzieningen laten treffen. Zo wordt daar voor hem een aparte garage ingebouwd. Hij stapt pas uit zijn auto als de deur hermetisch is gesloten. Dan gaat hij met een lift naar zijn kantoor op een afdeling die lang niet voor iedereen toegankelijk is. Medewerkers die hem willen spreken, moeten beschikken over een speciale toegangspas of lang van tevoren via zijn secretaresse een afspraak maken. Dit alles uiteraard om de kans op een ontvoering of een aanslag zo klein mogelijk te maken.

Door al deze maatregelen krijgt Scheringa langzamerhand binnen het bedrijf een geïsoleerde positie. Feitelijk spreekt hij op het laatst alleen nog met de raad van bestuur en dan nog het liefst met de leden die hem goedgezind zijn. Hij verliest het contact met de werkvloer en weet meestal alleen nog uit de tweede hand van de problemen die daar spelen. Zijn betrokkenheid en nabijheid verdwijnen en de meeste nieuwe werknemers kennen hem alleen nog van naam. De ervaren krachten denken met weemoed terug aan vroeger toen de intimiteit van Scheringa nog een van de belangrijkste verklaringen voor het succes van DSB was.

Ook Scheringa's bewegingen buiten zijn kantoor worden door de beveiligingsmaatregelen bemoeilijkt. Hij is bijvoorbeeld een enthousiast hardloper en wordt bij die gelegenheden altijd gevolgd door een auto van zijn veiligheidsteam. En als de familie op vakantie gaat, reizen de lijfwachten mee. Wanneer Scheringa ergens op bezoek gaat, komen een dag eerder de bewakers langs om de situatie in kaart te brengen. Op een bepaald moment mag een afdeling van het bedrijf vanwege een mooie overeenkomst met de Amerikaanse zakenbank Merrill Lynch een avond naar een kookcafé in de Spaarndammerbuurt in Amsterdam. Ook de baas wil bij dat feest aanwezig zijn. Als het gezelschap arriveert, staat de eigenaar van dat restaurant nog te trillen op zijn benen vanwege het intimiderende onderzoek van de veiligheidsmensen.

Dezelfde procedure wordt gevolgd bij een bezoek aan de Nederlandsche Bank. De bewakers reizen een paar dagen eerder naar Amsterdam en eisen op hoge toon toegang tot het gebouw aan het Frederiksplein. Dit tot verbijstering van de portier: zelfs de lijfwachten van de president van de Duitse centrale bank krijgen geen toestemming voor een controle. De veiligheid binnen dit instituut is de verantwoordelijkheid van de interne dienst, buitenstaanders mogen zich daar absoluut niet in mengen. Maar de delegatie uit Wognum toont geen enkel begrip voor de heersende conventies.

'Ik heb me wel eens verbaasd over het gemak waarmee hij zich deze maatregelen liet aanleunen', zegt een na het faillissement ontslagen beveiliger. 'Die betekenden toch een behoorlijke inbreuk op zijn privacy. Wij waren altijd bij hem in de buurt, hij was vrijwel nooit alleen. Ik zou daar gek van worden.' Toch kan Scheringa de constante nabijheid van zijn lijfwachten niet in alle gevallen even goed verdragen. Vooral als hij slecht heeft geslapen en chagrijnig is, krijgen zijn bewakers het te verduren. Hij brengt zijn ongenoegen niet direct tot uitdrukking, maar doet dat met een geïrriteerde stem. Zo kan hij op de achterbank vreselijk mopperen wanneer een afslag wordt gemist. Dan sist hij dat de reis slecht is voorbereid. Onverwachte werkzaamheden aan de weg of een ongeluk worden daarbij door hem niet als excuus geaccepteerd. Die moeten de bewakers naar zijn idee meenemen in hun planning. Want waar betaalt hij hun salaris anders voor?

Ook kan Scheringa soms vreselijk zeuren over wagenziekte en over de plaats van de extra kussentjes. Die liggen altijd in de achterbak, maar hij wil dat die worden klaargelegd op zijn stoel voordat hij bij de wagen arriveert. Dan kan hij tijdens de rit op elk moment de ogen even sluiten. Deze kwestie wordt zelfs een apart agendapunt dat elke week terugkomt op het werkoverleg van het beveiligingsteam. 'Hoogst merkwaardig om onze tijd te verdoen aan zulke futiliteiten. Af en toe was hij een echte pieper die zelfs de kleinste dingen vreselijk opblies.'

Overigens maakt Scheringa het werk van zijn lijfwachten zelf ook niet gemakkelijker. Zij weten dat onvoorspelbaarheid de kans op een ontvoering aanzienlijk beperkt, maar hun baas weigert bij zijn weekindeling flexibiliteit te betrachten. Elke dinsdag en donderdag gaat hij bijvoorbeeld naar de ijsbaan in Alkmaar om te schaatsen. En als hij gaat hardlopen, loopt hij steeds hetzelfde rondje. Tot overmaat van ramp aarzelt hij niet tijdens interviews op televisie en in weekbladen over zijn schema te vertellen. Met als gevolg dat het criminelen niet veel inspanningen kost om de verblijfplaats van Scheringa op het spoor te komen. 'Wanneer wij daar wat van zeiden, zei hij dat de mensen moeten weten dat hij een gewone jongen is. Daar hoort naar zijn idee geen geheimzinnigheid bij.'

Wanneer de redactie van zakenblad *Quote* de lijst met vijfhonderd rijkste Nederlanders opstelt, laat Scheringa elk jaar van zich horen. Hij is standaard van mening dat zijn vermogen door de journalisten te laag wordt ingeschat. Waarschijnlijk wil hij op die manier zijn positie verstevigen bij eventuele onderhandelingen over een overname van DSB. Als zijn bedrijf een grotere waarde heeft, moeten geïnteresseerden immers dieper in de buidel tasten. Maar voor zijn lijfwachten is dit erg onhandig omdat hij met deze interventies tevens zijn aantrekkelijkheid als slachtoffer van een ontvoering vergroot. Scheringa komt niet op het idee dit argument mee te nemen in zijn afwegingen.

Op deze manier krijgen de veiligheidsmaatregelen soms een wat ridicuul karakter. Zo heeft Scheringa ook tijdens de wedstrijden van AZ steeds een of twee lijfwachten in zijn nabijheid. 'Maar tegelijkertijd zag ik Baukje dan in een ander deel van het stadion gezellig met de supporters een kopje thee drinken', zegt een bron binnen het bedrijf. 'Zij was gewoon uit de bestuurskamer weggelopen zonder dat iemand het doorhad en zij bracht zich in een kwetsbare positie. De beveiliging van de familie Scheringa was naar mijn idee ondanks alle kosten beslist niet waterdicht.'

De verslapping is niet zo vreemd. Natuurlijk worden via het internet regelmatig bedreigingen aan zijn adres geuit, maar die worden door de aard van dit medium nauwelijks serieus genomen. Soms sturen ontevreden klanten zijn bedrijf een baksteen toe zonder porto, zodat DSB voor de verzendkosten moet opdraaien. Hoewel sommigen dreigen bij een volgende aanmaning twee stenen op de post te doen, worden deze acties door de lijfwachten niet geïnterpreteerd als levensgevaarlijk. Serieuzere bedreigingen beperken zich tot een à twee per jaar, maar dan nog zijn die niet afkomstig van de georganiseerde misdaad. De maffia en de Serviërs lijken zich niet om hem te bekommeren.

Scheringa is niettemin zeer ontdaan door deze bedreigingen. Een speciale afdeling van het beveiligingsteam krijgt dan de opdracht de afzender van de dreigbrief te achterhalen en met een bezoek te vereren. Dergelijke visites worden standaard afgelegd met twee lijfwachten. Dat aantal is volgens de veiligheidsmensen niet bedoeld om te intimideren, maar om de zaak niet uit de hand te laten lopen. Als één wordt bevangen door woede, kan hij altijd nog door de ander tot de orde worden geroepen. Maar dat neemt niet weg dat de forsgebouwde mannen hun slachtoffers toch schrik aanjagen. Die halen het niet in hun hoofd om nog een dreigbrief te sturen en soms keren de lijfwachten zelfs huiswaarts met een op schrift gesteld excuus.

Scheringa reageert net zo hevig op een actie in Tilburg in 2006. In twee jaar tijd haalt hij zeven spelers van de dan succesvolle voetbalclub Willem II naar Alkmaar. Dat is voor een van de plaatselijke supportersgroepen reden om bumperstickers uit te geven met de tekst 'Ik rem niet voor Dirk Scheringa'. Hij heeft geen oog voor het ludieke karakter van dit initiatief en schrijft een aangetekende brief waarin hij dreigt met juridische stappen 'omdat de actie een kwade geest op heel foute wijze zou kunnen aanmoedigen tot bedreigende acties'. Voor de supportersgroep is dat geen probleem omdat alle stickers al zijn uitverkocht en het punt is gemaakt. Wel kijkt de voorzitter van Willem II met verbazing naar de agressiviteit van Scheringa. 'Dit zegt weer genoeg over zijn persoon', verklaart hij in een interview.

De ontvoering van miljonairsdochter Claudia Melchers op 12 september 2005 maakt diepe indruk op Scheringa. De teugels bij de beveiliging worden fors aangehaald en hij wil veel geld investeren om dergelijke gebeurtenissen bij hemzelf te voorkomen. Maar de voorstellen wijzen meer op paniekvoetbal dan op weloverwogen maatregelen. Zo wordt het plan geformuleerd om voor de bewakers grotere auto's te kopen zodat zij in geval van nood kunnen 'rammen' en de wagens van de daders met geweld van de weg kunnen schuiven. Dat is een merkwaardige strategie omdat in elk handboek van de beveiligingsbranche is te lezen dat het doelwit zich bij gevaar zo snel mogelijk moet verwijderen en dat snelheid en wendbaarheid veel belangrijker zijn dan kracht.

Ook wil Scheringa dat zijn lijfwachten vanaf dat moment wapens gaan dragen. Daar konden de bewakers van biermagnaat

Freddy Heineken ook over beschikken. Maar die waren lid van elke schietclub in het land zodat zij altijd konden doen alsof zij onderweg waren naar een van de verenigingen. De veiligheidsmensen van Scheringa beschikken echter niet over dergelijke voorzieningen en contacten en zouden dus tegen de wet handelen als zij een pistool op zak hebben. Daar zijn zij tot ongenoegen van het hoofd van deze dienst niet toe bereid. Gelukkig verdwijnt deze kwestie geleidelijk van tafel als de media minder aandacht aan de ontvoering van Melchers gaan besteden.

Langzamerhand gaat een selecte groep lijfwachten ook een rol spelen in de persoonlijke vetes van Scheringa. Vermaard zijn bijvoorbeeld de ontwikkelingen tussen hem en de man die aan de Spanbroekerweg rechts tegenover hem woont. In het begin zijn de verhoudingen nog uiterst hartelijk en doet hij af en toe zelfs klussen in de tuin van Scheringa. Maar als hij op een gegeven moment volgens Scheringa ongevraagd oude dakpannen of tegels meeneemt uit de schuur, is het vertrouwen beschaamd. Zeker als de overbuurman ontkent zich deze spullen te hebben toegeëigend, ontstaat een vete met vele wederzijdse pesterijen.

De wraak van Scheringa is zoet. Een van de lijfwachten is lid van de vrijwillige brandweer van het dorp. De brandweer maakt voor oefeningen gebruik van een vervallen pand dat links tegenover het huis van Scheringa staat. Bij die gelegenheden worden vaak rookpotten gebruikt die veel roet verspreiden. Alle buren worden dan gewaarschuwd zodat die van tevoren hun was naar binnen kunnen halen en de ramen kunnen sluiten. Maar de overbuurman aan de rechterkant wordt niets verteld.

Ook gaat in het dorp Spanbroek het hardnekkige gerucht dat Scheringa zijn rechercheafdeling regelmatig laat posten bij het huis van zijn overbuurman. De buurtgenoten zien daar namelijk opvallend vaak een zwart Mercedes-busje staan. Scheringa denkt te weten dat zijn buurman een uitkering heeft en zonder medeweten van de belastingdienst tegen betaling caravans of auto's opknapt. Via zijn lijfwachten zou hij van die illegale activiteiten bewijs in handen willen krijgen om dat later door te spelen aan de bevoegde autoriteiten. Volgens de verhalen bestaat het materiaal voornamelijk uit foto's en films.

Soms ontaardt deze vete in een pure klucht. Op een warme lenteavond in 2004 laat de overbuurman het groot licht van zijn wagen bij de familie Scheringa naar binnen schijnen. Dan vraagt een van de zoons of een bewaker hem wil verzoeken zijn licht te dimmen of de auto in een andere richting te parkeren. Wanneer de lijfwacht het erf opkomt om het verzoek over te brengen, ontploft de overbuurman. 'Haal een mes!' gebiedt hij zijn vrouw. 'Ik steek hem hartstikke dood!' 'Doe het niet, alsjeblieft, doe het niet!' schreeuwt zijn eega als antwoord. 'Dat is precies waar ze op uit zijn.'

Uiteindelijk wordt deze kwestie opgelost doordat Scheringa het huis van de overbuurman koopt. Hij betaalt daarvoor een prijs die ver boven de waarde ligt die de makelaar heeft opgegeven. Maar misschien is Scheringa nog niet van hem af. Op een hoekje van het land achter zijn eigen huis heeft hij vier percelen waar mensen hun eigen woning kunnen bouwen. In de contracten had Scheringa een clausule laten opnemen die het zijn vroegere overbuurman verbiedt daar een van te kopen. Maar na het faillissement van DSB Bank en DSB Beheer is Scheringa de controle kwijtgeraakt. Daarmee ligt voor de overbuurman de weg naar de ultieme wraak open. De mensen in het dorp verkneukelen zich al op zijn volgende zet.

Rond 2004 gaat Scheringa zwaarder leunen op zijn lijfwachten en worden ze een soort persoonlijke assistenten. Als hij bijvoorbeeld op een buitenlandse reis gaat, verzorgen zij het hotel en vliegen zij ongeveer een week eerder naar de plaats van bestemming. Dan huren zij een auto en rijden zij de hele route langs om te zien hoe zij hun baas het snelst van A naar B kunnen brengen en om de mogelijke gevaren in kaart te brengen. Wanneer alles is geregeld, arriveert Scheringa met zijn gezelschap in zijn privévliegtuig met registratie PH-DRK. Het liefst landt hij vanwege de beveiliging en de geringe wachttijden op een militair vliegveld. Daar wordt hij dan vervolgens opgehaald door zijn lijfwachten.

Scheringa mag graag andere landen bezoeken, maar maakt daar altijd een wat hulpeloze indruk. Onder andere vanwege zijn gebrekkige talenkennis en ontbrekende richtingsgevoel leunt hij dan zwaar op zijn personeel. Zo vraagt hij regelmatig wat de volgende activiteit is, of het beter is om te lopen of de auto te nemen en of het verstandig is in verband met het weer een jas aan te trekken. 'Dirk had meestal geen flauw benul waar hij was en hoe hij ergens moest komen. Ook niet wanneer hij talloze malen op die plek was geweest. Het was soms alsof ik met een van mijn eigen kinderen op stap was.'

In de steden die hij bezoekt gaat Scheringa nooit een stukje wandelen. Zelfs niet in Amsterdam waar hij vanwege zijn optredens in het televisieprogramma *De Wereld Draait Door* vaker komt. 'Het was net alsof hij daar altijd voor de eerste keer kwam', zegt een lijfwacht. 'Hij verzuchtte dan bijvoorbeeld regelmatig dat hij Amsterdam zo'n fascinerende stad vond.' Om daar vervolgens tot verbijstering van zijn medewerkers aan toe te voegen: 'Ik geloof dat we hier al eens eerder zijn geweest'. Dan werpen zij een blik in de achteruitkijkspiegel om te zien of zij in de maling worden genomen, maar hun werkgever blijkt keer op keer bloedserieus.

Van de lijfwachten wordt verwacht dat zij adequaat inspelen op de impulsieve verlangens die hun baas soms heeft. In februari 2005 bijvoorbeeld komt Scheringa na de met 0-1 door AZ gewonnen uitwedstrijd tegen Heerenveen plotseling op het idee het wereldkampioenschap schaatsen te bezoeken dat op dat moment in Moskou wordt verreden. Zijn bewakers zetten alles op alles om aan deze wens tegemoet te komen en bellen direct met de Russische ambassade om de visa in orde te maken. Na veel moeite krijgen zij de organisatie rond en de volgende dag vertrekt het vliegtuig op stel en sprong naar Moskou.

Het gezelschap arriveert nog net op tijd om de laatste rit op de tien kilometer te zien, de rest van het toernooi is al aan hen voorbijgegaan. Maar daar is het Scheringa ook niet om te doen. Hij wil op de foto met Shani Davis, de Amerikaanse winnaar die in zijn ploeg rijdt. Na afloop wordt het eerder geplande bezoek aan het Rode Plein overgeslagen. 'Ach, laten we dat maar niet doen', zegt Scheringa. 'Het is morgen weer vroeg dag.' Met als gevolg dat Scheringa en zijn bewakers na een paar uur weer terugvliegen naar Nederland. 'Uiteindelijk hadden we feitelijk niets gezien', aldus een lijfwacht.

De jaarlijkse reis naar het vakantiehuis in Spanje vergt minder voorbereidingen. De lijfwachten reizen mee, maar hebben vrijwel niets te doen. 'Ik weet nog een keer dat Scheringa zich zorgen maakte over zijn gewicht', zegt een van hen. 'Dus belde hij elke dag met dieetgoeroe Sonja Bakker en liet zich door haar adviseren over hoe hij zijn vetrol het best kon bestrijden.' Vanaf dat moment gaat hij onder begeleiding van zijn bewakers altijd hardlopend naar het strand. Daar ontmoet hij Baukje die ondertussen door een andere werknemer met de auto is gebracht.

De lijfwachten realiseren zich dat zij hun baas niet alleen moeten assisteren, maar ook een soort visitekaartje voor hem zijn. Zij gaan overal mee naartoe en regelen alles. Dat levert hem niet alleen gemak op, maar ook status. 'En daar was de baas uiterst gevoelig voor', zegt een van zijn medewerkers. In 2004 wordt hij uitgenodigd bij de Hermitage in Sint-Petersburg omdat zijn financiële bijdrage dringend wordt gewenst om het dak van dit museum lekvrij te maken en te voorkomen dat de Hollandse meesters in het magazijn langzaam verteren. 'Hij werd ontvangen als een vorst. Zo mocht hij door de dienstingang naar binnen en kregen hij en zijn gezelschap een privérondleiding. Dan zie je hem groeien, heerlijk vond hij dat.'

Maar dat plezier verdwijnt snel als hij de volgende ochtend de hotelrekening onder ogen krijgt. Hij moppert dan vooral op het belastingtarief van 25 procent dat hij moet betalen. Hij richt zijn ergernis ook op zijn lijfwachten door op dwingende toon te vragen of zij nog iets uit de minibar op hun kamer hebben genomen. 'Maar dat deden wij eigenlijk nooit. Vanwege de idiote prijzen die daarvoor worden gevraagd, gingen wij liever naar de bar van het hotel. Dat wist Dirk ook wel, maar hij moest zijn irritatie toch ergens kwijt.'

Ook bij de opening van de Hermitage in Amsterdam in juni 2009 is Scheringa van de partij. Daar wordt hij ontvangen door koningin Beatrix, prins Willem-Alexander en prinses Máxima. Dankzij de inspanningen van zijn beveiligingsteam mag hij anders dan veel andere gasten bijna voor de deur parkeren. Deze gebeurtenis levert hem veel plezier op, zeker als hij na afloop ziet dat de Russische miljardair en oligarch Roman Abramovitsj voor het vervoer naar zijn hotel bij de bushalte staat te wachten op een taxi. 'Dat is ook raar', glundert Scheringa dan van oor tot oor. En ook de leden van zijn bewakingsteam genieten van de prestatie die zij hebben geleverd.

Het gevoel voor status werkt bij Scheringa twee kanten op, zoals blijkt uit de discussie over de vervanging van de Mercedes. Na zes jaar vinden zijn lijfwachten het tijd voor een nieuwe auto en zij hebben al een aantrekkelijk model gezien bij de dealer, compleet met de modernste snufjes. De auto is voorzien van een infraroodvoorruit zodat het rijden in de nacht makkelijker wordt. In eerste instantie lijkt Scheringa wel voor het voorstel te voelen, maar dan vreest hij de indruk die dit exemplaar zal maken op zijn klanten, zijn dorpsgenoten en zijn personeel. 'Laat ik maar in de oude wagen blijven rijden', zegt hij. 'Dan zien zij tenminste dat ik gewoon en zuinig ben.'

'Dat leverde een volstrekt krankzinnige situatie op', weet een van zijn bewakers zich te herinneren. De volgende dag rijden ze naar het kantoor. Daar stapt Scheringa uit en loopt naar de achtertuin waar een helikopter op hem staat te wachten. Als die opstijgt staan alle medewerkers tegen de ramen geplakt om hun werkgever te zien vertrekken. De bewaker ziet het tafereel hoofdschuddend aan en verbaast zich over de naïviteit van Scheringa. 'Hij was op dat moment oprecht van mening dat hij een zuinige en gewone indruk maakte.'

Naast de beveiliging ontwikkelt zich in de loop van de tijd een aparte bedrijfsrecherche. Die wordt onder meer ingezet om rapporten op te stellen over medewerkers van DSB. De meest onschuldige naspeuringen betreffen mensen die bij het bedrijf komen solliciteren. De vorige werkgevers worden benaderd om hun ervaringen in kaart te brengen. Als iemand bijvoorbeeld regelmatig ziek is geweest, dan wordt bij hen doorgevraagd naar de oorzaken van het verzuim. Verder wordt net als door de meeste andere werkgevers een verklaring van goed gedrag gevraagd die vervolgens wordt gecontroleerd. Scheringa wenst zich uitsluitend te omringen met mensen die hij denkt te kunnen vertrouwen en speelt zo veel mogelijk op zeker.

Ronduit onbeschaamd is de controle van de medewerkers die al in dienst zijn. Die worden door de eigen recherche op gezette tijden nagetrokken, bijvoorbeeld bij het Bureau Krediet Registratie in Tiel. Daarbij maken zij gebruik van de lijnen die DSB Bank heeft naar dit instituut voor de controle van nieuwe klanten. Als blijkt dat het personeel betalingsachterstanden heeft, kan gerekend worden op een indringend gesprek. De openstaande rekeningen leveren volgens Scheringa namelijk een veiligheidsrisico op. Maar ook andere acties kunnen worden bestraft. Zo laat een van de werknemers op een bepaald moment een badkamer aanleggen of zijn tuin onderhouden op kosten van een bedrijf dat graag aan DSB wil leveren. Bij ontdekking vertelt zijn meerdere hem dat hij op staande voet ontslagen is. De man onderneemt een wanhoopspoging en blijft de hele middag voor het kantoor van Scheringa wachten tot hij zijn zaak bij de grote baas kan bepleiten. Die weigert hem onder ogen te komen omdat hij het slechte nieuws niet wil bevestigen. Dus blijft Scheringa in zijn kantoor wachten tot de man vertrekt, en als dat te lang duurt, neemt hij een andere uitgang.

In het bedrijf ontstaan op een bepaald moment plannen om de wagens van de verkoopmedewerkers in de buitendienst te voorzien van een systeem waarmee hun doen en laten wordt vastgelegd. Op die manier kunnen hun superieuren registreren of zij bij een bepaalde klant niet te lang blijven hangen, of zij zich houden aan de voorgeschreven route en of zij hun werkuren optimaal benutten. Uiteindelijk sneuvelt dit idee vanwege de wet op de privacy en de kosten. Wel wordt in de auto van een medewerker van een bouwbedrijf dat voor Scheringa een project verzorgt, een dergelijk systeem geïnstalleerd. Naar de zin van zijn opdrachtgever uit Wognum is hij namelijk wel erg scheutig met zijn declaraties.

Het spectaculairste voorbeeld van de interne controle betreft een medewerker van de facilitaire dienst. Deze man is elke ochtend erg vroeg op kantoor en maakt dan driftig gebruik van het kopieerapparaat. Scheringa is bang dat zijn grootste angst wordt bewaarheid en dat langs die weg gevoelige bedrijfsgeheimen uitlekken. Dus geeft hij zijn veiligheidsmensen opdracht een nader onderzoek in te stellen. De bewakers bevestigen vervolgens op het systeemplafond van zijn kantoor een ouderwetse videorecorder en een camera die op het bureau van de man in kwestie wordt gericht. Dat moet belastend materiaal opleveren zodat deze medewerker kan worden voorgedragen voor ontslag.

Maar zover zal het niet komen. Als de man in zijn kantoor arriveert, hoort hij namelijk een indringende pieptoon. Wanneer hij speurt naar de herkomst van het geluid, richt hij zijn blik al snel omhoog. Hij wipt een tegel uit het systeemplafond en ziet dan de videorecorder die de gebruiker waarschuwt dat de accu leeg is. Uiteraard maakt hij die dag geen gebruik van het kopieerapparaat zodat de hele operatie in het water valt. Deze anekdote wordt in het bedrijf opgevat als een bewijs van de klunzigheid van de interne recherche en veroorzaakt grote hilariteit. Bij de overige medewerkers is de sympathie voor deze dienst nooit erg groot geweest. Uiteindelijk wordt aan deze verregaande controlepraktijken rond 2000 een einde gemaakt om negatieve publiciteit of zelfs een politieonderzoek te voorkomen.

Ondanks zijn grote argwaan is Scheringa op andere momenten juist buitengewoon naïef. Zo besteedt hij een groot deel van de toetsing van de kredietwaardigheid van mensen die bij hem een lening willen afsluiten uit aan een bewaker die voor zichzelf is begonnen. Voor deze rapporten wordt Scheringa 250 euro in rekening gebracht, terwijl de informatie eenvoudig via het internet te vinden is en dan slechts vijftien euro kost. Veel medewerkers van DSB Bank vragen zich af of deze ex-lijfwacht duistere informatie heeft over Scheringa waarmee hij hem chanteert. De hoge prijs zou dan betaald worden in ruil voor het zwijgen van deze man.

De klantonderzoeken leiden herhaaldelijk tot grote onenigheid binnen het bedrijf. Hans van Goor geeft de opdrachten om mensen met betalingsachterstanden te controleren en neemt het daarbij in de ogen van de bedrijfsrecherche niet zo nauw met de procedures die voor dit soort acties bestaan. Zo wordt in 2003 of 2004 een duur softwarepakket aangeschaft dat de Britse geheime dienst Scotland Yard gebruikt om daderprofielen op te stellen.

DSB ziet in dit pakket een mogelijkheid om een beter beeld te krijgen van wanbetalers en hun verblijfplaats als zij niet meer gevonden kunnen worden door de reguliere incassoafdeling.

De medewerkers van de bedrijfsrecherche laten zich echter tot woede van Van Goor niet voor elk karretje spannen en weigeren regelmatig een onderzoek uit te voeren. Zij vrezen tegen de wet te moeten handelen. Dat brengt ze natuurlijk in een lastig parket, want een strafblad maakt een verdere carrière in deze sector zo goed als onmogelijk. Voor dergelijke argumenten schijnt Van Goor weinig begrip te kunnen opbrengen. 'Ik kon zijn bloed wel drinken', zegt een voormalige rechercheur bijna een jaar na het faillissement.

Wat al deze spionage- en controleacties laten zien, is dat Scheringa het vertrouwen in zijn medewerkers verliest en het gevoel van onveiligheid uit zijn jeugd in nog heviger mate terugkeert. Hij vreest voor een mol in het bedrijf die geheime informatie zou verkopen. Daarbij moet bijvoorbeeld gedacht worden aan de verkoopmethoden die in vergelijking met de acties van grootbanken inderdaad zeer succesvol zijn. Hij meent regelmatig te zien dat bedrijven zijn methoden kopiëren. Om deze mogelijke lekken te voorkomen, worden op gezette tijden de informatiestromen veranderd. Scheringa wil voorkomen dat iedereen alle gegevens kan inzien; het aantal werknemers dat een totaaloverzicht heeft wordt beperkt.

De vrees voor een mol was niet ongegrond. 'Ik kwam regelmatig bij mensen thuis die vertelden dat ze door DSB waren benaderd', zegt een voormalige bewaker. 'Maar onze verkoopafdeling bleek nooit contact met ze te hebben gehad.' De verdenking gaat dan snel richting ex-werknemers die hun adresbestanden meegenomen zouden hebben. 'Soms werden wij gechanteerd en konden wij onze eigen gegevens terugkopen. Op dergelijke voorstellen zijn wij natuurlijk nooit ingegaan, maar wel waren wij vastbesloten de daders te ontmaskeren.' Niet door aangifte te doen bij de politie maar door, zoals deze bewaker het omschrijft, 'observatietechnieken' in te zetten.

Stelen van adresbestanden is een illegale actie waar veel bedrijven mee te kampen hebben, maar weinig werkgevers reageren zo hevig als Dirk Scheringa en Hans van Goor. De veiligheidsdienst van Scheringa krijgt opdracht bij het huis van de verdachten te posten, foto's te nemen van mensen die daar aanbellen en misschien zelfs richtmicrofoons in te zetten om gesprekken op te nemen. Dat laatste wordt weliswaar ontkend door de bewaker, maar een aantal andere werknemers heeft bonnetjes zien langskomen die bewijzen dat DSB deze instrumenten in ieder geval heeft aangeschaft. 'Waarom zou je ze kopen als je ze niet wilt gebruiken?' vraagt een van hen retorisch.

Om het gevaar van uitlekken van bedrijfsgeheimen verder te beperken, gebruikt Scheringa zijn veto als de afdeling communicatie het plan opvat om een personeelsblad te beginnen. Deze publicatie kost niet alleen geld, maar rondslingerende exemplaren zouden ook onder ogen kunnen komen van vertegenwoordigers van de pers en andere kwaadwillenden. Dus vindt Scheringa dat de voor het personeel noodzakelijke informatie maar verspreid moet worden via het intranet van het bedrijf. Dat kanaal is immers met allerhande technische trucs af te schermen zodat buitenstaanders daar geen toegang toe hebben. De medewerkers vatten deze weigering op als een nieuw teken van wantrouwen.

10

Grote jongen

Vrijdag 26 mei 2000. Rond zes uur in de ochtend worden tal van bekenden van Dirk Scheringa wakker gebeld door medewerkers van DSB. Nog half in slaap krijgen zij te horen dat zij niet hoeven af te reizen naar het Amsterdamse Damrak omdat de beursgang van het bedrijf op het laatste moment is afgeblazen. Net als de genodigden wordt ook de financiële wereld totaal verrast door deze mededeling. Van het ene op het andere moment worden jaren van voorbereidingen, waarderingen en roadshows in de prullenbak gegooid. Iedereen vraagt zich af of hier sprake is van een bevlieging van Scheringa.

Al in de zomer van 1997 besluit Scheringa een deel van zijn succes te verzilveren. Met de opbrengst van de geplande beursgang die naar schatting tussen de 700 en 900 miljoen gulden zal liggen, wil hij een school in Ethiopië laten bouwen, zijn sportactiviteiten en museum uitbreiden en verder vooral investeren in de groei van zijn bedrijf, bijvoorbeeld in de ambitieuze internetplannen van DSB. Bovendien maakt een beursnotering personeelsparticipaties mogelijk en geeft die een soort keurmerk waardoor het makkelijker wordt om te onderhandelen met andere banken. Scheringa zelf houdt bij deze operatie 68 procent van de aandelen; hij geeft de macht in het bedrijf natuurlijk niet graag uit handen.

Aangezien banken met de begeleiding van de beursgang veel

geld kunnen verdienen, staan zij voor deze transactie in de rij. Uiteindelijk worden de analisten de Belgische Generale Bank, Rabobank en het Haagse NIB Capital uitverkoren om een bezoek te brengen aan Wognum en daar een berekening te maken van de waarde van het bedrijf. Op de zolder van het klooster mogen zij alle papieren inzien en krijgen zij de volledige medewerking van de medewerkers van DSB. 'Eigenlijk stond de sfeer mij wel aan', zegt een van de toentertijd betrokken specialisten. 'Het bedrijf maakte een zuinige indruk, zo kreeg ik tussen de middag gewoon een broodje en een glas melk en geen uitgebreide lunch.'

Toch wordt deze analist niet geselecteerd voor een vervolgtraject. Hij schat de totale waarde van het bedrijf niet hoger in dan 1,4 miljard gulden, terwijl de andere partijen eerder denken aan 1,8 miljard gulden. 'Scheringa wilde eenzelfde koers-winstverhouding als Aegon, maar dat vond ik niet reëel. In de eerste plaats had die maatschappij zich al over een veel langere periode bewezen en in de tweede plaats werd de winst van de groep voor ongeveer 20 procent gevormd door de aandelenportefeuille waar het verzekeringsbedrijf van DSB het geld in had belegd. Zoals niet veel later bleek, kan het natuurlijk ook tegenzitten op de beurs.'

Het blijft een paar jaar stil aan dit front. Tot Scheringa in april 2000 tijdens een bijeenkomst in het Amsterdamse hotel The Grand de beursgang definitief lijkt aan te kondigen. Hij is op de zolder van het klooster in Wognum dan al een paar weken getraind door de begeleiders van de emissie over wat hij wel en wat hij niet kan zeggen tijdens de presentaties voor beleggers. 'Dat was een zware bevalling voor Dirk', zegt iemand die in een van de voormalige biechthokjes kantoor houdt. 'Hij kwam in de pauzes vaak even bij mij klagen over de bedilzucht van de andere bankiers en vond dat hem nauwelijks de mogelijkheid werd geboden zichzelf te blijven.'

Rabobank moet de plaatsing van de aandelen in de Benelux voor zijn rekening nemen, het Amerikaanse Merrill Lynch zorgt voor de rest van de wereld en voor SNS is een rol meer op de achtergrond weggelegd. Bij de persconferentie droomt Scheringa al hardop dat zijn bedrijf op den duur zal doordringen in de AEX-index, een graadmeter waarin ondernemingen als ING, Shell en Unilever zijn opgenomen. Als hij zich eenmaal een plaats heeft verworven tussen die multinationals, behoort hij tot de grote jongens en moet de buitenwereld DSB naar zijn idee wel serieus nemen.

Tijdens het voortraject tonen beleggers veel belangstelling voor de aandelen van DSB. De emissie is volgens sommigen met 20 procent overtekend, anderen spreken van 100 procent. Ongeveer zes instituten willen een belang nemen van 5 procent. Daaronder bevinden zich volgens een bankier die het proces begeleidt een aantal absolute toppers uit de internationale financiële wereld. Die kunnen zorgen voor een stabiele koers van het bedrijf uit Wognum. 'Geen bank die goed bij haar hoofd is zou de beursgang in dat stadium hebben afgeblazen', zegt hij op voorwaarde van anonimiteit.

En toch is dat precies wat Scheringa doet. Bij de toelichting op het besluit zijn bedrijf niet naar de beurs te brengen, laat hij weten dat de belangstelling van particuliere beleggers hem tegenvalt. Hij wil dat naar deze groep 40 procent van de aandelen gaat, maar uiteindelijk blijft dat percentage steken op slechts 15. Dat is onvoldoende om aanspraak te kunnen maken op het door hem vurig gewenste predicaat van 'volksaandeel'. Hij geeft de onzekerheid op de financiële markten de schuld van deze ontwikkeling. Pas als de beurzen weer tot rust zijn gekomen, zegt hij bereid te zijn een nieuwe beursgang te overwegen.

Scheringa hecht inderdaad een grote waarde aan de particuliere belegger. Daarom organiseert hij op 21 mei 2000 een 'chatsessie' waarbij belangstellenden via het internet rechtstreeks vragen kunnen stellen aan de raad van bestuur. Deze unieke openheid vindt plaats onder de censuur van de begeleiders van de emissie van Rabobank. Die moeten de antwoorden regelmatig corrigeren, omdat anders misschien sprake is van strijdigheid met het prospectus. Vanwege het gevaar van een te grote openhartigheid en een reprimande van de beursautoriteiten staan zij niet te juichen over dit initiatief, maar voor de vastbeslotenheid van Scheringa moeten zij uiteindelijk het hoofd buigen.

Toch is de geringe belangstelling van de particulieren slechts een klein deel van de verklaring voor de afgelasting van de beursgang. Ook Merrill Lynch speelt volgens voormalige werknemers van DSB een merkwaardige rol. Waar de prijsrange van de aandelen in eerste instantie wordt vastgesteld tussen de 16 en 23 gulden, maakt deze Amerikaanse zakenbank op het laatste moment bekend beleggers alleen te kunnen interesseren voor het laagste bedrag van deze bandbreedte. In het jargon wordt 'het boek daardoor in elkaar gedrukt' en een fikse tegenvaller ligt op de loer. Van de andere geïnteresseerden kan dan natuurlijk niet een hogere prijs worden gevraagd. Naar verluidt is ook Rabobank niet echt gelukkig met deze zet van de Amerikaanse collega's.

Daarmee is het verhaal nog niet helemaal verteld. De avond voor de beursgang begint Scheringa te twijfelen aan de door zijn bedrijf afgegeven voorspellingen. Vooral over de hoge winstverwachtingen is hij dan erg onzeker. Hij belt met zijn werknemers en zoekt bij hen bevestiging voor de prognoses. Als die uitblijft, weigert hij volgens mensen uit het circuit de zogenoemde gegoedheidsverklaring te ondertekenen. Dat betekent dat hij niet wil instaan voor de juistheid van de cijfers. De weigering mee te werken aan deze standaardprocedure zorgt bij de begeleidende banken voor een groot wantrouwen. Zij zouden het niet langer aandurven om DSB naar de beurs te brengen. Liever missen zij de inkomsten dan dat zij hun reputatie op het spel zetten.

Deze tegenvaller neemt niet weg dat voor DSB aan het begin van de eeuw een spectaculaire fase is aangebroken. De winst stijgt voortdurend, tussen 2001 en 2003 bijvoorbeeld van 60 naar ruim 70 miljoen euro. En weliswaar is het bedrijf in vergelijking tot ABN Amro en ING een kleine speler, het heeft wel ongeveer 14 procent van de kredietmarkt voor consumenten naar zich toe weten te trekken. Zelfs in buitenlanden als Slovenië, België en Duitsland begint DSB zijn vleugels uit te slaan. In verband met fiscale besparingen moet de marketing voor heel Europa vanuit Zwitserland worden verzorgd. Deze ontwikkeling heeft een grote groei van het personeelsbestand tot gevolg. Waar in 1999 het werk met 700 mensen werd gedaan, is dat aantal in 2003 toegenomen tot bijna 1200. In 2007 biedt DSB zelfs 1650 voltijdbanen.

Hoog tijd voor een nieuwe behuizing. Het klooster is te klein geworden en in 1999 geeft Scheringa aan architectenbureau Alberts & Van Huut de opdracht een nieuw kantoor te ontwerpen. Eerder heeft dit duo voor ING het zogenoemde Zandkasteel ontworpen, een gebouw met veel bakstenen, antroposofische vormen en pasteltinten. Deze stijl heeft de voorkeur van Scheringa omdat rechte hoeken, strakke lijnen en harde kleuren niet corresponderen met zijn gevoel voor gezelligheid. Hij wil dat zijn medewerkers en klanten zich op hun gemak voelen en de familiare sfeer ervaren die hij met zijn bedrijf probeert uit te stralen.

Het liefst vestigt Scheringa zijn bedrijf in Spanbroek, maar daar vraagt de gemeente naar zijn idee te veel geld voor de grond. Dus koopt hij een weiland aan de A7, de snelweg die vanuit Amsterdam via Hoorn en de Afsluitdijk naar Leeuwarden gaat. De eerste toren krijgt de naam Citadel en wordt in 2001 in gebruik genomen door de verkoopafdeling. Vervolgens ondervindt de bouw vertraging, omdat niet alle procedures goed zijn doorlopen. Uiteindelijk kan in 2004 verder worden gebouwd en besluit Scheringa naast een tweede ook een derde toren te laten bouwen. In 2005 zijn de Kathedraal en de Basiliek voltooid en biedt het hele complex onderdak aan duizend medewerkers.

Een kantine maakt geen deel uit van de plannen omdat zijn personeel de boterhammen maar van thuis moet meenemen. 'Scheringa zei altijd dat hij zelf ook een lunchtrommeltje meenam,' aldus een medewerker. 'Maar dat was niet meer dan een verhaal om zijn gewoonheid te benadrukken. In werkelijkheid werden elke dag door het bestuur broodjes besteld. Voor de gewone dagen zachte bolletjes, lekkere pistoletjes wanneer iets te vieren viel.'

Vooral de afdeling verkoop kan in deze tijd veel nieuwe medewerkers verwelkomen. Daar wordt het geld verdiend; de rest van het bedrijf beschouwt Scheringa als de ondersteuning van deze afdeling. 'Voor mensen die bij verkoop werkten, lag de weg open bij DSB', zegt een voormalig werknemer. 'Voor de anderen waren de kansen op een mooie carrière aanzienlijk geringer.' Scheringa wil zijn bedrijf zo slank mogelijk houden en probeert de bureaucratie te bestrijden. Zo neemt hij in Opmeer zijn eerste ICT-medewerker aan. Scheringa denkt dat het om een tijdelijke dienstbetrekking gaat en realiseert zich dan nog niet dat automatisering een pijler onder zijn bedrijfsvoering is. Alleen met de grootst mogelijke moeite is hem aan het verstand te brengen dat hier sprake moet zijn van een permanente bezetting.

In 1994 begint Hans van Goor bij de verkoop, in eerste instantie onder de vleugels van oudgediende Menno Haisma, maar na verloop van tijd weet hij zijn zeggenschap steeds meer uit te breiden. Van Goor is een ambitieuze jongeman, langeafstandzwemmer bovendien, die een aantal studies met prachtige cijfers heeft afgesloten. Dat is voor Scheringa een bijna onweerstaanbare combinatie. Als hij aandringt op een grotere bezetting van zijn onderdeel, heeft hij dan ook weinig moeite om Scheringa van zijn standpunt te overtuigen. Maar bij zijn collega's roept Van Goor vrijwel vanaf het begin veel weerstand op. Hij wordt omschreven als een man die hetzelfde pak draagt als de baas, dezelfde schoenen en dezelfde stropdas die hij ook nog op dezelfde manier strikt.

Op voorspraak van Van Goor wordt na 2000 een grote hoeveelheid bedrijven gekocht die nieuwe klanten naar Wognum moet lokken. Om deze toestroom via het internet te realiseren, trekt Scheringa de portemonnee voor de huizensite Jaap, Click4-Sales en NetSociety. En voor de traditionele strategie worden onder meer Van Rijswijk Groep, Leenwereld, Gema en Keurkrediet Nederland gekocht. Bij deze aankopen speelt de prijs nauwelijks een rol en worden de oude eigenaren zonder degelijk boekenonderzoek miljoenen euro's rijker. Maar wat maakt het uit, het geld wordt later toch wel weer terugverdiend, zo is de gedachte bij Scheringa en Van Goor. Op die manier zijn volgens betrokken DSB-werknemers tientallen miljoenen euro's in rook opgegaan.

'Het was een soort omgekeerde wereld', aldus een werknemer. 'Scheringa maakte eerst afspraken met de eigenaar van de partij die hij wilde overnemen, en pas in tweede instantie mochten wij de waarde van dat bedrijf onderzoeken. Deze werkwijze zorgde voor veel te hoge prijzen, soms werd wel twintig keer de jaarlijkse prolongatiepremie betaald. Inmiddels zijn al deze aankopen zo goed als waardeloos.' Hij schat dat door het onzorgvuldige beleid 40 miljoen euro 'door het putje is gegaan. Dat is bijzonder spijtig omdat wij het geld vooral later zelf hard nodig hadden.'

Ook wordt in het bedrijf gesproken over 'omgekeerd rekenen'. Scheringa en Van Goor weten precies hoeveel contacten nodig zijn om met de klant in gesprek te komen en hoeveel gesprekken nodig zijn om uiteindelijk een lening te kunnen plaatsen. Deze gegevens behoren tot de kroonjuwelen van DSB Bank en zelfs in het bedrijf geïnteresseerde mogelijke kopers krijgen die bij een boekenonderzoek niet onder ogen. Niet direct bij de verkoop betrokken bestuurders krijgen ook geen inzicht in de cijfers. Volgens de verkoopafdeling leidt een groter marktaandeel bijna automatisch tot een hogere omzet en zijn overnames uitermate lucratief. Aan gewijzigde marktomstandigheden en dubbelingen in het klantenbestand wordt veel minder aandacht besteed.

Na de overname komen de bedrijven onder het juk van Wognum. Dat leidt regelmatig tot waardevernietiging. 'Neem de Spaar Krediet Centrale', geeft een andere werknemer als voorbeeld. 'Een prachtbedrijf met tachtig werknemers waar wij eind jaren negentig 60 miljoen gulden voor betaalden. Tot de overname werd jaarlijks een winst behaald van ongeveer 10 miljoen gulden, vooral met spaarpolissen om consumptieve kredieten of hypotheken mee af te lossen. Maar die eigen methodiek moest snel plaatsmaken voor de strategie van DSB. Met als gevolg dat de werknemers hun motivatie verloren en de winst van Spaar Krediet Centrale binnen twee jaar was gehalveerd.'

Ondanks de gulheid bij de overnames zijn de salarissen bij DSB geen vetpot. De medewerkers krijgen geen dertiende maand en van een winstuitkering is al helemaal geen sprake. Als de toenmalige bankdirecteur tot de ontdekking komt dat het personeel onder het minimumloon van de sector werkt, wil hij het loon met 8 procent ophogen. Dat levert protesten op van Scheringa. 'Maar de mensen klagen toch niet', zegt de eigenaar van DSB bij die gelegenheid. 'Zij zijn kennelijk bereid voor dit loon te werken, dus waar maak jij je druk om?' Dankzij zijn zelfstandige status is de bankdirecteur toch in staat de verhoging door te voeren.

De stijging van de omzet en de uitbreiding van de verkoopafdeling is niet mogelijk zonder de bankvergunning die in 2000 aan de financiële afdeling van het bedrijf wordt toegekend. In juli van dat jaar verwerft DSB Groep Avéro Bank en Avéro Financieringen van Achmea. Daarmee krijgt het bedrijf de beschikking over een bancaire infrastructuur. De vergunning betekent een enorme uitbreiding van de speelruimte van DSB, omdat bankiers zich makkelijker kunnen bewegen op de kapitaalmarkt. Zo is het voor het eerst mogelijk geld te gaan aantrekken van spaarders. Scheringa introduceert in 2001 bijvoorbeeld de achtergestelde deposito's. Die geven bijna twee keer zoveel rente als een gewone spaarrekening. Veel consumenten blijken gevoelig voor dat verschil en de hoeveelheid spaargeld op de balans van DSB neemt snel toe.

Aangezien deze achtergestelde deposito's voor een deel meetellen in het eigen vermogen, is DSB graag bereid de hogere rente te betalen. De spaarders profiteren van een hogere opbrengst, maar hebben een groter risico als nadeel. In geval van een faillissement krijgen zij hun geld pas terug na alle andere schuldeisers. Maar van die situatie kan niemand zich op dat moment een voorstelling maken. Het bedrijf heeft immers een bankvergunning en staat onder toezicht van de Nederlandsche Bank en dat geeft vertrouwen.

Ook is het mogelijk dankzij de bankvergunning nieuwe producten in de markt te zetten. De gewone lening maakt net als bij andere banken langzamerhand plaats voor producten waar beleggingen een belangrijk deel van uitmaken. Waar vroeger gedurende de looptijd van de lening geld werd afgelost, worden nu vaak aandelen gekocht. Daarvoor moet dan wel een groter bedrag worden geleend. In de reclamefolders valt te lezen dat dankzij de almaar stijgende beurskoersen aan het einde van de rit de aflossing geen problemen oplevert. Uiteraard is dit voor veel consumenten een uiterst aantrekkelijke gedachte.

Pas in 2001, bij het knappen van de internetzeepbel op de beurs, blijkt de keerzijde van deze constructies. De eerste slachtoffers zijn de mensen met een beleggingshypotheek. Door de dalende beurskoersen kunnen sommige mensen niet meer aan hun verplichtingen voldoen en worden zij gedwongen hun huis te verkopen. Later volgen de klanten die geld hebben geleend om aandelen te kopen. De opbrengst van deze constructie blijkt onvoldoende om de lening af te lossen. In plaats van met een mooie winst worden zij opgezadeld met een restschuld.

Dankzij de spaarders komt meer geld binnen bij DSB. Dat stelt Scheringa in staat om hypotheken te verstrekken, een strategie waarmee de aanval op het grote geld wordt ingezet. Al in 1999 begint hij zich door overname van het Amsterdamse Kok Financiële Organisatie voorzichtig in het hypotheeksegment te bewegen. 'Dat was de gebruikelijke strategie', zegt een voormalige werknemer. 'Scheringa steekt in eerste instantie een teen in het badwater en als de temperatuur hem bevalt, geeft hij gas.'

Zo ook met de nieuwe overname. In het begin is dat bedrijf een aparte entiteit binnen DSB, maar na verloop van tijd vindt een samenvoeging plaats met DSB Hypotheken. Vanaf dat moment worden alle pijlen gericht op de hypotheekmarkt, met als gevolg dat het in het verleden zo geroemde 'koelkastmodel' wordt verlaten. In die strategie krijgt de klant eerst een beperkte lening. Wanneer het betaalgedrag daar aanleiding toe geeft, volgt regelmatig telefonisch contact. Dan wordt gevraagd of de lening bevalt en of DSB misschien nog meer kan betekenen. Op die manier leert het bedrijf de cliënten kennen en is bekend bij wie een nieuwe lening in goede handen is en bij wie niet. Dat geeft geen garantie tegen wanbetalingen, maar de kans daarop wordt aanzienlijk kleiner.

Tot ongeveer 2005 zijn vooral de oversluitingen en de tweede hypotheken populair bij DSB. Bij die kredieten is de waarde van de woning immers al bepaald en hoeft geen taxateur te worden ingeschakeld. Dat geeft aanmerkelijk minder rompslomp dan bij leningen die voor de eerste keer worden afgesloten. Het adagium van Scheringa, 'veel en simpel', komt op deze manier volledig tot zijn recht. Om een grote omzet te realiseren worden deze hypotheken in de markt gezet tegen lagere maandtarieven dan de concurrentie in rekening brengt. Dit heeft op deze markt een grote toestroom van nieuwe klanten tot gevolg.

De lagere maandtarieven worden goedgemaakt met de verzekeringen die bij de hypotheken worden verkocht. Voordat een klant voor een lening in aanmerking komt, moet hij het risico op overlijden met een aparte polis afkopen. Dat gaat meestal in de vorm van de later berucht geworden koopsompolissen. Daarbij betaalt de klant niet meer een maandelijkse vergoeding voor zijn verzekering, maar wordt dit bedrag vooraf ineens voldaan. Het geld dat daarvoor nodig is, wordt in deze constructie bij de hypotheek opgeteld. Dat blijkt voor DSB de gouden formule die de winstcijfers in het begin van de nieuwe eeuw doet exploderen.

Stel dat een klant een hypotheek wil van 200.000 euro voor dertig jaar. Om het risico van overlijden, arbeidsongeschiktheid of werkloosheid op te vangen is aan het einde van de rit een bedrag nodig van zeg 60.000 euro. In de oude situatie betaalt de klant dan 2000 euro per jaar, waar DSB jaarlijks 15 procent of in totaal 9000 euro van krijgt.

Maar bij de koopsompolis werkt dat anders. Aangezien dan vooraf aan de verplichtingen wordt voldaan, kan van de 60.000 euro de rente worden afgetrokken en volstaat een bedrag van 40.000 euro. Deze verzekering wordt vervolgens voor ongeveer 16.000 euro doorgeplaatst naar een partij als Cardif of Reaal die de vergoeding in de loop van de jaren laat oprenten. En DSB kan 24.000 euro bij de winst optellen.

Bij deze transactie lijkt het mes aan twee kanten te snijden. Ondanks de hoge vergoeding van 60 procent is de klant op maandbasis voordeliger uit omdat hij in totaal minder hoeft te betalen dan in de oude situatie. Dat hem in veel gevallen ook totaal overbodige verzekeringen in de maag worden gesplitst en hij over een langere periode moet betalen, valt door een gebrekkige financiële kennis niet op. Zo komt het regelmatig voor dat meerdere voorzieningen voor sterfte worden afgesloten. Op die manier blijft van de in advertenties voorgespiegelde goedkope leentarieven weinig meer over. In feite worden vanuit de opbrengsten van de verzekeringen de hypotheken gesubsidieerd.

Anders dan vroeger, toen het bedrijf nog afhankelijk was van provisies, worden alle pijlen gericht op nieuwe klanten. 'Zij werden aan de voorkant geknipt en geschoren', zegt een ervaren medewerker. 'Dan maakt het niet veel meer uit of zij later nog een keer terugkomen.' Aan ontevredenheid over variabele hypotheekrentes die elk moment verhoogd konden worden, wordt in het bedrijf dan ook niet zwaar meer getild. De meeste cliënten hebben hun maximale bestedingsruimte toch al volledig benut en zijn voor DSB verder niet meer interessant. Ook worden klanten regelmatig verleid meer geld te lenen dan verantwoord is, omdat voor die bedragen hogere verzekeringen nodig zijn.

Hoewel de bankdochter van Scheringa deze constructies mogelijk maakt, zorgt zij in deze jaren tevens voor een rem op de kredietverlening. Deze afdeling heeft een aparte positie in het bedrijf en een eigen statutair directeur met een eigen verantwoordelijkheid naar de Nederlandsche Bank. Scheringa probeert hem wel te bewegen tot soepeler kredietvoorwaarden, maar hij heeft niet de macht om die ook af te dwingen. Dan kan de directeur namelijk dreigen met aftreden zodat hij zich moet melden bij de centrale bank en daar zijn beklag doen. Daar is hij volgens de reglementen toe verplicht. Op dat moment kan Scheringa het zich nog niet permitteren een slechte naam te krijgen bij de toezichthouder. Dankzij die positie kan de bank dan nog een sterk tegenwicht bieden aan de afdeling verkoop. Waar deze afdeling zo veel mogelijk producten aan de man wil brengen, let de bank op de voorwaarden en de betalingsmogelijkheden van de klanten.

Dit tot ongenoegen van vooral de verkoopafdeling, die regelmatig om de beperkingen van de bank heen probeert te komen. 'Het was daarbij altijd hetzelfde verhaal', zegt een bankmedewerker uit die tijd. 'Als in verhouding tot het inkomen van de klant weer te veel werd uitgeleend, bleek hij standaard een jonge ingenieur te zijn bij bijvoorbeeld Shell die jaarlijks een loonsverhoging van 25 procent zou krijgen.' Maar de bank neemt geen genoegen met deze uitleg en besluit dat de verkoopafdeling het risico van deze transacties zelf moet dragen en dergelijke leningen feitelijk op eigen boek moet nemen. Bij de bank krijgt dit krediet een zogenoemde TPO-registratie. 'Procentueel maakten dit soort leningen een beperkt onderdeel uit van het totaal, maar absoluut gezien was dat een ander verhaal. Op een gegeven moment hadden wij meer dan 100 miljoen euro aan deze dubieuze kredieten op de balans staan. Die waren niet aan andere partijen te verkopen.'

Binnen de brede lagen van het bedrijf krijgt Scheringa in deze periode de status van een BN'er. Vooral op de productieafdelingen kan hij niet stuk. Daar werken veel vrouwen die niet op de hoogte zijn van de moeilijkheden in de top van het bedrijf en die erg van hun baas onder de indruk raken. Dat uit zich met name op de tweejaarlijkse bedrijfsfeesten, waar zij met Scheringa willen dansen en met hem op de foto willen. Anders dan tijdens de werkweek is hij bij die gelegenheden aanraakbaar, en de dames maken van die mogelijkheid volop gebruik. Scheringa laat zich de omhelzingen met graagte aanleunen en is nooit te beroerd een praatje te maken.

'Ik herinner mij bijvoorbeeld nog het bedrijfsfeest van 2007', zegt een werknemer van DSB. 'Dat werd gevierd in België en de medewerkers werden vervoerd in bussen. Op de parkeerplaats stond Dirk hen op te wachten. Op het moment dat de deuren opengingen, stormden de vrouwen naar buiten om hem als eerste een zoen te geven. En toen Scheringa later de opening van het feest voor zijn rekening nam, gilden zij alsof hij een popster was. Wij waren maar eenvoudige boekhouders en keken met veel verbazing naar dit spektakel. Voor ons was hij gewoon Dirk.'

Ook de buitenwereld heeft na de eeuwwisseling nog weinig in de gaten van de misstanden in de top. Integendeel, de ster van Scheringa rijst tot grote hoogte. Vooral voor de komst van Gerrit Zalm krijgt hij veel lof toegezwaaid. Zalm heeft tijdens zijn periode als minister van Financiën bij veel Nederlanders een solide indruk achtergelaten en zijn aantreden op 25 juni 2007 levert DSB ongeveer een half miljard euro aan nieuwe spaartegoeden op. In december van dat jaar wordt hij de nieuwe financiële man bij het bedrijf uit Wognum.

Intern is de beoordeling van Zalm aanmerkelijk minder gunstig dan extern. Hij wordt gezien als een man die weinig initiatief toont en veel tijd besteedt aan zijn sigaretten en sudoku's. 'Hij heeft de conflicten van nabij meegemaakt, maar niet ingegrepen', zeggen veel werknemers. En een bankier die een keer een afspraak heeft met Scheringa en Zalm, herinnert zich nog dat Zalm erg zijn best deed het zijn baas naar de zin te maken. 'Soms keek hij schuin op naar Scheringa en besloot hij zijn opmerkingen op vragende toon. "Hè Dirk?" of "Vind je ook niet, Dirk?" Het klonk dan een beetje behaagziek.'

Toch zorgt Zalm voor een grote oppepper van het prestige van Scheringa. Die krijgt regelmatig de kans om zijn verhaal te doen in de kranten en tijdschriften. Zo vertelt hij tot een paar maanden voor de crisis nog zonder schroom over het succes van zijn bedrijf. Daarbij benoemt hij niet alleen zijn eigen slimheid, maar komt ook de eigendomsstructuur van DSB aan de orde. Hij zou behoudender zijn dan andere bankiers omdat hij zijn eigen geld in het bedrijf heeft zitten. Met veel genoegen constateert hij dan dat hij ondanks de kredietcrisis nooit heeft hoeven aankloppen voor overheidssteun.

Verder benadrukt Scheringa keer op keer zijn eenvoudige afkomst, zijn integriteit en vooral zijn gewoonheid. 'Ik ben niets meer dan degene die de koffie rondbrengt', zegt hij regelmatig met zijn zachte stem. En: 'Alleen mijn kinderen zeggen u tegen mij, de rest van de bevolking spreekt mij aan met Dirk.' Vervolgens trekt hij zijn broekspijpen een beetje op zodat de fotografen zijn geitenwollen sokken goed in beeld krijgen. Dat die niet gewoon in de winkel zijn gekocht, maar tegen betaling door breiende dames uit het dorp zijn vervaardigd, laat hij onbesproken. Want dat detail zou afbreuk kunnen doen aan zijn zorgvuldig geconstrueerde imago.

In de verhalen komt verder de veestapel regelmatig aan bod. Hij heeft vooral een grote voorliefde voor de schapen die op zijn landerijen grazen. Om zijn bescheidenheid onder de aandacht te brengen, vertelt hij aan wie het maar horen wil over de voldoening die hij voelt als hij deze beesten voert en verzorgt. Zij hebben geen verborgen agenda en bij hen kan Scheringa zijn wantrouwen laten varen. Ondertussen zijn de financiële consequenties van zijn hobby natuurlijk wel goed doorgerekend. Om belastingvoordelen in de wacht te slepen zijn de schapen ondergebracht in Veestapel Opmeer, een aparte bv van DSB Beheer.

Op televisie wordt Scheringa een graag geziene gast. Zo wordt hij talloze keren uitgenodigd bij praatprogramma's als *Pauw & Witteman* en *De Wereld Draait Door*. Zelfs oud-medewerkers die in het begin nog thuisblijven voor zijn tv-optredens, raken na verloop van tijd verveeld. Scheringa zelf ziet deze optredens vooral als gratis reclame. Hij is een marketingman in hart en nieren en aarzelt niet ook zichzelf in te zetten bij de beeldvorming. De kijkers moeten weten dat hij een eenvoudige man is die goed op hun centen let. Bovendien laat hij de naam van DSB zo vaak mogelijk vallen. Als hij na een uitzending naar huis rijdt, belt hij altijd even met Hans van Goor. 'Ik heb DSB wel vijftien keer genoemd', zegt hij dan enthousiast. 'Nee hoor, je vergist je', luidt het antwoord. 'Ik heb maar liefst achttien keer geteld. Goed gedaan, kerel!'

Het succes van Scheringa dringt zelfs door tot de politiek in Den Haag. Zo opent het CDA in mei 2009 de campagne voor de Europese verkiezingen in het stadion van de Alkmaarse voetbalclub AZ. Na een aantal toespraken van politieke kopstukken neemt Jan-Peter Balkenende het woord. Hij kiest niet voor een algemene beschouwing over de economische of culturele toestand van het land of van Europa, maar richt zich tot Scheringa persoonlijk. 'Je bent een voorbeeld voor ons allemaal', zegt de premier. 'Je speelt een fantastische rol in de financiële sector, ik vind het fantastisch. We zijn trots op je.'

Scheringa zit bij deze gelegenheid als gastheer en CDA-lid op de eerste rij. De politieke toespraken laat hij gelaten over zich heen komen, maar de persoonlijke woorden van Balkenende maken een grote indruk op hem. Die vormen voor hem de erkenning waar hij al zo lang naar zoekt. Een personeelslid dat schuin achter hem zit, ziet tot haar verbazing de tranen over zijn wangen lopen. 'Dit raakt je diep, hè', vraagt zij na afloop aan haar werkgever. Scheringa, die meestal niet bang is zijn emoties te tonen, beaamt dat zonder aarzelen. Hij snuit zijn neus, wrijft in zijn ogen en gaat dan vol trots met de premier op de foto.

Een soortgelijke reactie heeft Scheringa op zijn uitverkiezing van ondernemer van het jaar 2008. Deze prijs wordt toegekend door de studenten van de economische faculteit van de Erasmus Universiteit. Waar de winnaars normaal gesproken deze trofee minzaam en zonder al te veel ophef in ontvangst nemen, is Scheringa euforisch. Vanaf dat moment spreekt hij in interviews regelmatig over zijn uitverkiezing en de waardering die daarvan uitgaat. 'Merkwaardig', zegt een bankier die tot het establishment behoort. 'Ik snap niet dat iemand zoveel waarde hecht aan dat oordeel. Het zijn per slot van rekening maar studenten.'

11

Remmers en roeiers

Het kan niet op. AZ wordt landskampioen, het museum trekt door de aankoop van moderner werk ook de aandacht van de kunstelite, DSB Bank lijkt als een van de weinige financiële instellingen nauwelijks last te hebben van de kredietcrisis, premier Balkenende spreekt lovende woorden en Scheringa wordt ondernemer van het jaar. In 2008 en in de eerste helft van 2009 krijgt Scheringa waar hij altijd van heeft gedroomd: erkenning en waardering. Maar de oogstjaren duren slechts kort. Door een opeenstapeling van verkeerde beslissingen is op het toppunt van zijn roem de ondergang al zichtbaar.

Dat komt vooral door de onevenwichtigheden die langzamerhand in de organisatie zijn geslopen. De nadruk ligt bij de verkoop – voor het beheer van de risico's en de bank heeft Scheringa nauwelijks belangstelling. Dit heeft tot gevolg dat deze afdeling een soort status aparte krijgt binnen het bedrijf.

Zo heeft de verkoopdivisie haar eigen software ontwikkeld. Voor de verkoopmanagers en voor Scheringa zijn de resultaten die hieruit naar voren komen absoluut leidend. Maar de werkelijke omzetten blijken uit de grootboekadministratie en niet uit de verkoopsystemen. Bij DSB bestaan dus meerdere versies van de waarheid en de verkooporganisatie wordt niet geïnformeerd over werkelijke marges en kosten zoals marketing en afboekingen. De over het algemeen jonge, onervaren verkoopmedewerkers hebben daardoor geen weet van de werkelijke ontwikkelingen en kunnen blijven geloven in hun eigen succes.

Nadat Scheringa tijdens de Olympische Winterspelen van 2002 in Salt Lake City medewerkers van General Electric ontmoet, raakt hij in de ban van Jack Welch, de legendarische bestuursvoorzitter van dit bedrijf, die zich bovendien profileert als managementgoeroe. Scheringa verspreidt op grote schaal diens boek *Winnen* in zijn organisatie. De door Welch gepropageerde Six Sigma-methode zorgt in de jaren erna inderdaad voor de nodige verbeteringen, maar het probleem is dat alleen de verkoopafdeling wordt betrokken en het principe niet bedrijfsbreed wordt toegepast. En volgens Welch is het juist nodig dat alle onderdelen op de hoogte zijn van elkaars doen en laten om substantiële verbeteringen te bewerkstelligen.

Terwijl de interne controlediensten nog lang niet op orde zijn, besluiten Scheringa en Van Goor in 2007 ongeveer 450 extra mensen aan te nemen. Dat is op dat moment bijna een derde van het totale personeelsbestand. Tussen oktober 2007 en maart 2008 worden 140 Seat Ibiza's geleased voor de nieuwe buitendienstmedewerkers. Met deze ongekende uitbreiding wil Scheringa een volgende stap maken. Maar dat blijkt geheel anders uit te pakken. Weliswaar wordt in het eerste jaar nog een mooie winstgroei gerealiseerd, maar het niveau van topjaar 2003, waarin de winst uitkomt op 62,5 miljoen euro, wordt nooit meer gehaald. Bovendien is het betere resultaat eerder te danken aan eenmalige baten dan aan een groei van de omzet van de reguliere activiteiten.

'Niet zo vreemd,' zeggen ervaren mensen in het bedrijf. 'Door de uitbreiding rezen de kosten de pan uit. Waar we in 2003 nog slechts 126 miljoen euro uitgaven, was dat in 2007, vooral door het extra personeel, al 190 miljoen euro geworden. En waarom? De nieuwe krachten konden nauwelijks meer een bijdrage leveren. Wij mailden het hele land al plat om kredieten te verkopen, hadden alle adressen al in handen. Op een gegeven moment is de markt verzadigd. Eigenlijk was op het laatst alleen nog een winststijging te realiseren door efficiënter te gaan werken. Maar die woorden waren nooit aan Scheringa besteed. Hij zag altijd nieuwe mogelijkheden om de omzet verder te laten groeien.'

Daarom begin Scheringa met de uitbreiding van zijn bedrijf naar het buitenland. 'Dat ging natuurlijk weer buitengewoon onzorgvuldig, om niet te zeggen klunzig', aldus een bron uit de financiële hoek van DSB. 'Neem het bedrijf in Slovenië. Toen AZ daar een Europese wedstrijd moest spelen, liep Scheringa een man tegen het lijf die graag met hem zaken wilde doen. Hij won het vertrouwen van de baas en vrij snel daarna ging het kantoor open. Uiteindelijk heeft dat maar weinig opgeleverd, maar van een verkoop was nooit sprake. Ook niet toen het geld hard nodig was voor andere zaken.'

Scheringa laat zich vooral leiden door zijn enthousiasme. Als hij kansen ziet, grijpt hij die voordat de consequenties goed zijn doorgerekend. Op die manier worden in de loop van de tijd tal van initiatieven gelanceerd, die later zonder veel ophef een zachte dood sterven. Op zich niet zo'n probleem, ware het niet dat investeringen nooit worden terugverdiend. Neem het plan waarbij in 2005 en 2006 eigen creditcards in de markt worden gezet. Die moeten een nieuw verkoopkanaal opleveren waarlangs klanten ook voor andere producten worden benaderd. De resultaten vallen echter fors tegen; bovendien worden de schulden in veel gevallen niet terugbetaald. Zonder veel ruchtbaarheid verdwijnt dit idee weer in de ijskast.

Vooral met de kaarten die een bestedingslimiet hebben tot 1000 euro gaat het mis. Bij deze producten is het namelijk niet nodig om vooraf een toetsing bij het Bureau Krediet Registratie aan te vragen. Het is dus mogelijk deze creditcards op grote schaal te verspreiden. De risico's worden opgevangen dankzij de maximale wettelijke rente die gevraagd mag worden. Op dat moment bedraagt dat percentage 15, zodat bij 5 procent wanbetalingen nog altijd een mooie winst wordt gerealiseerd. Een gouden kans dus, volgens de verkoopafdeling. En toch gaat het mis. Het probleem is dat deze kaarten vooral in Antilliaanse kringen op een grote populariteit kunnen rekenen. Die mensen zijn vaak onvindbaar voor de afdeling incasso omdat zij vele verblijfplaatsen tot hun beschikking hebben. In totaal loopt volgens de financiële afdeling de schade van dit initiatief op tot 30 miljoen euro.

Verder besluit Scheringa de panden die door wanbetalingen op de hypotheken gedwongen worden verkocht, zelf op te kopen. Dit onroerend goed kan namelijk met een forse korting op de marktwaarde worden verworven, zodat de verkoop een grote winst zal opleveren. Maar ook dit plan wordt geen succes omdat DSB onvoldoende kennis heeft van de huizenmarkt en de juiste kanalen niet kan vinden. Geen enkel pand wordt binnen de gestelde termijn verkocht.

Ook het plan om al afgeschreven debiteuren nogmaals te benaderen, levert weinig succes op. In 2007 wordt met dit doel door beveiligingsman Gerard Wuite een speciale afdeling opgezet. Het kan immers zo zijn dat in het incassotraject fouten zijn gemaakt en dat de schuldenaren achteraf alsnog aansprakelijk kunnen worden gesteld. Dit idee wordt met veel geestdrift ontvangen en Scheringa ziet de miljoenen al binnenstromen. Maar uiteindelijk blijven de opbrengsten ver achter bij de verwachtingen en wordt deze afdeling nauwelijks een jaar later weer opgeheven.

De zogenoemde shops leveren ook een dure losse flodder op. Scheringa besluit dat DSB net als de andere banken lokale kantoren moet hebben. Volgens sommigen is het streven dertig, volgens anderen honderd vestigingen, zodat geen enkele Nederlander verder hoeft te reizen dan vijftien kilometer om zijn geldzaken bij DSB te kunnen regelen. Dit plan wordt in werking gesteld zonder concept en zonder gedegen onderzoek naar de slagingskansen. Uiteindelijk worden zeven kantoren in gebruik genomen. Al snel blijken de kosten toch veel hoger dan de opbrengsten en wordt het idee weer afgeblazen.

Het tomeloze enthousiasme van Scheringa wordt gedeeld door de nog jonge Hans van Goor. Hij denkt in militaire termen en heeft het vaak over 'soldaten' als hij medewerkers bedoelt. Van Goor ziet zichzelf als rechterhand en heeft een grote bewondering voor de marketingcapaciteiten van zijn baas. Dankzij zijn onbetwiste intelligentie en slagvaardigheid stijgt hij bij Scheringa in aanzien. Die houdt zelf ook niet van 'moeilijk doen' en 'problemen maken' en wil moeilijkheden het liefst zo snel mogelijk oplossen. Tussen beide mannen ontstaat een klik en de opmars van Van Goor valt in het bedrijf niet te stuiten. In 2004 dringt hij door tot de raad van bestuur.

Dat is voor de medewerkers van DSB Bank geen verrassing. Op dat moment is sprake van drie jonge talenten in het bedrijf en iedereen dicht Van Goor de grootste kansen toe. 'Dirk stoomde hem echt klaar voor die positie. Die liet hem op vele afdelingen werken zodat hij het hele bedrijf leerde kennen. Verder was al snel duidelijk dat tussen Van Goor en Dirk sprake was van een soort vader-zoonrelatie.' Van Goor verdient bij zijn aantreden in de raad van bestuur 9000 euro per maand en bevindt zich daarmee ver onder de Balkenendenorm. Van exorbitante salarissen is bij DSB Bank geen sprake.

Bij de financiële afdeling van het bedrijf ligt Van Goor beduidend minder goed. Hij wordt omschreven als een ambitieuze man die voornamelijk gericht is op snel geld voor het bedrijf. Verder praat hij volgens hen graag in clichés en vindt hij dat de medewerkers altijd 'buiten de gebaande paden moeten denken' en altijd 'moeten knallen'. Bij het streven naar de verwezenlijking van zijn doelen zou hij zich schuldig maken aan manipulaties, schending van de bevoegdheden van anderen en van leugens. 'Zelfs als je iets volkomen zeker wist, kon hij dat nog ontkennen', zegt een van de toenmalige bankmedewerkers. 'Ook zette hij soms eigenhandig en in het geheim zijn handtekening onder een lening die door een bevoegde kracht was afgewezen. Die acties maakten hem in onze ogen kwetsbaar. En dat is gevaarlijk in zijn positie.'

Maar volgens de bankmedewerkers is het nog erger dat hij Scheringa regelmatig het hoofd op hol brengt. Wanneer die zegt dat volgend jaar de winst gaat uitkomen op 100 miljoen euro, laat Van Goor weten dat hij dat een bescheiden doelstelling vindt en dat volgens hem 150 miljoen euro haalbaar moet zijn. Daarmee speelt hij in op de tomeloze ambities van zijn baas, die altijd in verrukking raakt van ronde getallen en spectaculaire winstsprongen. Zo rekent een medewerker eens in een spreadsheet de kosten en opbrengsten van hypotheken door. 'Doe in dat celletje eens tien meer', zegt Scheringa, die erbij staat. Vervolgens is hij als een kind zo blij wanneer hij ziet dat deze kleine verhoging grote gevolgen heeft voor de cijfers onder de streep. Hoewel de medewerkers deze blijdschap wel charmant vinden, zien de meesten ook de gevaren. Een hogere omzet betekent een soepeler acceptatiebeleid, en dus hogere risico's op de balans. Zij waarschuwen Van Goor, maar die laat zich niet corrigeren. 'Hij vindt zichzelf hoogbegaafd', zegt een toenmalige werknemer van DSB, 'en hij heeft grote moeite andere mensen serieus te nemen. Dat had echt kwalijke gevolgen voor de gemoedstoestand van Dirk.'

Het snelle geld ziet Van Goor liggen als het Indiase softwarebedrijf Infosys in Wognum een nieuw systeem voor de back office implementeert. Natuurlijk gaat bij dit ingewikkelde project niet alles goed en als de zaak uit de hand dreigt te lopen, wordt van diverse kanten bij Van Goor op ingrijpen aangedrongen. Voor de komst van Reggie de Jong in de raad van bestuur geeft hij immers leiding aan zowel de operationele activiteiten als aan de informatieverwerking. Maar Van Goor zou liever besluiten via advocatenkantoor Clifford Change een dossier op te bouwen zodat bij de voltooiing van het project misschien nog een paar miljoen euro teruggevorderd kan worden. Daarbij wordt gemakshalve vergeten dat Infosys een beurswaarde heeft van ongeveer 26 miljard dollar en een eventuele juridische strijd veel langer kan volhouden dan DSB. Bovendien zijn de medewerkers van dit bedrijf nog nodig voor het toekomstig onderhoud. Ook daarom is een verstoorde relatie geen handig uitgangspunt.

In 2001 sluit Van Goor een contract af met Go Shop, een externe intermediair. De aanvragen voor consumentenkredieten die via dat kanaal binnenkomen, leveren DSB te weinig op, en om zijn fout te verbergen zou Van Goor besluiten net te doen alsof de leads via DSB zelf binnenkomen. 'Niet door het contract open te breken, maar door in de achterliggende software een paar knoppen om te zetten', zegt een bankmedewerker. Go Shop ontvangt een lagere commissie, en het blazoen van Van Goor blijft ongeschonden. Over deze zaak ontspint zich in 2004 in *Quote* een hevige polemiek, waarbij Go Shop uiteindelijk door de rechter wordt gedwongen om te rectificeren.

Maar daarmee is de kwestie nog niet uit de wereld. Bij de rechtbank van Rotterdam wordt een zaak aangespannen tegen DSB Bank. Go Shop vordert een bedrag van ongeveer 3,5 miljoen euro aan onbetaalde provisies. DSB Bank vordert in een tegeneis een bedrag van ongeveer 600.000 euro in verband met onverschuldigde provisiebetalingen.

Van Goor gaat volgens sommige medewerkers niet zachtzinnig om met zijn collega's in de raad van bestuur. Zo is Reggie de Jong verantwoordelijk voor de ICT in het bedrijf en mag alleen zij besluiten nemen over de aanschaf van nieuwe software voor de intermediairs. Toch vragen medewerkers van Van Goor offertes op bij softwareleveranciers. Op zich niet zo vreemd, want zij weten precies wat ze nodig hebben. Van Goor belooft De Jong op de hoogte te houden, zodat zij uiteindelijk al dan niet haar handtekening kan zetten. Maar uit een kopie van de bestelbon die hij stuurt naar de afdeling inkoop, blijkt dat de contracten zonder haar medeweten al getekend zijn. Deze zaak loopt hoog op, maar uiteindelijk blijft Scheringa Van Goor de hand boven het hoofd houden.

Verder ontstaan conflicten over het personeelsbeleid. De Jong wil op een gegeven moment twee oudgedienden op haar afdeling ontslaan. Die zijn volgens haar ondanks een langdurige bijscholing niet goed genoeg en passen niet meer binnen de beoogde organisatie. Wanneer deze mensen hun beklag doen bij Van Goor, zorgt hij dat zij op een andere plek komen te zitten. De Jong is furieus en veel andere medewerkers vragen zich af wat voor werkzaamheden deze mannen sinds die tijd verrichten.

Een ander voorbeeld is de behandeling van oudgediende Bert Rozemond. Tijdens Rozemonds vakantie krijgt Van Goor tijdelijk de leiding over zijn afdeling in Duitsland. In die tijd speelt in Düsseldorf een fraudezaak en Van Goor leidt het onderzoek. 'Aan die procedure lagen weer vreselijke intriges ten grondslag', zegt een bankmedewerker. Als de resultaten van een al eerder gestart onderzoek naar fraude gepubliceerd worden, trekt Van Goor alle lof voor de conclusies naar zich toe, voert een oplossing door en verwijt Rozemond nalatigheid. Met als gevolg dat die bij zijn terugkomst wordt overgeplaatst naar een andere afdeling. Later wordt deze kwestie door Scheringa enigszins gerepareerd als hij voor Rozemond een koninklijke onderscheiding aanvraagt, maar dan speelt deze medewerker van het eerste uur geen belangrijke rol meer en bereidt hij zich voor op zijn vervroegde pensionering in 2008. Van Goor zelf snapt dat Rozemond gekwetst is, maar op een fundamenteler niveau kan hij het probleem eigenlijk niet ontdekken. Rozemond heeft immers al eerder aangegeven een stapje terug te willen doen. Bovendien vereist de situatie in Duitsland snel handelen omdat 5 miljoen euro is weggelekt. Bij dergelijke bedragen is het natuurlijk onverstandig om rustig af te wachten tot iemand is teruggekeerd van zijn verlof.

Volgens de verkoopafdelong ontstaan de problemen bij de interne fusie in 2005 als de bankmedewerkers geen statutaire bevoegdheden meer hebben en veel mensen hun leidinggevende positie verliezen. De onvrede die dat veroorzaakt maakt dat de verhoudingen snel verzuren. 'Dat proces hadden we waarschijnlijk beter moeten begeleiden', zegt een voormalig lid van de raad van bestuur. 'Niet alle veranderingen tegelijk doorvoeren, maar langzaam en met meer gevoel voor de menselijke aspecten van een dergelijke operatie. Bijvoorbeeld door Control eerst bij Bank in te voegen, zodat de medewerkers aan elkaar kunnen wennen. Erop terugkijkend hebben wij daar toen de nodige steken laten vallen.'

De ex-bestuurder legt verder de nadruk op de verschillende culturen tussen de bank en de verkoopafdeling. 'Dirk is uiterst pragmatisch. Als de bankmensen bij hem kwamen om hem te vertellen dat iets niet kon, had hij bij wijze van spreken voor het einde van de bespreking tien alternatieven verzonnen. Zij kwamen om hem te overtuigen van onmogelijkheden en gingen weg met een boodschappenlijstje. Een dergelijke ongebreidelde creativiteit is voor een boekhouder natuurlijk niet eenvoudig te verwerken. Die moet in alle rust zijn werk kunnen doen en verder niet te veel aan zijn hoofd hebben. Dirks enthousiasme heeft waarschijnlijk de nodige wrevel veroorzaakt.'

De kwesties die door de bankmensen naar voren worden gebracht, herkent de bestuurder over het algemeen niet. 'Met Infosys waren de verhoudingen juist uitstekend. Korte lijnen, bij escalaties hadden wij telefoonnummers van leidinggevenden die wij rechtstreeks konden bellen. Daar hoefden wij maar zelden gebruik van te maken. Een van onze medewerkers was zelfs vrijgesteld om de relaties goed te houden. Hij vormde een soort luchtbrug tussen de hoofdkantoren. Als het faillissement niet was uitgesproken, was het systeem op 19 oktober 2009 in productie genomen en hadden wij het mooist denkbare systeem waarin alles aan elkaar gekoppeld was. Ik ben nog steeds apetrots op de prestaties die toen zijn geleverd.'

Door de tegenstrijdige berichten is het moeilijk een definitieve lezing van de gebeurtenissen te geven. Wel staat vast dat binnen het bedrijf grote tweespalt ontstaat. Daarbij staat Scheringa niet boven de partijen maar kiest vrijwel altijd de kant van de verkoop. Op die manier maakt hij deel uit van het conflict en blijft de tweespalt bestaan. Hans van Goor weet hierdoor zijn macht steeds verder uit te breiden – zeker als Scheringa de laatste jaren een groot deel van zijn tijd aan de sport en het museum besteedt. Dinsdagochtend fietst hij, woensdagmiddag is voor de kunst en donderdag brengt hij door bij AZ. Hij is nog maar drie dagen per week op het kantoor van DSB Bank, en voor de meeste medewerkers is hij zo goed als onbereikbaar geworden. Eigenlijk spreekt hij dan alleen nog maar met de raad van bestuur en medewerkers van de marketing.

Door de gestegen kosten moet in het bedrijf naar allerhande kunstgrepen worden gezocht om toch mooie cijfers te produceren en de uitgaven te verantwoorden. De al eerder genoemde koopsompolissen zijn daar de bekendste voorbeelden van. De koopsompolissen, waarmee de verzekeringen worden afgekocht, nemen in 2006 ruim 65 procent van de totale inkomsten van DSB Bank voor hun rekening. In 2007 is dat percentage afgenomen tot ruim 50. Daarmee is de afhankelijkheid van deze praktijken in verhouding tot de andere banken erg groot. Bij SNS Bank, ING Bank en ABN Amro bewegen deze opbrengsten in 2006 tussen de 15 en 20 procent. Na het bedrijf uit Wognum komt Rabobank met 23 procent op de tweede plaats.

'De kwaliteit van onze portefeuille verslechterde in hoog tempo', aldus een medewerker. 'In 2006 begon ik mij daar grote zorgen over te maken en sliep ik slecht.' Die situatie is vooral te wijten aan de activiteiten van de verkoopdivisie. Die maakt zich schuldig aan overkreditering en brengt te hoge hypotheken aan de man om via de koopsompolissen verzekeringen te kunnen slijten. Deze leningen worden verstrekt buiten de met de bankdochter overeengekomen acceptatiecriteria, zodat de leningen met een aparte registratie op eigen boek moeten worden genomen. 'Op een gegeven moment hadden die een waarde van meer dan 100 miljoen euro. En het ergste was dat door de slechte kwaliteit partijen niet of nauwelijks waren te securitiseren en dus geen geld vrijkwam voor nieuwe kredieten.'

De financiële afdeling van DSB Bank bedenkt in de loop van 2005 een plan om dit gevaar in te dammen en de verkoopdochter te verzwakken. Als de bankvergunning voor het hele bedrijf geldt, dan valt ook de verkoopafdeling onder het toezicht van de Nederlandsche Bank. Ook Hans van Goor, die inmiddels lid is geworden van de raad van bestuur, moet zich dan aan de voorschriften houden. Om dit plan te realiseren is een fusie nodig waarbij de verkoopafdeling, de verzekeringsdochter en de bank ineen worden geschoven. Extra voordeel is dat het hele bedrijf vanaf dat moment kan opereren onder de naam van DSB Bank en dat de in de loop van de tijd beladen labels als Frisia en Becam van de markt kunnen verdwijnen.

Dit plan wordt door Scheringa vanuit geheel andere motieven omarmd. Na de fusie verdwijnt de statutaire directie en is hij de baas van alle afdelingen van DSB Bank. 'Het voelde niet prettig meer', zegt hij in een interview met *Het Financieele Dagblad* over de oude organisatie. 'Als ik bijvoorbeeld de commerciële beslissing wilde nemen de hypotheekrente met een tiende te verlagen, dan moesten wij dat verzoek neerleggen bij DSB Bank. Deze medewerkers namen het voorstel in ontvangst en zeiden: u hoort nog van ons. De bank kon dus beslissen of zij onze koers wilde uitvoeren. Dat was een hele rare kronkel.'

De nieuwe situatie, die vanaf 2006 in werking treedt, voelt voor Scheringa veel plezieriger. 'Door alles bij de bank onder te brengen zijn het risicobeleid en het commerciële beleid nu in één hand', juicht hij in het FD-interview. 'Daardoor nemen de slagvaardigheid en de flexibiliteit toe. Bovendien hebben we enorme kostenbesparingen weten door te voeren doordat we de twee controleafdelingen, twee acceptatieafdelingen, twee treasury-afdelingen en twee ICT-afdelingen konden samenvoegen. Deze constructie is veel logischer.'

'Scheringa sprak vaak van remmers en roeiers', aldus een voormalige bankmedewerker. 'Wij waren risicomijders en behoorden in zijn ogen tot de eerste groep, de verkopers zaten uiteraard in de tweede categorie. De nieuwe constructie had goed kunnen uitpakken als de Nederlandsche Bank zijn tanden had getoond. Maar dat liet de toezichthouder lange tijd na.' Weliswaar schrijft de toezichthouder al vanaf 2007 dringende brieven naar Wognum, maar die maken geen indruk. Elke andere bankier zou grijze haren krijgen van de toon, maar tot Scheringa dringt de urgentie niet door.

Hij is geen man van taal. Plannen moeten op één A4'tje passen en moeilijke woorden worden uit zijn toespraken en de notulen geschrapt. 'Wij werden gedwongen te schrijven zoals hij denkt', zegt een voormalig medewerker. 'Een begrip als "intentie" werd standaard vervangen door "bedoeling". Alles moest bij ons simpel zijn.' De zorgvuldige en ambtelijke brieven uit Amsterdam zijn voor hem geen reden om in actie te komen. Daarin worden in het begin immers geen opdrachten gegeven, alleen maar zorgen tot uitdrukking gebracht.

Door de fusie verdwijnt het machtsevenwicht uit de organisatie. Vanaf dat moment krijgen Scheringa en Van Goor de touwtjes steeds meer in handen. Na een aantal reorganisaties en het vertrek van onder anderen Reggie de Jong en Gerrit Zalm in 2009 zal Frank de Grave, en na hem Ronald Buwalda, het feitelijk als nieuwe financieel bestuurder in zijn eentje moeten opnemen tegen de twee vertegenwoordigers van het verkoopapparaat. Het duurt tot juli van dat jaar voordat de raad van bestuur weer wordt uitgebreid tot vier man. In de tussenliggende periode kan alleen de raad van commissarissen een tegenwicht bieden aan het verkoopapparaat. Maar eigenlijk heeft die geen positie omdat Scheringa als eigenaar bevoegd is de toezichthouder te ontslaan. Vanuit deze hoek hoeven dan ook geen scherpe maatregelen te worden verwacht.

Scheringa kan de nadelen van deze constructie niet ontdekken en ziet geen noodzaak zijn eigen tegenstand te organiseren. Die is niet alleen lastig, maar doet ook afbreuk aan zijn idee van gezelligheid en warmte. Hij wil niet belemmerd worden door een formele machtenscheiding, die geeft alleen maar blijk van een gebrek aan vertrouwen. Nu de 'remmers' grotendeels zijn uitgeschakeld, zit zijn bedrijf eindelijk zo in elkaar zoals hij zich dat wenst. 'Ik heb plezier in mijn werk', zegt hij kort na de fusie. 'We hebben als sponsor de wereldkampioen schaatsen, een van de beste voetbalploegen en het beste museum van Nederland en we zijn hard op weg de beste bank te worden. Ik ga iedere ochtend fluitend naar kantoor.'

Voor de voormalige bankdirecteur Peter Cornet wordt een baantje gevonden als hoofd Compliance. In die hoedanigheid moet hij toezien op de naleving van de regels. Als hij aangeeft juristen te willen aantrekken voor die nieuwe dienst, zegt Scheringa dat die mensen te duur zijn. Hij wil medewerkers uit de praktijk die snappen dat regels niet altijd bindend hoeven te zijn. De bankdirecteur gaat daarmee akkoord onder voorwaarde dat hij die zelf mag selecteren. Daar krijgt hij toestemming voor en vervolgens kiest hij de mensen met wie hij al langere tijd samenwerkt. Deze nieuwe divisie ontvangt vervolgens keurig alle informatie waarom wordt gevraagd, maar dat betekent niet dat Scheringa ook altijd nota neemt van de uitkomsten van de onderzoeken.

Zo heeft hij maar weinig oog voor de verdere verslechtering van de leningenportefeuille. Die komt tenslotte niet in de winstcijfers tot uitdrukking. De meeste leningen in het boek zijn uitgezet in de oude situatie, toen de bankdochter nog functioneerde als rem en de acceptatiecriteria krapper waren. De nieuwe leningen hebben een korte looptijd en de ervaring leert dat de klanten in het begin alles op alles zetten om aan hun verplichtingen te voldoen. Scheringa kan blijven schermen met beperkte wanbetalingen en ziet de gevaren op lange termijn niet.

In 2007 komen de spanningen tot ontploffing. De interne controledienst ontdekt dat de betalingsachterstanden van bepaalde klanten in de boeken van DSB langzamerhand op nul worden gezet. 'Een hoogst merkwaardige kwestie', aldus een van de betrokkenen. 'Juist in een tijd dat veel andere banken deze post in verband met het economisch klimaat en de toenemende wanbetalingen opvoerden, werd die bij ons teruggedraaid.' 'Dit moet tot de bodem worden uitgezocht', zeggen de medewerkers tegen elkaar. 'Dit gaan wij zo niet uitsturen.'

Een paar maanden eerder worden onder regie van Hans van Goor de schulden van klanten die achter zijn met hun maandelijkse betaling en van wie het geld via een zogenoemde looncessie wordt geïnd, niet meer als posten in achterstand gewaardeerd.

Die actie levert volgens Van Goor een boekhoudkundige winst op tussen de 24 en 26 miljoen euro. Dat geld kunnen hij en Scheringa goed gebruiken voor de jaarlijkse dividendbetaling van DSB Bank aan DSB Beheer, dat de aandelen van Bank in bezit heeft en waarin het museum, voetbalclub AZ en tal van andere sportactiviteiten zijn ondergebracht.

Van Goor en Scheringa zijn van mening dat de looncessies voldoende zekerheid bieden om de maatregel te rechtvaardigen. Bij deze klanten kan namelijk automatisch een deel van het loon worden ingehouden om de schulden af te lossen. Voor een wanbetaling hoeft volgens dit duo dan ook niet gevreesd te worden. Maar daar denken veel directeuren anders over. Het blijft immers goed mogelijk dat de klanten ontslagen worden, ziek worden of in het ergste geval zelfs overlijden. Dan ziet DSB Bank weinig meer terug van het geld. Volgens de boekhoudregels mogen de tegoeden pas worden bijgeboekt als de bedragen ook daadwerkelijk op de rekening zijn overgeschreven. In deze redenering maakt DSB Bank zich schuldig aan fraude.

Aan die praktijk willen financiële man Jaap van Dijk, medebestuurslid Reggie de Jong en een aantal directeuren van DSB Bank zich niet schuldig maken. Zij besluiten tot een nader onderzoek, een proces waarbij zij veel tegenwerking krijgen. 'Sinds deze zaak op 16 april in de raad van bestuur aan de orde is geweest, is ook bij voortduring druk op mij uitgeoefend om mee te gaan in de redenering om voorzieningen op cessieposten volledig vrij te laten vallen', staat in 2010 in een reconstructie van *Het Financieele Dagblad.* Vooral de rol van Hans van Goor en van de afdeling incasso wordt in dat artikel gelaakt. 'Het herstel vergt bloed, zweet en tranen.'

Scheringa en Van Goor weten het onderzoek met bijna driekwart jaar te vertragen. Dat is niet zo ingewikkeld, want als de verkoopafdeling de informatie niet levert, heeft Control weinig te onderzoeken. Pas in oktober 2007 worden de resultaten van een eerste inventarisatie gepresenteerd. Die wijst uit dat de vrijval maximaal 10 miljoen euro bedraagt. Een tweede ronde afstemming met huisaccountant Ernst & Young moet uitwijzen of dit bedrag klopt. Ondertussen lopen de spanningen binnen de raad van bestuur hoog op. In een-op-eengesprekken tussen Van Dijk en Scheringa en Van Goor wordt geprobeerd de kou uit de lucht te halen, maar die inspanningen leveren niets op.

Volgens Scheringa zijn de problemen te herleiden tot de persoonlijke problemen van Van Dijk. Anders dan vroeger kan hij hem niet meer op een grapje betrappen en anders dan vroeger maakt hij altijd een sombere indruk. Dus vraagt Scheringa hem of hij misschien last heeft van zijn penopauze. Dat is naar zijn idee de enige verklaring voor het recalcitrante gedrag van zijn financieel bestuurder. Dat die misschien ook moeite kan hebben met de fraude die het gevolg is van het terugdraaien van de achterstanden, lijkt niet in zijn hoofd op te komen.

Op vrijdag 27 oktober praten Van Dijk en De Jong uitvoerig met Rob Bonnier, voorzitter van de raad van commissarissen, en plaatsvervanger Age Offringa. De beide bestuurders zien dat gesprek als hun laatste strohalm. Drie dagen later spreken de commissarissen met Dirk Scheringa over deze kwestie, en in dat gesprek wordt de conclusie getrokken dat de achterstanden niet op nul worden gezet, maar ook dat Van Dijk moet vertrekken. Dat besluit wordt op 29 oktober aan de financiële man van DSB Bank meegedeeld. Van Dijk schrijft nog een brief aan de raad van commissarissen waarin hij zijn grieven uiteenzet en vertrekt.

'Op 16 april heeft in de RvB een zware discussie plaatsgevonden over de onder regie van Hans [Van Goor] doorgevoerde procedure aanpassing', schrijft Van Dijk, 'waarbij in ons bancaire systeem VSF achterstandsposten waarop een looncessie is afgesloten op nul achterstand werden gezet. Als gevolg daarvan vielen voorzieningen voor dubieuze debiteuren vrij en werden foute rapportages voor beleggers opgemaakt in het kader van de securitisatieprogramma's. Over deze stap was geen voorafgaand overleg gevoerd in de RvB, terwijl dit gelet op de evident materiele impact hiervan uiteraard wel plaats had moeten vinden. Na enkele zeer onplezierige discussies in de RvB is onder druk van Reggie [de Jong] en mij besloten deze onjuiste wijze van registreren te repareren.'

Door deze kwestie lopen de spanningen op in het bedrijf. Begin november steken vier stafdirecteuren en bestuurders de koppen bij elkaar. 'Dit gaat naar de klote', zeggen zij tegen elkaar. 'De stemming was: één voor allen en allen voor één', aldus een van de deelnemers. 'Een beetje klef eigenlijk.' Alleen de vroegere bankdirecteur en inmiddels compliance officer Peter Cornet trekt zijn conclusies en schrijft zijn afscheidsbrief. 'Toen Dirk de brief van Cornet had gelezen, vroeg hij of nog meer mensen met dergelijke plannen rondliepen. Op dat moment trok iedereen zijn keutel weer in. Toen werden nog weinig stoere woorden gesproken.' Een andere aanwezige heeft meer mededogen voor deze houding. 'De mensen waren bang voor hun baan, dat kan ik wel begrijpen.'

Ook Reggie de Jong blijft aan. Zij wil een soort bruggenhoofd vormen. Nu Van Dijk is opgestapt moeten de bestuurders en een groot aantal directeuren verantwoording komen afleggen bij de Nederlandsche Bank en die gelegenheid wordt aangegrepen om te klagen over het gedrag van Van Goor. De toezichthouder kan nu niet anders dan hem op non-actief te stellen, zo denken veel medewerkers van DSB Bank. Toch wordt uiteindelijk niet ingegrepen omdat niet veel later bekend wordt gemaakt dat Gerrit Zalm de rol van financieel bestuurder voor zijn rekening gaat nemen. In eerste instantie wordt gehoopt dat hij voor veranderingen kan zorgen.

Scheringa zelf krijgt ook een oproep om te verschijnen bij de

Nederlandsche Bank. Maar op de dag dat in Amsterdam op zijn komst wordt gerekend, laat hij telefonisch weten last te hebben van een bloedneus. Vervolgens verschijnt hij volgens zijn medewerkers die dag gewoon op kantoor. Binnen het bedrijf doet al snel het grapje de ronde dat Scheringa doet alsof zijn neus bloedt. Naar het idee van de werknemers heeft Scheringa een smoes verzonnen om de confrontatie met de toezichthouder niet aan te hoeven gaan.

Een van de andere oud-commissarissen nuanceert het conflict dat zich in de loop van 2007 in de raad van bestuur afspeelt. 'De brief was voor Van Dijk een manier om verantwoord te kunnen vertrekken', zegt hij tegen *Het Financieele Dagblad*. 'Hij stond al langer onder druk omdat hij niet leverde op het gebied van onder meer het risicobeheer.' Verder verwijt deze toezichthouder Van Dijk een te principiële opstelling rond de achterstanden bij de hypotheekportefeuilles. 'Wij waren anders dan hij van mening dat het wel kon.'

De situatie bij DSB Bank wordt na het vertrek van Van Dijk niet stabiel. Hij wordt opgevolgd door Gerrit Zalm, die op zijn beurt het stokje overgeeft aan Frank de Grave, die weer wordt opgevolgd door Ronald Buwalda. In de parkeergarage van het bedrijf heeft deze snelle uittocht ook een zichtbare weerslag. Daar hebben de bestuurders van DSB Bank een eigen plek, die wordt aangeduid met een bordje waar hun initialen op zijn aangebracht. In eerste instantie vervangt de interne dienst nog braaf JvD door GZ en GZ door FdG. Maar dan wordt het deze medewerkers te gortig en vermelden zij alleen nog cfo, de afkorting van chief financial officer.

De laatste jaren besteedt Scheringa steeds meer tijd aan zijn hobby's dan aan zijn bedrijf. Hij benadrukt in talloze interviews zijn vermogen tot snel schakelen en ziet geen gevaren van zijn afwezigheid op kantoor. 'Ik kan op veel verschillende borden tegelijkertijd schaken', laat hij weten. 'Dat is een van mijn grootste kwaliteiten', voegt hij daar zonder schroom aan toe. Maar vooral binnen de financiële afdeling van DSB Bank wordt daar anders over gedacht. Die medewerkers vrezen dat de aandacht van Scheringa voor wat zij randactiviteiten noemen langzamerhand wel degelijk ten koste gaat van het bedrijf.

Dat blijkt naar hun idee in 2008, als DSB Bank tegen een rentepercentage van 5,06 een lening geeft van 74,6 miljoen euro aan DSB Beheer, de houdermaatschappij waarin ook de hobby's van Scheringa zijn ondergebracht. Op dat moment klotst het water bij wijze van spreken al over de dijken en is eigenlijk al het geld nodig om het bedrijf overeind te houden. In ruil voor deze lening krijgt DSB Bank onder meer de eigen huur die het betaalt aan Beheer als zekerheidsstelling. Een merkwaardige constructie, omdat als Beheer niet aan zijn verplichtingen kan voldoen, Bank in wezen zelf voor zijn geld moet zorgen. Dat klinkt volgens de meeste financiele mensen wel erg als een sigaar uit eigen doos.

Deze regeling kan alleen bestaan omdat Scheringa daar zelf als eigenaar en directeur een beslissing over kan nemen. Geen enkele andere bankdirecteur zou onder deze voorwaarden zijn toestemming hebben gegeven. Zeker niet wanneer uit het jaarverslag over 2008 blijkt dat Scheringa naast de bovengenoemde lening aan de andere groepsmaatschappijen een bedrag heeft geleend van 9,5 miljoen euro. Via deze omleiding wordt 2,6 miljoen euro van dat geld bijgeschreven op de rekening van Beheer en kunnen het museum en de voetbalclub op een extra injectie rekenen.

Scheringa kan niet anders. Als die bedragen op dat moment langs de normale weg worden uitgekeerd als dividend, moet het geld van het eigen vermogen worden afgetrokken. En dan komt de solvabiliteit in het gedrang. De toezichthouders kijken altijd met argusogen naar deze ratio omdat een gezonde verhouding garandeert dat spaarders hun tegoeden kunnen blijven opnemen. Ook de door de kredietcrisis stilgevallen kapitaalmarkt speelt Scheringa parten. Hij kan de uitstaande hypotheken niet meer verkopen aan andere partijen, en moet dus meer eigen vermogen aanhouden.

Op die manier wordt Scheringa in 2008 onder anderen door Gerrit Zalm gedwongen zichzelf geen winstuitkering toe te kennen en moet hij om zijn hobby's te onderhouden zijn toevlucht bij de kredieten zoeken. Maar Zalm is nauwelijks verdwenen of de dividendkraan gaat weer open. Begin 2009 wordt aan de aandeelhouder van DSB een interimdividend van 11,3 miljoen euro betaald. Daarmee komt het totaalbedrag dat Scheringa in twee jaar aan zijn onderneming onttrekt op een kleine 100 miljoen euro. Dat is op een eigen vermogen van 242 miljoen euro een wel erg fors bedrag.

Het alternatief in de vorm van een sanering bij het voetbal en de kunst is lange tijd onbespreekbaar. Zeker niet nu de grootste geldverslinder AZ een vooraanstaande rol speelt in de vaderlandse voetbalcompetitie en zijn museum na enkele nieuwe aankopen op meer erkenning kan rekenen. 'Het gebeurde regelmatig dat Scheringa tijdens de vergadering werd gebeld door technisch directeur Toon Gerbrands van AZ over een nieuwe speler die hij wilde hebben', weet een voormalige medewerker. 'Dan ging hij in onze aanwezigheid gewoon onderhandelen, voor de hobby's moest alles wijken.' Want Scheringa wil met zijn club per se naar de 'champies league', zoals hij dat zelf noemt.

De sport en vooral de kunst brengen hem op plaatsen waar hij anders niet komt. Hij mag de hand van de koningin schudden en wordt ontvangen door de Franse president. 'Daar kon Dirk geen afstand van doen', zegt een bron die hem veel heeft meegemaakt. 'In het begin bereikte hij dit doel met bescheiden middelen, maar na 2005 ging het steeds wilder. En niemand kon hem meer tegenhouden.' De veteranen in het bedrijf melden al kort na de ommekeer dat 'bij AZ dingen gebeuren die absoluut niet kunnen'. Maar aangezien Scheringa niet luistert, hebben zij geen mogelijkheid hun zorgen in daden om te zetten.

Feitelijk kan binnen het bedrijf alleen Hans van Goor nog begrip opbrengen voor de hobby's van Scheringa. Die legt zijn baas geen strobreed in de weg, zoekt altijd naar nieuwe mogelijkheden om schilderijen en spelers te financieren en viert elke overwinning met hem. Dat gaat gepaard met veel omhelzingen en warme armen om de schouders. Tot hun afschuw probeert Van Goor met deze techniek ook de oude getrouwen in het bedrijf voor zich te winnen. Bert Rozemond mijdt daarom bij de thuiswedstrijden de bestuurskamer van AZ. Hij kan de aanrakingen van zijn collega niet meer verdragen.

'Bij DSB Bank ontstond een soort omgekeerde wereld', blikken de voormalige medewerkers van de bank terug. 'Niet langer bepaalden de inkomsten de uitgaven, maar de behoeften van Scheringa schreven voor hoeveel DSB Bank moest verdienen. En op basis van die informatie werden vervolgens de acceptatiecriteria voor de leningen vastgesteld. Een uiterst ongezonde situatie. Dirk raakte los van de werkelijkheid, wist ook niet meer hoe de mensen tegen hem aankeken. Hij was weliswaar nog geen psychopathische narcist, maar daar kreeg hij langzamerhand wel trekjes van. Het was eng om deze verandering van nabij mee te maken.'

Scheringa verkoopt nooit iets en gooit nooit iets weg. Hij gebruikt de schuur van het voormalige museum aan de Spanbroekerweg in Spanbroek als opslagplaats. Daar staan nog jaren later bijvoorbeeld een oude auto waar hij in 1980 in rijdt, de al tijden onbenutte motorfietsen van hem en zijn vrouw en zijn eerste typemachine. En ook in zijn stolpboerderij heeft hij een eigen kamer met herinneringen. Die vormen voor hem allemaal bewijzen van de lange weg die hij heeft afgelegd. 'Voor ons was dat een handige eigenschap', kan een toenmalige bestuurder zich herinneren. 'Als wij iets kwijt waren, konden we altijd bij Dirk aankloppen. Bij hem zat alles keurig geordend in plastic mapjes die hij zonder veel moeite uit zijn archief haalde. Hij bewaarde zelfs de e-mails. Zo vroeg hij mij een paar dagen na het faillissement of ik dacht dat iemand die ooit belangstelling had voor zijn huis in Drenthe nog geïnteresseerd zou zijn. Maar dat was inmiddels meer dan tien jaar terug! Zelfs dergelijke berichtjes werden door hem gearchiveerd. Ik moest daar altijd wel om grinniken.'

In 2007 is het dringend noodzakelijk om in verband met de solvabiliteit van de bank twee dochters van de hand te doen. Op aandringen van de financiële afdeling worden voor de fietsverzekeraars Helepolis en Enra een koper gezocht en gevonden. Na langdurige en moeizame onderhandelingen blijkt Bovemij bereid deze bedrijven voor een schappelijke prijs over te nemen. De deal is al gemeld aan de Nederlandsche Bank en alleen de handtekeningen moeten nog gezet worden. Tot verbazing van velen in het bedrijf lijkt Scheringa eindelijk bereid een klein deel van zijn bezit te verkopen. Met moeite en tegenstribbelen, maar die maken de waardering voor deze stap alleen maar groter.

De medewerkers blijken te vroeg te juichen. Op het laatste moment komen Van Goor en Scheringa met aanvullende eisen voor Bovemij. Volgens de bankiers is het slechts een kwestie van tijd voordat dit bedrijf afhaakt. Dat zou daar zelfs vanwege de gewijzigde economische omstandigheden op uit zijn. 'Ik vind dit een buitengewoon onverantwoorde handelswijze gelet op het belang van DSB Bank om zijn solvabiliteit naar acceptabeler marges te verhogen, ook vanwege de vooruitzichten voor 2008', schrijft financiële man Jaap van Dijk in zijn brief aan de raad van commissarissen. De verkoop wordt uiteindelijk doorgedrukt, maar dat zorgt weer voor een verslechtering van de relaties.

De belangrijkste fout op dit gebied is eigenlijk dat Scheringa zijn bedrijf niet verkoopt zodat dankzij de schaalgrootte een volgende slag gemaakt kan worden. Daar bestaan in de eerste helft van de jaren negentig voldoende mogelijkheden voor, als ING nog interesse toont in Frisia. Die belangstelling verwatert als men ontdekt dat Scheringa een kunstcollectie aan het opbouwen is. ING vreest een herhaling van het avontuur met Joost Ritman. Deze producent van wegwerpservies bouwde met zijn verzameling hermetica een grote schuld op en moest uiteindelijk faillissement aanvragen.

Als Scheringa in 2000 met de (mislukte) beursgang duidelijk maakt dat hij in elk geval een deel van zijn bezit wil verkopen, kloppen maar liefst zes bedrijven aan in Wognum om hun interesse kenbaar te maken. Rabobank is de eerste die belangstelling toont. Na het uitvoerige boekenonderzoek in verband met de emissie weet dit bedrijf natuurlijk precies wat voor vlees het in de kuip heeft. Na de coöperatieve bank uit Utrecht volgen nog GE Financial Services, de financieringsmaatschappij van General Electric, Banco Santander, Friesland Bank, Citibank en ten slotte weer GE Financial.

GE Financial is in 2000 de tweede partij die zich meldt; het is dan de eerste keer dat serieus over een overname wordt onderhandeld. 'Dit bedrijf had qua cultuur een goede match opgeleverd', zegt een bestuurder uit die tijd. En ook de geboden prijs lijkt op dat moment zelfs volgens Scheringa uitermate lucratief. Hij zit al klaar om de contracten te tekenen, maar krijgt dan op het laatst toch koudwatervrees. Dus komt hij ook in dit geval met aanvullende voorwaarden, waarna zijn gesprekspartners het pand boos verlaten. Zij vragen zich af waar zij in hemelsnaam

Scheringa deelt handtekeningen uit aan jeugdige fans tijdens een training van AZ, 15 april 2009. De zaterdag daarna zal AZ voor de tweede keer in de clubhistorie landskampioen worden. *Foto Olaf Kraak/ANP*

Scheringa en mede-DSB'ers bij de Olympische Winterspelen in Salt Lake City, februari 2002. Marianne Timmer zal daar 8ste op de 500m, 4de op de 1000m en 21ste op de 1500m worden. Vlnr longarts Jaap Westbroek van het schaatsteam, Hans van Goor, Scheringa, Henk Heetebrij. *Fotograaf onbekend*

Alkmaar, 28 juni 2006. Scheringa legt de eerste graszode in het nieuwe DSB-stadion. Het zal op 4 augustus in gebruik worden genomen. *Foto Bas Beentjes/ANP*

Nout Wellink van de Nederlandsche Bank en Hans Hoogervorst van de Autoriteit Financiële Markten op 24 maart 2010 in Den Haag. Eerder die dag spraken zij in de Tweede Kamer over het functioneren van Gerrit Zalm bij DSB Bank. *Foto Ed Oudenaarden/ANP*

20 mei 2008: Scheringa en Gerrit Zalm in betere tijden, op het hoofdkantoor van DSB Bank in Wognum. *Foto Peter Boer/Hollandse Hoogte*

Scheringa verlaat in de nacht van donderdag 15 op vrijdag 16 oktober 2009 het gebouw van de Nederlandsche Bank aan het Frederiksplein in Amsterdam. Hij heeft zojuist gehoord dat DSB niet wordt gesteund door andere banken. *Foto Ed Oudenaarden/ANP*

over hebben onderhandeld. 'Scheringa kan niet verkopen', zegt een bron. 'De partijen werden feitelijk alleen uitgenodigd omdat hij het lekker vond om te weten hoeveel zijn bedrijf waard was.'

Over de belangstelling van Santander is het enthousiasme minder groot in Wognum. Deze Spaanse bank krijgt toestemming voor een boekenonderzoek, maar eigenlijk is van tevoren al duidelijk dat de onderhandelingen op niets gaan uitlopen. Daarvoor zijn de cultuurverschillen te groot en is de prijs die men in gedachten heeft te laag.

Na nog een aantal pogingen begint ook het personeel zich ongerust te maken. Dat is in 2005 reden voor de toenmalige bankdirecteur Ihab el Sayed bij Scheringa belet aan te vragen en hem te overtuigen van de noodzaak van een verkoop. Een groter bedrijf wekt immers meer vertrouwen op de financiële markten en kan goedkoper lenen. Dat maakt het mogelijk meer geld aan te trekken en net als andere banken te profiteren van het verschil tussen de betaalde en ontvangen rente. Op die manier kan het verdienmodel wijzigen en de afhankelijkheid van de koopsompolissen verminderd worden. Scheringa luistert welwillend maar legt het advies naast zich neer.

In het voorjaar van 2007 toont het Amerikaanse Citibank interesse in DSB Bank. Dit bedrijf wil graag zijn vleugels uitslaan in Europa en heeft daar een bedrag van 900 miljoen euro voor over. 'Ik heb hem toen voorgerekend dat de werkelijke waarde van DSB Bank niet meer was dan 200 miljoen euro', zegt een van de financiële medewerkers. 'Verder heb ik hem laten zien dat hij met die 900 miljoen euro al zijn hobby's kon blijven uitoefenen. En dat zonder de hoofdsom aan te tasten, zodat ook zijn kinderen en kleinkinderen zonder geldzorgen konden leven.' Maar Scheringa laat zich ook nu niet overtuigen. 'Tot nu toe is elke bieding hoger geweest dan de vorige', zegt hij. 'Dat zal nog wel een keer gebeuren.'

Het blijkt achteraf een grote vergissing. Na Citibank klopt eigenlijk alleen Friesland Bank uit Leeuwarden nog aan in Wognum, maar dat gaat over een samenwerking, niet over een overname en levert dus niet direct geld op. De grote partijen laten dan niet meer van zich horen, omdat die lucht hebben gekregen van de moeilijkheden bij DSB Bank. Pas na het faillissement doen zij nieuwe pogingen, maar dan proberen zij te profiteren van de noodsituatie en mag Scheringa al blij zijn als hij überhaupt nog een aanbieding krijgt en als hij zelf iets aan die transactie overhoudt. De positie om nog te onderhandelen over de prijs is hij dan allang verloren.

12

Geen vrienden

Dinsdag 3 maart 2009. Grote schrik op de afdeling voorlichting van DSB Bank. In *de Volkskrant* van die ochtend staat een interview met Dirk Scheringa en zijn medewerkers zien de bui al hangen. Niet alleen vertelt Scheringa dat hij bereid is om als gevolmachtigd crisisminister het land te redden, ook laat hij weten dat ING en andere banken die hun hand ophouden in Den Haag onmiddellijk genationaliseerd moeten worden. De voorlichters vrezen dat hij met dergelijke uitlatingen zijn positie overspeelt en zich verder vervreemdt van de financiële wereld. Maar hij zelf ziet geen problemen. Integendeel, Scheringa en Hans van Goor vieren de publicatie als een overwinning. Naar hun idee hebben zij de andere banken weer een mooie hak gezet en vanuit hun kantoor klinken de vreugdekreten.

'Dat interview grensde aan de grootheidswaanzin', zegt een DSB-medewerker uit die tijd nog steeds verbijsterd over de tekst. 'Zonder enig gevoel voor humor trapte hij de andere banken die het door de kredietcrisis toch al zo moeilijk hadden verder de modder in en bovendien roffelde hij luidruchtig op zijn eigen borst.' Zo zegt hij dat onder meer ING, ABN Amro en Fortis de verkeerde bestuurders hebben gehad. 'Aan het roer staan geen ondernemers. Mijn bedrijf heb ik eigenhandig opgebouwd. Alles wat ik al die jaren heb gespaard, zit in mijn bank. Plus: ik heb miljarden euro's van spaarders op de bank staan. Ik zou me niet op straat durven vertonen als daarmee iets gebeurt.'

DSB Bank is zijn eigendom en daarom zal hij zich nooit te buiten gaan aan extreme risico's, zo denkt hij zelf. Hij en zijn vrouw bezitten bijna honderd procent van de aandelen en hij zegt daarom geen dingen te doen die hij niet begrijpt. 'Dat is geheel anders dan bij managers die in opdracht van de aandeelhouders tijdelijk een bedrijf moeten leiden. Daar is de beloning op de korte termijn gesteld. Die mensen krijgen een wereldbonus en halen alles uit de kast om zo snel mogelijk mooie cijfers te laten zien. Dan ga je dingen verzinnen die onverantwoord zijn. Ik ga uit van het gezond verstand, van het fingerspitzengefühl, en laat mij niet leiden door allerhande wiskundige modellen.'

De reacties laten niet lang op zich wachten. Voorzitter Boele Staal van de Nederlandse Vereniging van Banken zegt meteen al dat dit niet de manier is om over collega's te praten. En als de afdeling voorlichting probeert contact te zoeken met bestuursvoorzitter Jan Hommen van ING, blijkt hij onbereikbaar. 'Ik kan hem dat eigenlijk niet kwalijk nemen', zegt de medewerker. 'Wij wilden proberen de uitlatingen van Scheringa te nuanceren, maar Hommen was waarschijnlijk zo geschoffeerd dat hij onze toenaderingspogingen niet meer beantwoordde.' Uiteindelijk wordt het nummer van Hommen wel honderd keer gebeld, maar even zovele keren zijn die pogingen tevergeefs.

Eigenlijk is hier sprake van een herhaling van zetten. Een paar maanden eerder, op woensdag 26 november, wordt Scheringa net als de andere bankbestuurders uitgenodigd om tijdens een hoorzitting in de Tweede Kamer tekst en uitleg te komen geven over de kredietcrisis. Bij die gelegenheid wordt de toppers van vooral ING en Fortis het vuur na aan de schenen gelegd omdat die bedrijven miljarden overheidssteun nodig hebben om te overleven. Met name Michel Tilmant, bij ING de voorganger van Hommen, voelt zich zichtbaar ongemakkelijk. Deze Belg neemt zijn toevlucht tot een technisch verhaal en wordt daarmee voor de volksvertegenwoordiging de verpersoonlijking van alles wat is misgegaan. Tot overmaat is zijn beheersing van de Nederlandse taal onvoldoende en neemt hij zijn toevlucht tot het Engels waardoor hij de afstand tussen hem en de parlementariërs verder vergroot.

Scheringa heeft het juist uitstekend naar zijn zin. Terwijl zijn collega's peentjes zweten, laat hij merken zich niet aangesproken te voelen door de kritiek. 'Wij maken winst, waar de andere banken verlies maken', zegt hij en hij kijkt de Kamerleden recht en vol zelfvertrouwen in de ogen. Als iedereen het voorbeeld van DSB Bank volgt, dan behoort de crisis snel tot het verleden, zo is de kern van zijn betoog. 'Wij bankieren op een veilige manier en nemen niet te veel risico's.' Scheringa weet de volksvertegenwoordigers te overtuigen en na afloop van de bijeenkomst zoeken die tot zijn genoegen zijn gezelschap. De erkenning die daarvan uitgaat raakt hem diep. Niemand kan nu meer om hem heen.

Hij ziet niet dat hij zijn positie in de financiële wereld ondergraaft. 'DSB is niet meer dan een ordinaire woekerfabriek', briest een bankier tegen een journalist van *de Volkskrant* als Scheringa met een lijfwacht de Tweede Kamer verlaat. Bovendien vindt hij dat Scheringa niet de hele waarheid vertelt. Ook DSB Bank heeft immers gesecuritiseerd en kredieten opgeknipt en doorverkocht aan andere partijen. Die techniek wordt gezien als een van de belangrijkste oorzaken van de kredietcrisis. 'Hij speelt de vermoorde onschuld', aldus een van de andere aanwezige bankiers. 'Maar ondertussen heeft ook hij zich schuldig gemaakt aan de ellende. Vervolgens weigert hij daar zijn verantwoordelijkheid voor te nemen.'

'Scheringa heeft altijd met veel plezier de conventies in de financiële wereld getart', zegt een voormalige bankbestuurder.

'Met zijn eeuwige geitenwollen sokken bijvoorbeeld. Alsof hij de hele tijd wilde zeggen dat hij een gewone jongen was gebleven en geen lid was van de elite. Daarmee impliceerde hij tevens dat hij anders was dan wij en dat wij onze wortels waren verloren en ons te buiten waren gegaan aan onverantwoord gedrag. Wij liepen volgens hem met onze neus in de wind. Die beledigingen heb ik als pijnlijk ervaren, hij deed nooit mee. Dan moet hij achteraf niet klagen dat hij als een paria werd behandeld. Als dat al zo is, dan heeft hij het daar zelf naar gemaakt.'

Bijvoorbeeld door weinig begrip te tonen voor de gevoeligheden van zijn gesprekspartners. In 2005 organiseert Triodos op zijn hoofdkantoor in Zeist een bijeenkomst voor de kleinere banken van de Nederlandse Vereniging van Banken, een belangenorganisatie van de sector. Triodos profileert zich met zijn maatschappelijke betrokkenheid, heeft de duurzaamheid hoog in het vaandel staan en heeft daarom het hoofdkantoor bij wijze van spreken driedubbel geïsoleerd met natuurlijke materialen. Voor Scheringa is het geen bezwaar om naar deze vergadering af te reizen met de helikopter, milieutechnisch niet bepaald het meest verantwoorde vervoermiddel. Hij heeft haast en wil zich zo snel mogelijk verplaatsen. Dat hij zich op die manier geheel buiten de orde beweegt, dringt volgens diverse bronnen waarschijnlijk niet eens tot hem door.

De activiteiten van Scheringa bij de Nederlandse Vereniging van Banken leveren een ander inkijkje op in de denkwijze van de man uit Wognum. Hij wordt lid van deze exclusieve club in 2000, als de bankdochter de eerste bankvergunning krijgt. Vanaf dat moment mag hij meepraten over de kwesties die de sector in het algemeen raken. Maar van het begin af aan zit hij daar voornamelijk voor zijn eigen voordeel. Zo is het de bedoeling dat iedereen een bijdrage levert aan het netwerk van dure pinapparaten, maar dat weigert Scheringa. Lange tijd heeft zijn bank tegenover het klooster slechts één uitgiftepunt. Later komt daar slechts een drietal bij, onder meer in het nieuwe stadion van AZ. Op die manier deelt hij niet in de kosten die gemaakt moeten worden, maar kunnen zijn klanten wel overal geld opnemen. Niet zo vreemd dat hij binnen de vereniging als een stoorzender wordt ervaren.

Al veel eerder wordt een aantal hooggeplaatste mannen van ING voor overleg in Wognum ontvangen. Scheringa is bij de opening van deze vergadering aanwezig en vertelt dan over de regeling die hem het meest geschikt lijkt. Vervolgens staat hij tot verbijstering van de bankiers en zijn medewerkers op en verlaat hij zonder een woord te zeggen de kamer. Achteraf blijkt hij thuis te zijn gaan lunchen. Na een paar uur komt hij terug en informeert dan niet naar de conclusie van de bespreking maar deelt het gezelschap mee dat het vervolgtraject precies volgens zijn eerste voorstel gaat verlopen. Dan rest de bezoekers weinig anders meer dan te vertrekken. Bij de medewerkers van DSB staat het schaamrood op de kaken.

Ook voor de Nederlandsche Bank toont DSB Bank weinig ontzag. Elke keer als de vertegenwoordigers in Amsterdam worden uitgenodigd voor een ontspannen overleg, laten de bestuurders van het bedrijf uit Wognum zich vergezellen door advocaten. Scheringa lijkt absoluut niet te beseffen dat hij de centrale bank te vriend moet houden. Tweede man Hans van Goor maakt het bij die bijeenkomsten het bontst door de directeuren van de Nederlandsche Bank soms op dwingende toon mee te delen dat zij absoluut niet het recht hebben het verdienmodel van DSB te bepalen. Op die manier wordt de zaak steeds op de spits gedreven en komt van een rustige uitwisseling van gedachten en standpunten weinig terecht.

Voor Scheringa is alleen de wet van belang, aan ongeschreven regels en het poldermodel heeft hij geen boodschap. En ook de toezichthouders kan hij maar moeilijk serieus nemen. Hij maakt vaak een vergelijking met een roeiwedstrijd waarin Nederland uitkomt tegen Japan. In de Japanse boot zitten acht roeiers, maar het Hollandse team kiest voor zeven roeiers en een stuurman. Als de wedstrijd wordt verloren, is de conclusie niet dat de nederlaag ligt aan onvoldoende spierkracht aan de spanen, maar aan een gebrekkig toezicht. Dus gaat de boot de volgende keer van start met zes roeiers en twee stuurlui, waarbij de tweede controleert of de eerste zijn werk wel goed doet.

Deze anekdote die eens in de zoveel maanden van stal wordt gehaald, illustreert de houding van Scheringa ten opzichte van het toezicht. Zo vat hij het plan op om in alle Europese landen vestigingen van zijn bedrijf te beginnen. Dat is een stap waar normaal ruim van tevoren met de Nederlandsche Bank over gesproken moet worden omdat die gevolgen kan hebben voor de solvabiliteit. Maar Scheringa ziet het belang niet van een dergelijk overleg en wil de toezichthouder alleen van de uitbreiding op de hoogte brengen. Met veel moeite wordt hij door een toenmalige medewerker van de bankdochter van deze eenzijdige stap afgehouden. 'Een dergelijke mededeling zou veel kwaad bloed hebben gezet. En dat terwijl onze relatie met de Nederlandsche Bank toch al niet zo goed was.'

Een ander voorval speelt zich af in 2007. In dat jaar wil DSB Bank drie bedrijven overnemen: internetsite Click4Sales en intermediairs Gema en DGA. Langs die weg moeten meer leningen worden verstrekt en moet de omzet verder worden opgeschroefd. De Nederlandsche Bank weigert echter een verklaring van geen bezwaar te verstrekken voor alle drie de overnames. De te betalen goodwill zou in de ogen van de toezichthouder namelijk te veel drukken op de solvabiliteit. Alleen voor de acquisitie van Click4Sales wordt uiteindelijk toestemming verleend. Scheringa legt zich niet neer bij die beslissing van de toezichthouder en verzint een list. Hij laat Gema en DGA niet kopen door DSB Bank maar door beheermaatschappij DSB Beheer. Die aankoop wordt vervolgens gefinancierd door DSB Bank met een tweetal leningen van samen 17 miljoen euro.

Scheringa zegt in het rapport dat de Commissie Scheltema een jaar na de val van DSB Bank heeft uitgebracht, dat deze constructie door de Nederlandsche Bank was aanbevolen. Volgens hem en andere medewerkers van het bedrijf waren de onderhandelingen met Gema en DGA al in een vergevorderd stadium en zou het stopzetten van de besprekingen hebben gezorgd voor wantrouwen in de markt over de financiële gezondheid van DSB. Om erger te voorkomen zou de toezichthouder toen hebben aangeraden de route via DSB Beheer te bewandelen. De Nederlandsche Bank laat tegenover Scheltema weten zich die gang van zaken niet te kunnen herinneren.

Verder heeft de Nederlandsche Bank al lange tijd klachten over het bestuursmodel bij DSB. Net als bij voetbalclub AZ en bij het museum is hij zowel eigenaar als bestuursvoorzitter. In de laatste positie is hij verantwoording schuldig aan de raad van commissarissen, maar die kan hij als aandeelhouder ontslaan. Dat leidt volgens de autoriteiten tot een gebrekkig toezicht en alleenheerschappij van Scheringa. Lange tijd ziet die daarin geen probleem: wanneer de zeggenschap in zijn handen is, kan hij bij conflicten de knoop snel doorhakken zodat de organisatie slagvaardig blijft. Pas als hem de duimschroeven worden aangedraaid, vraagt hij financieel bestuurder Gerrit Zalm hem op te volgen als bestuursvoorzitter. Maar dan is het al eind 2008 en heeft Zalm een maand eerder van minister Wouter Bos van Financiën het aanbod gekregen om leiding te gaan geven aan ABN Amro.

Eigenlijk speelt de onenigheid al sinds 2003. Zo laat de toezichthouder op 2 april van dat jaar weten zich niet gemakkelijk te voelen over de ontwikkelingen bij en de groei van DSB. Tijdens dat gesprek komen onder meer de administratieve organisatie, het risicobeheer, het beheer van de liquiditeit en de positie van de raad van commissarissen aan de orde. In een reactie stelt Scheringa het niet met die kritiek eens te zijn. Toch wordt op dat moment wel de hulp van twee externe adviseurs ingeroepen. Maar dat betekent niet dat de pijnpunten van de Nederlandsche Bank op een adequate wijze worden geregeld. Door het vertrek van Reggie de Jong als verantwoordelijke voor de ICT bijvoorbeeld, bestaat de raad van bestuur nog maar uit drie mensen, waarvan twee uit de verkooporganisatie. Tot frustratie van de toezichthouder blijft het zwaartepunt binnen het bedrijf daarmee bij de stimulering van de omzet liggen, niet bij het afdekken van de gevaren.

Later dat jaar verricht de Nederlandsche Bank zelfs een onderzoek naar het bestuur of de governance bij DSB Bank. De toezichthouder komt daarbij tot de conclusie dat de transparantie gebrekkig is en dat verbeteringen dringend nodig zijn wat betreft het functioneren van de raad van commissarissen. Die mening wordt door Scheringa niet gedeeld, naar zijn idee is de organisatiestructuur volstrekt in orde. Gedwongen door de omstandigheden zegt hij toe een aantal zaken te zullen veranderen, maar dat gaat niet van harte en de verbeteringen laten lang op zich wachten. Volgens de medewerkers van DSB Bank is pas in 2007, na het vertrek van Jaap van Dijk, sprake van echt slechte verhoudingen met de Nederlandsche Bank.

De relatie met de Autoriteit Financiële Markten (AFM) is al langer beneden peil. Deze toezichthouder moet toezien op de producten van DSB en constateert ten aanzien van Hollands Welvaren, de aandelenleaseconstructie van het bedrijf uit Wognum, een gebrekkige informatievoorziening. Bovendien worden deze producten verkocht zonder dat afdoende wordt gecontroleerd of die wel passen in het risicoprofiel van de klanten. In 2004 krijgt

DSB daarom twee bestuurlijke boetes. En in 2005 wordt vanwege de overtreding van een aantal procedures zelfs aangifte gedaan bij het openbaar ministerie, met als gevolg dat Dirk Scheringa en financiële man Jaap van Dijk verdachten zijn in een strafrechtelijk onderzoek.

Deze situatie dreigt DSB in dat jaar parten te gaan spelen bij de toekenning van de bankvergunning. Voordat de documenten worden verstrekt, wint de Nederlandsche Bank informatie in bij het Expertise Centrum Integriteit (ECI) over de betrouwbaarheid van de bestuurders. Het ECI adviseert de betrouwbaarheid van Scheringa en Van Dijk niet 'buiten twijfel te stellen', maar vindt de overtredingen niet zwaar genoeg om met een negatief oordeel te komen. Wel wordt daarbij opgemerkt dat de combinatie en herhaling duidt op een patroon van niet-integer handelen, mede veroorzaakt door een gebrekkige opzet en werking van de administratie.

De Nederlandsche Bank neemt dit oordeel na lang beraad niet over. Volgens de toezichthouder zijn de regels ten aanzien van de betrouwbaarheid nogal rigide geformuleerd en is inmiddels sprake van voortschrijdend inzicht. Om steun te krijgen voor dit oordeel wordt telefonisch contact opgenomen met een bestuurder van de AFM, die laat weten geen bezwaar te hebben tegen de verstrekking van de vergunning. Dan is de betrouwbaarheid van de bestuurders niet langer een formele kwestie en kan op 21 december 2005 de bankvergunning uiteindelijk toch worden verstrekt. Tot verrassing van DSB Bank worden daarbij geen nadere voorwaarden gesteld.

Dat betekent overigens niet dat de verhoudingen daarna optimaal zijn. Vanaf 2007 krijgt Scheringa het gevoel dat hij onterecht in diskrediet wordt gebracht door de Nederlandsche Bank en door de Autoriteit Financiële Markten. Hoewel ook andere banken koopsompolissen verkopen, krijgen die aanmerkelijk minder uitbranders van deze toezichthouders.

Zo blijkt bijvoorbeeld uit een onderzoek dat de AFM in dat jaar uitvoert dat de Postbank vaker een te hoge hypotheek verstrekt dan DSB Bank. Toch komt de ING-dochter veel minder vaak vanwege overkreditering in de publiciteit dan het bedrijf uit Wognum. In de ogen van Scheringa is het buitengewoon merkwaardig dat de resultaten van deze steekproef niet met de media worden gedeeld. Hij gelast een onderzoek naar de medewerkers van AFM en de Nederlandsche Bank. Uit het feit dat daar veel mensen werken die afkomstig zijn van bijvoorbeeld ABN Amro of Rabobank blijkt naar zijn idee dat hij slachtoffer is van een complot. 'Dirk moest het veld ruimen', zegt een medewerker. 'Dat was voor mij aan geen enkele twijfel onderhevig. En dat terwijl hij een vergunning had en dus net als de andere banken jaarlijks werd gecontroleerd.'

Scheringa blijft de jaren daarna hosanna roepen over de resultaten van zijn bedrijf, terwijl zijn collega's allang weten dat de kwaliteit van de winst in rap tempo verslechtert. Zij kunnen immers ook de balans en de winst- en verliesrekening van DSB Bank lezen. In 2007 bijvoorbeeld komt het resultaat uit op 55 miljoen euro, maar een groot deel daarvan is te danken aan de fietsverzekeraars. Die bedrijven worden in dat jaar verkocht voor bijna 22,5 miljoen euro, een mooi bedrag, maar toch niet meer dan een eenmalige bate.

In 2008 wordt de situatie nog nijpender. Dat jaar komt het resultaat voor belastingen uit op 57,45 miljoen euro. Wanneer van dat bedrag de met de koopsompolissen verdiende 82,5 miljoen euro wordt afgetrokken, is DSB al in de rode cijfers gedoken. De reguliere bankactiviteiten zijn zwaar verlieslatend, en dat levert een ernstige situatie op. Nu de koopsompolissen in de samenleving steeds meer kritiek oproepen en op den duur een verbod onvermijdelijk is, zal het bedrijf uit Wognum naarstig op zoek moeten naar een verdienmodel waarbij het verschil tussen de ontvangen en de betaalde rente een grotere rol gaat spelen.

De inkoop van eigen schulden heeft een positieve invloed op de cijfers over 2008. Beleggers die obligaties hebben gekocht van DSB Bank nemen, waarschijnlijk in verband met de financiële crisis, genoegen met een lagere uitkering. Van de schuld van 200 miljoen euro hoeft maar 163 miljoen te worden afgelost. Deze constructie levert Scheringa een batig saldo op van 37 miljoen euro, dat hij bij de winst mag optellen. Zonder deze en andere eenmalige meevallers zou zijn bedrijf net als de andere banken in zwaar weer zitten. De collega's van Scheringa zien daarom geen reden voor hem om zo hoog van de toren te blazen, en hebben geen zin zich door hem de les te laten lezen. Maar zij kunnen hun ergernis niet publiekelijk tot uitdrukking brengen omdat het niet gebruikelijk is in het openbaar over de activiteiten en problemen van andere banken te spreken.

De verdrongen ergernis uit zich in een heimelijk gegniffel om het gebrek aan financiële kennis van Scheringa. Zo verklaart hij herhaaldelijk dat zijn bedrijf van kredietbeoordelaars als Moody's en Standard & Poor's het hoogste oordeel heeft gekregen. Maar vanwege de daaraan verbonden kosten heeft DSB helemaal geen rating van deze bedrijven. Alleen het schuldpapier dat Scheringa uitgeeft, zit lange tijd in de hoogste categorie. 'Kennelijk begreep Scheringa het verschil niet', zegt een ervaren bankier. 'Maar het onderscheid is groot en om serieus genomen te worden, had hij dat eigenlijk moeten weten.'

Als in 2009 de ondergang nadert, spreekt Scheringa herhaaldelijk zijn verbijstering uit over de gang van zaken. Zijn bedrijf heeft immers niet alleen altijd winst gemaakt, maar heeft bovendien nog ongeveer 250 miljoen euro in kas. Volgens hem is het onbegrijpelijk dat met een dergelijke balans het faillissement dreigt te worden uitgesproken. Ook daar maakt Scheringa een belangrijke vergissing. In werkelijkheid heeft hij het geld niet in kas, maar heeft hij het over het eigen vermogen. En aangezien dat geld dient als garantie voor de spaartegoeden, kan dat absoluut niet als een bewijs voor de financiële gezondheid van DSB worden opgevoerd.

Niet alleen wat betreft de resultaten van DSB Bank, maar ook op andere gebieden blijkt Scheringa een meester van de halve waarheden. Een van de bronnen zegt een keer om het gesprek vlot te trekken dat hij heeft gehoord dat Scheringa een vakantiehuis heeft in Frankrijk. 'Niks van waar', luidt het bitse antwoord. Daarbij verzuimt Scheringa te vertellen dat deze woning in Spanje staat en de conversatie is direct beëindigd. 'Kennelijk wilde hij niet dat de buitenwereld zou weten van dit vakantiehuis, de meeste gewone mensen hebben daar immers ook niet de beschikking over. De beeldvorming was heilig bij hem. Maar ik heb geleerd dat een halve waarheid ook een leugen is. Bij Scheringa wist je eigenlijk nooit waar je aan toe was. Dat maakte het erg lastig om met hem om te gaan.'

Scheringa wordt extra kwetsbaar door de lange rij van directeuren die in de loop van de tijd het bedrijf verlaten. Eugénie Krijnsen, Ihab el Sayed, Peter Cornet, Jaap van Dijk, Reggie de Jong en later natuurlijk Frank de Grave zijn daar voorbeelden van. Niet dat deze mensen met hun verhalen naar de media stappen, maar wel vertellen zij hun collega's in hun nieuwe werkomgeving over de toestanden bij DSB Bank. De frustraties zijn over het algemeen te groot om alleen te verwerken. De geruchtenvorming in de financiële wereld en Scheringa's geïsoleerde positie daarin krijgen daardoor een extra impuls.

Dat blijkt bijvoorbeeld op de nieuwjaarsreceptie van Van Lanschot Bankiers in Den Bosch. De genodigden wonen eerst een klassiek concert bij en krijgen daarna een maaltijd en een drankje. Ook Scheringa en zijn vrouw wonen dit programma bij, maar maken eigenlijk een verloren indruk tijdens dit evenement. Terwijl de andere bankiers geanimeerd met elkaar praten, staan zij het grootste deel van de avond alleen. 'Ik vroeg mij af waarom hij op deze uitnodiging was ingegaan', zegt een van de gasten. 'Hij had het zo duidelijk niet naar zijn zin en paste die avond absoluut niet in het gezelschap.'

Het helpt in dit soort situaties niet dat Scheringa weinig gevoel voor humor heeft. Hij maakt nooit een grapje over bijvoorbeeld zijn geitenwollen sokken of zijn schaatstochten. 'Het zou erg geholpen hebben als hij zijn imago eens relativeerde', zegt een bankier. 'Eigenlijk zat iedereen daarop te wachten. Maar hij kon niet om zichzelf lachen. Hij was een bewuste outsider, een linksbuiten met een vrije rol die weigerde de bal over te spelen naar mensen die in een betere positie staan. Op die manier maak je je natuurlijk niet geliefd in het team.'

De advertenties voor DSB Bank op televisie en voor Becam en Postkrediet in de weekbladen roepen nog wel de meeste ergernis op. Die tonen altijd gelukkige gezinnen die dankzij het bedrijf van Scheringa eerder over een nieuwe keuken kunnen beschikken of een groter huis kunnen kopen. En dat alles tegen minimale kosten zodat mensen eigenlijk een dief van hun eigen portemonnee zijn als zij geen krediet opnemen. Bovendien worden altijd prijsvergelijkingen gemaakt met andere banken. Dat Scheringa alleen dankzij de aan de leningen gekoppelde koopsompolissen als goedkoopste uit de bus kan komen, blijft onvermeld. Op die manier positioneert Scheringa zich in de ogen van zijn collega's als een soort verkoper van wasmiddelen en tast hij de eer van de sector aan. 'Hij heeft geen enkele schroom om geld uit te lenen aan minvermogenden die moeten sappelen om hun schulden weer terug te betalen', zegt een bankier.

'Scheringa heeft Nederland leren lenen', vervolgt hij. 'Toen ik met mijn carrière begon was de regel dat we nooit meer dan drieenhalf keer het jaarinkomen aan hypotheek verstrekten. Ook werd toen geen geld geleend om een verre reis te maken. DSB Bank heeft die normen opgerekt.' Weliswaar bestaat bewondering voor de marketingmachine die Scheringa heeft gecreëerd, maar verder spreekt de financiële sector toch vooral van ordinaire colportage. 'Hij volgde het Angelsaksische model waarin mensen uitsluitend zelf verantwoordelijk zijn voor hun financiën, terwijl wij meer voelden voor de bescherming die uitgaat van de Rijnlandse vorm. Dat was een groot verschil tussen hem en de andere bankiers.'

Dit verschil speelt ook een rol in de verhouding tussen DSB Bank en de Autoriteit Financiële Markten. De toezichthouder geeft vooraf geen concrete regels en vindt dat de aanbieders zelf oplossingen moeten vinden die passen binnen de moraal. Scheringa daarentegen voelt veel meer voor het Amerikaanse systeem waarin sprake is van duidelijke voorschriften en waarin alles wat niet wordt verboden geoorloofd is. 'Het is alsof je een jaar lang door groen licht rijdt', zegt hij in een toelichting op zijn visie over de open normen, 'en dan ineens te horen krijgt dat het niet had gemogen. Vervolgens krijg je een boete.'

Daartegenover staat dat Scheringa in diverse interviews voor de invoering van het vak 'huishoudboekje' op de lagere school pleit. Want als mensen al op jonge leeftijd leren omgaan met geld, kunnen zij hun verantwoordelijkheid nemen en zijn allerhande 'betuttelende' maatregelen niet meer nodig. Dan hoeven aan DSB geen beperkingen te worden opgelegd. Ondanks dit pleidooi is in Wognum nooit een initiatief genomen om lesmodules te ontwikkelen.

Toch is de kritiek op het leenbeleid van DSB een wel erg beperkte verklaring voor de behandeling die Scheringa van de elite krijgt. De andere banken verkopen immers dezelfde kredieten en dezelfde koopsompolissen als het bedrijf uit Wognum. 'Voor morele verontwaardiging bestaat geen reden', zegt een man die aan de derivatenkant van de financiële sector actief is. 'Ik ken toevallig de letselschadecontracten van de andere banken. Daar lusten de honden ook geen brood van. Al die ophef over Scheringa getuigt naar mijn idee vooral van boter op het hoofd. Het leven wordt een stuk eenvoudiger wanneer sprake is van een gemeenschappelijke vijand. Op die manier kunnen de andere banken de aandacht afleiden van de vervelende producten die zij zelf in de markt hebben gezet.'

Deze specialist maakt de vergelijking met ondernemers als Joop van den Ende, John de Mol, Alex Mulder van uitzendbureau USG People en Dirk Valerio van Crucell. 'Deze mensen hebben veel succes, maar zijn nooit echt deel geworden van het establishment. Eigenlijk is Nederland een erg starre klassenmaatschappij met weinig opwaarts potentieel. Zo was ik een keer op een feestje waar hij ook aanwezig was. Toen hij vertrok, hoorde ik iemand fluisteren: "Hij blijft toch anders, hè." In de Verenigde Staten is dat anders. Daar kan een man die zijn geld heeft verdiend in de baggerindustrie opklimmen tot ambassadeur.

Ik sprak een keer met een doorgaans rustige man die zich vreselijk stond op te winden over Scheringa en zijn bedrijf. Die zouden volgens hem echt niet deugen. Als enige argument noemde hij daarbij dat de rekeningen laat betaald werden door DSB Bank. Als het om iemand anders was gegaan, dan had hij waarschijnlijk gezegd dat de kasmiddelen op een efficiënte manier werden beheerd. Volgens mij is hier ook een soort biologisch mechanisme actief dat bepaalt dat buitenstaanders niet tot de groep worden toegelaten.'

Binnen de groep is daarentegen veel mogelijk. Neem Thierry Schaap en Kalo Bagijn. Deze twee oprichters van Binck Bank hebben de winstmarges van de gevestigde orde op het gebied van effectentransacties ook behoorlijk aangetast. En ook Binck kreeg van de elite veel kritiek over de methode en de pesterige reclames. Maar deze mannen blijven meer dan Scheringa deel van de financiële gemeenschap. 'Zij zijn minder sluw-slim dan Dirk', zegt een bankier. 'Dat is een groot verschil. In de eerste plaats kunnen zij ook af en toe om zichzelf lachen. En waar Schaap en Bagijn weten dat zij zich niet altijd star moeten opstellen en af en toe ook wat moeten geven, wil Scheringa alleen maar nemen en profiteren.'

Het feit blijft dat Scheringa het de bankiers niet makkelijk maakt om van hem te houden. In de eerste plaats omdat hij een groot deel van de kredietmarkt naar zich toe haalt en hij de andere partijen pijn doet met zijn prijsstelling. De hypotheken worden relatief goedkoop verkocht en de spaarrentes zijn in verhouding tot de concurrentie hoog. Dit verdienmodel wordt mogelijk gemaakt met de opbrengsten van de koopsompolissen. Daarbij hoeft hij niet zo goed te letten op de kredietwaardigheid van zijn klanten omdat de slechte leningen worden doorgeplaatst. De concurrentie moet hem wel volgen met de tarieven omdat zij anders nog meer marktaandeel verliest.

In de tweede plaats gebruikt Scheringa volgens zijn bankcollega's oneerlijke methoden. Zo legt hij consequent uitsluitend de nadruk op de maandlasten. Als een klant wordt gebeld, wordt hem voorgerekend hoeveel hij bij DSB kan besparen ten opzichte van andere banken. Dat blijkt een succesvolle strategie omdat de meeste mensen alleen zijn geïnteresseerd in de hoogte van de maandelijkse aflossing en dus in de hoeveelheid geld die zij overhouden voor hun overige uitgaven. Dat het voordeel bij Frisia en later DSB Bank ten koste gaat van een langere looptijd, en dat de rentes na verloop van tijd kunnen worden verhoogd, dringt tot de meeste klanten niet door.

Deze lange looptijd biedt DSB een extra voordeel omdat de aan de kredieten gekoppelde verzekeringen duurder worden. Voor de verstrekker is het risico op wanbetaling immers groter wanneer mensen over meerdere jaren terugbetalen dan wanneer zij dat binnen een aantal maanden doen. Voor Scheringa is dit een lucratieve constructie omdat hij over deze verzekeringen een grote provisie incasseert en in de begintijd bovendien geen last heeft van het risico omdat de verzekering bij andere maatschappijen wordt ondergebracht. Zo komt het voor dat mensen over een krediet van 15.000 euro bijna 2500 euro of ruim 16 procent aan verzekeringspremie betalen.

Gegeven alle kritiek op zijn methoden is het eigenlijk geen wonder dat Scheringa al in 1994 breekt met de Vereniging van Financieringsmaatschappijen. Bij deze stap laat hij weten dat de voorwaarden van deze brancheorganisatie leiden tot te veel voorschriften die de vrije ondernemingsgeest geen kans geven. De gedragscode uit 1993 is het breekpunt. Die bepaalt dat de kredietverstrekkers jaarlijks een aflossing van minimaal twee procent moeten eisen. Dit om te voorkomen dat de lening nog loopt als de nieuwe keuken of de auto al is afgeschreven. Door de vereniging te verlaten acht Scheringa zich ontslagen van deze verplichting en blijft hij aflossingsvrije kredieten met lagere maandlasten aanbieden.

Later weigert Scheringa zich aan te sluiten bij belangenorganisaties. In 2002 is door de Europese regelgeving een gedragscode en een geschillencommissie voor intermediairs slechts een kwestie van tijd. Gedwongen door de tijdgeest besluit de sector tot zelfregulering in de vorm van de Gedragscode Informatie Dienstverlening, een maatregel waardoor de financiële ombudsman in geval van conflicten als arbiter kan optreden. Die mogelijkheid heeft hij niet in het geval van DSB Bank, omdat

Scheringa tot onvrede van de concurrentie zich niet wil committeren aan deze code. Het lijkt hem weliswaar een belangrijk tijdelijk voordeel op te leveren, maar versterkt ook zijn geïsoleerde positie.

13

Storm op komst

Zomer 2007. Tot verbijstering van de financiële wereld raakt een investeringsfonds van de Amerikaanse zakenbank Bear Stearns in grote problemen. De managers hebben zwaar ingezet op derivaten die hun waarde indirect ontlenen aan de totaal verziekte Amerikaanse hypotheekmarkt. Jarenlang groeien de bomen tot in de hemel en worden door banken ook bij geringe salarissen gigantische bedragen uitgeleend. Deze instellingen lopen volgens de strategen geen enkel gevaar omdat zij in geval van nood altijd nog het onderpand met winst kunnen verkopen. Maar nu de huizenprijzen voor het eerst sinds jaren dalen, kan dit spelletje niet langer worden gespeeld.

Bear Stearns is niet het enige slachtoffer. Vrijwel alle banken en verzekeringsmaatschappijen hebben grote belangen op de Amerikaanse hypotheekmarkt en moeten fors afschrijven op hun portefeuilles. De belangrijke investeringsbank Lehman Brothers blijkt zelfs niet in staat het hoofd boven water te houden. Dit bedrijf moet op 15 september 2008 het faillissement aanvragen. Het veroorzaakt een schokgolf in de financiële wereld en de internationale overheden besluiten met grootschalige steunoperaties de sector te hulp te schieten. Als zij dat niet doen, valt de kredietverlening stil en dreigt een crisis die alleen vergelijkbaar is met de economische depressie van de jaren dertig van de vorige eeuw.

Het nietige DSB Bank in Wognum lijkt zich daarentegen aan de situatie te onttrekken. 'Wij hebben nooit geïnvesteerd in de Amerikaanse hypotheekmarkt', zegt Scheringa in april 2009 met gepaste trots. 'Op dergelijk schuldpapier hebben we dus nooit hoeven afschrijven.' Ter verklaring van deze strategie wijst hij op de eigendomsstructuur van DSB, die hem naar zijn idee voorzichtiger maakt dan andere bankiers. 'Ik zou mijn spaarders nooit onder ogen durven komen als ik hun geld zou verspelen. Mijn eigen vermogen zit in de bank, dat maakt mij misschien iets behoudender dan de collega's.' Verder speelt ook zijn intuïtie een grote rol. 'Ik lees veel, krijg een constante stroom van informatie binnen en verwerk die met gevoel. En ik doe nooit dingen die ik niet begrijp.'

Toch heeft de crisis ook grote gevolgen voor DSB. Het bedrijf wordt vooral slachtoffer van het wantrouwen dat zich in sneltreinvaart in de financiële wereld verspreidt. Voordat de hypotheekportefeuilles door banken aan andere banken en institutionele beleggers worden verkocht, zijn die in diverse tranches opgeknipt. Daardoor kan de koper kiezen voor een product met een grote of een kleine kans op wanbetalingen. Dit zorgt volgens de wiskundige modellen voor een daling van het totale risico zodat de hypotheeklasten voor de burgers uiteindelijk lager uitvallen dan voor de introductie van de zogenoemde securitisaties. Maar door de crisis verdwijnt het vertrouwen en is geen enkele bank nog bereid om portefeuilles van collega's te kopen. Ook durven zij elkaar geen geld meer uit te lenen.

Daarmee valt voor DSB Bank een belangrijke financieringsbron weg. Uit het rapport van de Commissie Scheltema, die een onderzoek naar de ondergang van het bedrijf heeft ingesteld, blijkt dat sinds het najaar van 2007 geen nieuwe schuldbewijzen meer zijn geplaatst bij investeerders. Aan het einde van dat jaar is de portefeuille van gesecuritiseerde kredieten ongeveer 3,7 miljard euro, ofwel 67 procent van het totaal aan uitstaande leningen. Kort voor het faillissement in september 2009 is dat bedrag afgenomen tot 2,4 miljard euro, nog slechts 33 procent van de kredieten. Met andere woorden, voor de nieuwe activiteiten moet het bedrijf dringend op zoek naar een andere bron.

Gelukkig worden de problemen door DSB Bank al in een vroegtijdig stadium onderkend. 'In mei 2007 gingen wij naar een congres in Barcelona', kan een financiële man van DSB zich herinneren. 'Op de terugweg zeiden wij tegen elkaar dat dit niet lang goed kon gaan. Alle banken bulkten van het geld en iedereen zocht een bestemming. Zelfs voor de securitisatieportefeuilles uit de laagste categorie werden belachelijke prijzen betaald. Dat voelde erg onbehaaglijk.' Een paar maanden later, als in juli en augustus deze markt volledig in elkaar klapt, wordt het voorgevoel bewaarheid. Dan zijn de voorbereidingen om andere bronnen aan te boren al in volle gang.

De pijlen worden vooral gericht op de spaarmarkt. 'Wij voelden dat het steeds moeilijker zou worden om aan geld te komen en hebben de spaartarieven verhoogd en nieuwe producten zoals de Zilvervloot en termijndeposito's geïntroduceerd', zegt Scheringa. Hij is een geboren marketeer en weet ook in deze onzekere tijd de juiste toon te treffen door nadruk te leggen op degelijkheid. 'Tijdens het hoogtepunt van de malaise, in september en oktober van 2008, kregen wij ongeveer 10.000 nieuwe spaarklanten per week.' DSB Bank kan op dat moment nog als een van de weinige banken winsten rapporteren en dat geeft vertrouwen bij de doelgroep.

Het aantrekken van spaargelden is daarom buitengewoon succesvol. Van 2007 op 2008 verdubbelt deze post op de balans van 1,6 naar 3,2 miljard euro. Daarbij speelt de komst van Gerrit Zalm een grote rol. Hij heeft als voormalig minister van Financiën een betrouwbaar beeld weten op te bouwen en dat imago straalt nu af op DSB. Met als gevolg dat de spaartegoeden in die periode zelfs meer toenemen dan nodig is om de groei van de kredietverlening te bekostigen.

Maar in 2008 verandert de situatie. In dat jaar groeien de uitstaande kredieten met 1,2 miljard euro of 23 procent. Tegelijkertijd dalen de securitisaties met 0,9 miljard euro. 'Het verschil van 2,1 miljard euro dat door deze tegengestelde beweging wordt veroorzaakt, is gefinancierd door de aanwending van beschikbare liquiditeiten van 1,1 miljard euro, de toename van spaartegoeden met 0,7 miljard euro en het oplopen van de overige schulden', schrijft de Commissie Scheltema in haar eindverslag. Maar deze constructie biedt geen blijvende oplossing. De beschikbaarheid van liquiditeiten heeft volgens Scheltema namelijk een eenmalig karakter en wordt naar zijn idee onder meer veroorzaakt door de beëindiging van een financiële overeenkomst met de Amerikaanse zakenbank Morgan Stanley.

Scheringa moet een andere weg vinden om aan de financiële behoeftes te voldoen. In de loop van 2008 worden voorbereidingen getroffen om het vermogen te versterken door de plaatsing van eeuwigdurende obligaties. De financiële afdeling van DSB Bank schat de opbrengst op een bedrag tussen de 75 en 125 miljoen euro. Maar door de traagheid van DSB Beheer wordt het prospectus pas goedgekeurd als de marktomstandigheden verder zijn verslechterd en de plaatsing geen succes meer kan opleveren. De raad van bestuur rest dan weinig anders dan deze procedure af te gelasten. Naar buiten toe wordt gezwegen, maar intern trekt Scheringa de credits voor dit besluit naar zich toe en doet hij volgens een medewerker net alsof hij zelf alle consequenties heeft doorgerekend. 'Het was net alsof hij nooit een advies van anderen had gehad.'

Zowel op het gebied van de solvabiliteit, de omvang van het

garantiekapitaal ten opzichte van de verplichtingen, als de liquiditeit, het gemak waarmee de bank kan voldoen aan de verplichtingen op korte termijn, ontstaan problemen. Voor de financiering van de activiteiten is DSB sterk aangewezen op spaargeld, maar uit de andere kant van de balans blijkt dat het bedrijf in toenemende mate hypotheken gaat financieren. Eind 2008 heeft DSB voor bijna 6,8 miljard euro aan kredieten uitstaan, waarvan bijna 5,5 miljard euro of ongeveer 80 procent hypotheken betreft. Dit heeft tot gevolg dat langlopende kredieten zijn gefinancierd met geld dat op een kortere termijn door de klanten kan worden opgeëist. In het jargon is sprake van een mismatch.

Dat uit zich bijvoorbeeld duidelijk in de ratio's die worden bijgehouden om de verhouding tussen de uitstaande kredieten en het eigen vermogen te beoordelen. Als meer leningen worden verkocht, moet het garantievermogen ook meegroeien. En als de kredieten een langere looptijd hebben of aan meer risico's blootstaan, worden aan de garanties strengere voorwaarden gesteld. De BIS is het meest gebruikte verhoudingsgetal om de financiële gezondheid van een bank in kaart te brengen. Bij DSB Bank geldt 11 als streefpercentage en 10,5 als absolute bodem, waarbij de raad van bestuur zo snel mogelijk in actie moet komen om verbeteringen te realiseren. Deze kritische ondergrens is bij de laatste meting op 27 augustus 2009 bereikt.

Dat heeft twee oorzaken. In de eerste plaats staat de winstgevendheid sterk onder druk. Wanneer bijvoorbeeld van de winst in 2009 een eenmalige bate wordt afgetrokken, blijken de reguliere activiteiten al verlies op te leveren. In de tweede plaats ontvangt Scheringa zelf begin 2009 een dividend van 11,3 miljoen euro. Wanneer hij dat bedrag niet opeist, kan daarmee het eigen vermogen worden versterkt. Maar in 2009 is de nood bij DSB Beheer hoog opgelopen en is dringend geld nodig om de lening van ongeveer 75 miljoen euro aan DSB Bank af te lossen. Want anders moet dit bedrijf op het krediet afschrijven en deze afschrijving rechtstreeks aftrekken van het eigen vermogen. Scheringa kiest de oplossing met de minste gevolgen voor het eigen vermogen.

Door deze verslechtering van de ratio's twijfelt de Nederlandsche Bank in toenemende mate aan de gezondheid van DSB. In het voorjaar van 2009 bepaalt de toezichthouder dat de solvabiliteit van het bedrijf uit Wognum op minimaal 11 procent moet liggen, maar zelfs over de hoogte van die buffer bestaan grote onzekerheden aan het Amsterdamse Frederiksplein. Zo wordt opgemerkt dat onvoldoende methoden beschikbaar zijn om te bepalen in hoeverre de risico's van reputatieschade vertaald moet worden in de hoogte van het garantievermogen. Een zogenoemde stresstest moet over deze kwesties meer helderheid brengen.

Na de stresstest besluit de Nederlandsche Bank dat DSB om een mogelijke uitstroom van spaargeld op te vangen een permanente buffer moet aanhouden van 1 miljard euro. Bij de berekening van dat bedrag mag echter gebruik worden gemaakt van de middelen van de Europese Centrale Bank. Deze instelling heeft in oktober 2008 vanwege de crisis besloten alle aanvragen van min of meer degelijke banken voor een lening toe te wijzen, althans voor zover een geschikt onderpand voorhanden is. Op die manier hoopt de centrale bank de kredietverlening aan consumenten en bedrijven en daarmee de economie een zet in de rug te geven.

Van die mogelijkheid maakt DSB dankbaar gebruik. In de loop van 2009 wordt het bedrijf bij de berekening van de buffer volledig afhankelijk van de Europese Centrale Bank. De raad van bestuur heeft de overtuiging dat deze faciliteit beschikbaar zal zijn totdat de markt voor securitisaties zich weer herstelt en ziet geen gevaren aan deze regeling. Integendeel, het beschikbare geld wordt zelfs gebruikt om tegen een gunstige prijs schulden af te lossen. Dat heeft een positief effect op de winst en daarmee op de solvabiliteit. Bovendien hoeft voor de regeling van de ECB op dat moment maar een effectieve rente van 1,55 procent te worden betaald en is het daarmee verreweg de goedkoopste voorziening.

Van andere mogelijkheden wordt geen gebruikgemaakt omdat Scheringa vreest voor imagoschade. Maar daarmee neemt hij een groot risico. Het beleid is gebaseerd op aannames over de ECB, niet op harde feiten. Bovendien lijkt de top van het bedrijf niet te beseffen dat de regeling is bedoeld om de gevolgen van de marktomstandigheden op te vangen, niet om de noden van een slecht management op te lossen. Wanneer de centrale bank besluit de regeling te verkrappen, is het niet meer eenvoudig voor het bedrijf zijn financiering aan te passen. Dat blijkt als de liquiditeitsproblemen nijpend worden. DSB wil dan alsnog gebruikmaken van de staatsgaranties, maar dit laatste redmiddel is inmiddels niet meer beschikbaar.

Door de toenemende problemen met de solvabiliteit en de afhankelijkheid van de securitisaties wordt DSB eind augustus 2007 bij de Nederlandsche Bank onder een verhoogd toezicht geplaatst. De ruzie in de raad van bestuur die op 12 november leidt tot het vertrek van Jaap van Dijk en later Reggie de Jong zorgt voor nog meer wantrouwen op het Frederiksplein. Het besluit wordt op 27 september 2007 tijdens een gesprek medegedeeld aan de raad van bestuur van DSB en later per brief bekrachtigd. Daarin staat onder meer dat wekelijks gerapporteerd moet worden over de liquiditeitspositie. Onder normale omstandigheden wordt daarvan slechts eenmaal per maand verslag gedaan.

Maar de ernst van de situatie dringt niet door tot Scheringa. Hij is van mening dat na het gesprek alle kou weer uit de lucht is en dat de zorgen bij de Nederlandsche Bank juist zijn afgenomen. 'Niets aan de hand' is zijn stellige overtuiging en hij gaat over tot de orde van de dag. Maar daar denkt de centrale bank anders over. Een van de directeuren vertelt hem telefonisch dat Scheringa zich 'bancairder' moet gaan gedragen. Die mededeling veroorzaakt zowel verbazing als nervositeit. Als hij bijvoorbeeld samen met de andere bankiers in de Tweede Kamer moet optreden, laat hij uit angst voor missers Gerrit Zalm zijn tekst schrijven. Scheringa bereidt zich vervolgens voor door die woorden bijna letterlijk uit zijn hoofd te leren.

De toezichthouder ziet zich genoodzaakt tijdens een gesprek op 12 oktober nogmaals de duimschroeven aan te draaien. Dan komt naast de solvabiliteit ook de eigendomsstructuur bij DSB aan de orde en wordt zelfs gesuggereerd het bedrijf aan een sterke partij te verkopen. Ook wordt de mogelijkheid geopperd om een stille curator te benoemen. Die zou anders dan de raad van commissarissen vanwege zijn formele machtspositie wel in staat zijn om tegenspel te bieden aan Scheringa.

Vanaf dat moment worden de bestuurders van DSB regelmatig door de Nederlandsche Bank op het matje geroepen. Aanvankelijk concentreren die gesprekken zich op het vinden van een nieuwe financiële bestuurder en op de benoeming van de stille curator. Op 4 december wil de toezichthouder de benoeming van een dergelijke functionaris mededelen aan de raad van bestuur. Maar zover zal het niet komen. Een dag voordat het onderhoud op de agenda staat, rolt bij de Nederlandsche Bank een fax binnen waarin DSB Bank bekendmaakt dat Gerrit Zalm met onmiddellijke ingang de vacature gaat vervullen. Daarmee is in ieder geval voorlopig aan de voorwaarden voldaan.

Bij de loononderhandelingen die aan deze stap voorafgingen, werd bepaald dat Zalm 700.000 euro per jaar zou gaan verdienen. Bovendien wist hij tot grote ergernis van Scheringa te bedingen dat hij mocht roken op zijn kamer. Scheringa houdt niet van uitzonderingsposities, is een groot tegenstander van tabak, maar had het gevoel dat hij nu niet anders kon dan toegeven. Zalm zou immers van grote waarde zijn bij de imagoverbetering van DSB Bank en bij de verwerving van spaargelden. Vanaf dat moment hoeft de financieel bestuurder niet langer naar buiten om op de stoep zijn nicotineverslaving te bevredigen.

Toch duurt het tot verbazing van Scheringa niet lang voordat de toezichthouder weer begint te klagen. 'Hij zag oprecht het probleem niet van de eigendomsstructuur', zegt een medewerker. 'Het was voor hem vanzelfsprekend dat hij de baas was. Wanneer wij voorzichtig informeerden naar zijn gedachten over deze kwestie, zei hij dat de opvolging geregeld was, dat was zijn enige zorg. In geval van nood konden wij de plannen vinden in de kluis. En daarmee was dat onderwerp dan weer afgerond.'

Wanneer de Nederlandsche Bank geen vorderingen ziet, besluit zij bijna een maand later wederom een strenge brief te schrijven. Dat lijkt effect te hebben. Op 22 april 2008 schrijft de raad van bestuur in zijn antwoord de besluitvormingsprocedures te verbeteren. Maar als de maatregelen uitblijven, volgt in de zomer een herhaling van zetten. Wederom wordt een dringende brief geschreven en wederom laat DSB weten de structuur te zullen aanpassen. Ditmaal doet het bedrijf uit Wognum zelf ook suggesties voor concrete acties. Zo wordt beloofd de raad van commissarissen een grotere invloed op het beleid te geven. Daartoe wordt zelfs een nieuw bestuursreglement opgesteld.

Maar het vertrek van Gerrit Zalm eind 2008 gooit roet in het eten. Scheringa krijgt een telefoontje van minister Wouter Bos die hem zegt: 'Dirk, ik ga je pijn doen.' Vervolgens laat hij Scheringa weten Zalm te vragen voor de positie van bestuursvoorzitter bij ABN Amro. 'En wie gaat mij dan helpen?' vraagt Scheringa zich af. Hij gunt Zalm zijn promotie, maar realiseert zich ook dat die publicitair gezien van onschatbare waarde is voor DSB Bank. Scheringa zit echter niet lang bij de pakken neer. 'Oké, jongens, nu moeten wij weer door', zegt hij in de raad van bestuur.

De Autoriteit Financiële Markten en de Nederlandsche Bank geloven niet dat Scheringa in z'n eentje de verbeterpunten zal doorvoeren. Naar de mening van de toezichthouders is hij alleen geïnteresseerd in de commerciële aspecten van zijn bedrijf en heeft hij onvoldoende belangstelling voor het bestuursmodel en voor de beheersing van de risico's en de ratio's. Dan staan feitelijk nog maar twee opties open: of Scheringa vertrekt als bestuursvoorzitter, of zijn macht wordt beperkt door een sterke financiële bestuurder en door een opgewaardeerde raad van commissarissen. Al vrij snel wordt duidelijk dat de voorkeur van de toezichthouders uitgaat naar de eerste variant.

In december 2008 sluiten beide instellingen zelfs een samenwerkingsverband met als doel het aftreden van Scheringa te bespoedigen. Zowel de Nederlandsche Bank als de Autoriteit Financiële Markten gaat de mogelijke maatregelen inventariseren waarmee de druk op DSB kan worden opgevoerd. Weliswaar kost dit veel inspanning en menskracht, maar de toezichthouders zijn van mening dat de huidige situatie vraagt om dergelijke onorthodoxe en drastische maatregelen. Zo heeft de AFM constant conflicten met DSB over de producten en het advertentiebeleid en ziet de Nederlandsche Bank de bestuursstructuur bij het bedrijf ondanks alle aanwijzingen niet wezenlijk verbeteren.

Daarbij wordt bijvoorbeeld gewezen naar de procedure rond de benoeming van Frank de Grave als nieuwe financieel bestuurder. Op 16 december 2008 laat Scheringa aan de Nederlandsche Bank weten dat deze VVD'er bereid is gevonden om de vacature die Gerrit Zalm heeft nagelaten te vervullen. Maar ondanks de eerdere afspraken over de bevoegdheden van de raad van commissarissen wordt die niet vooraf geraadpleegd. Toch wordt de kandidatuur op 27 januari 2009 goedgekeurd door de Nederlandsche Bank. Het gebrek aan bancaire ervaring van De Grave moet worden opgevangen door hem een speciale adviseur toe te wijzen. Dat blijkt de latere curator Joost Kuiper te zijn.

De euforie over de benoeming van De Grave is van korte duur. Nauwelijks twee maanden na zijn aantreden wordt hij door Scheringa alweer ontslagen. 'Dirk, Dirk, dit kunnen we nu niet gebruiken', zegt een medewerker tegen hem. Maar Scheringa laat zich niet tegenhouden en heeft haast. Als hij De Grave na het verstrijken van zijn proefperiode aan de kant zet, moet hij hem een hogere vergoeding meegeven. Volgens een medewerker is hij erg met zichzelf ingenomen dat hij nu goedkoper uit is. Bovendien blaakt hij nog van het vertrouwen en denkt hij dat de negatieve publiciteit die met deze stap gepaard gaat makkelijk is te verwerken.

Volgens Scheringa kunnen hij en De Grave niet door één deur en spelen de moeilijkheden zich af op het persoonlijke vlak. Maar De Grave zelf is een andere mening toegedaan. Hij laat tijdens zijn exitgesprek met de Nederlandsche Bank weten dat een conflict over het dividend de ware reden is. Gezien de financiële situatie van DSB en verslechterende solvabiliteit vindt hij dat de eigenaar begin 2009 moet afzien van een winstuitkering van 11,3 miljoen euro. Volgens De Grave valt daar met Scheringa niet over te praten.

Net zomin als over de aanstelling wordt de raad van commissarissen van tevoren op de hoogte gebracht van het ontslag van De Grave. En ook over de beslissing weer dividend uit te gaan keren wordt de raad pas achteraf geïnformeerd. Als dan ook nog eens voor de vergadering van 29 juni 2009 de stukken niet op tijd worden ontvangen, maakt een van de commissarissen bekend af te willen treden. Hij heroverweegt zijn beslissing wanneer commissaris Robin Linschoten toetreedt tot de raad van bestuur als risicomanager. Op die manier kan naar zijn idee namelijk tegenwicht worden geboden aan Van Goor en Scheringa en de commerciële afdeling.

Door het groeiende ongenoegen over de gang van zaken begint de raad van commissarissen langzamerhand zijn tanden te laten zien. Zo wordt in de vergadering van 8 juni een grotere rol opgeëist bij de verhouding tussen DSB Bank en beheermaatschappij DSB Beheer. Scheringa mag volgens de commissarissen niet langer stemmen bij de zaken die DSB Beheer betreffen zodat bij de sponsoring van het museum en van AZ het belang van DSB Bank de doorslag kan gaan geven. Zo kan ook het plan dat DSB Bank jaarlijks 20 miljoen euro aan dividend moet genereren, geblokkeerd worden.

Ondanks deze stellingnames blijft de macht van de raad van commissarissen beperkt. Tijdens een gesprek met de Nederlandsche Bank zegt een van hen 'een machteloos gevoel te krijgen bij de briefwisselingen' met de toezichthouder. Tegenover de Commissie Scheltema wijst hij daarbij op de 'beperkte invloed in het licht van de aanwezigheid van een directeur-grootaandeelhouder'. Als puntje bij paaltje komt hoeft Scheringa zich immers van niemand in het bedrijf iets aan te trekken en kan hij volstrekt zijn eigen gang gaan. Een andere commissaris geeft zelfs aan dat hij met het oog op het bestuursmodel van DSB niet gelooft in een zelfstandige toekomst. Naar zijn idee moet het bedrijf uiteindelijk door een andere partij worden overgenomen.

Ook de Nederlandsche Bank verliest zijn geloof in DSB Bank. In september 2009 geeft de toezichthouder een advocaat opdracht om te verkennen welke maatregelen getroffen kunnen worden tegen DSB en tegen Scheringa persoonlijk. Volgens de centrale bank laat de bestuursvoorzitter namelijk onvoldoende zien dat de ernst van de situatie tot hem doordringt. In die fase legt de Nederlandsche Bank vooral de nadruk op de aan Beheer verstrekte kredieten. De zekerheden waarmee die omgeven zijn, zijn sterk in waarde gedaald en eigenlijk moet DSB Bank een voorziening treffen omdat een spoedige terugbetaling erg onwaarschijnlijk is geworden.

Bovendien ziet de Nederlandsche Bank niet hoe DSB Bank in de huidige marktomstandigheden nog een levensvatbaar businessmodel kan ontwikkelen. Onder druk van de politiek en belangenorganisaties heeft het bedrijf aangekondigd te stoppen met de koopsompolissen en zal het de betalingen op de verzekeringen voortaan maandelijks incasseren. Maar wat dan? Zeker gezien de beroerde stand van de economie is het niet eenvoudig om de melkkoe van de koopsompolissen te vervangen. De plannen die DSB zelf formuleert kunnen de Nederlandsche Bank in ieder geval niet overtuigen.

Niet alleen op het gebied van de organisatiestructuur en de financiële gezondheid, maar ook wat betreft de advertenties en de producten van DSB komen klachten. In 2001 moet het bedrijf van Scheringa voor het eerst voor de rechter verschijnen omdat justitie van mening is dat zijn advertenties misleidend zijn. Met de reclames voor makkelijke leningen zou hij in strijd handelen met het Besluit Kredietaanbiedingen. Dat bepaalt dat klanten goed geïnformeerd moeten worden over de looptijden, de limieten, de aflossingen en de verkoop van aanverwante producten. Op veel van die punten worden gebreken geconstateerd.

In zijn jaarverslag over 2002 neemt ook financieel ombudsman Jan Wolter Wabeke stelling tegen de producten van DSB Bank en andere aanbieders. Hij laat weten dat goedkoop geld lenen door alle randvoorwaarden in werkelijkheid helemaal niet zo goedkoop is. Tot dan toe wordt het probleem door slechts weinigen onderkend. De politiek heeft geen belangstelling en ook minister Gerrit Zalm van Financiën houdt zich nog doof voor de kritiek. Hij blijft hameren op de zegeningen van de vrije markt en gelooft dat de slechte aanbieders op den duur vanzelf zullen verdwijnen. Naar zijn idee laten consumenten zich niet voortdurend besodemieteren en is het slechts een kwestie van tijd voordat nieuwe partijen zich melden.

Op 2 augustus 2003 geeft Wabeke in een interview met *De Te-*

legraaf ongezouten kritiek op verzekeringsmaatschappij Cardif, een belangrijke partner van DSB. 'Die betaalt de kredietverstrekker 30 procent tot 60 procent provisies', laat hij optekenen. 'Daardoor betaalt de consument vaak zo'n 60 procent te veel voor een polis.' Later maakt Wabeke een berekening waaruit blijkt dat een lening van 43.000 euro kan eindigen in een schuld van 67.000 euro. Dat verschil wordt vooral veroorzaakt door de vaak overbodige betalingsbeschermers. Anders dan Wabeke noemt *De Telegraaf* ook een rij andere namen van kredietverstrekkers, waaronder een groot aantal labels van de DSB Groep. Cardif is boos, eist een rectificatie en stelt de ombudsman aansprakelijk voor de geleden schade. De zaak komt voor bij de Raad voor de Journalistiek, maar daar wordt de verzekeringsmaatschappij in het ongelijk gesteld. Van een gang naar de rechter is dan geen sprake meer.

Volgens de ombudsman worden de klanten van onder meer DSB op een aantal manieren in het pak genaaid. In de eerste plaats constateert hij bij de verzekeringen veel uitsluitingsgronden. Als de nood aan de man komt, blijken lang niet alle ziektes of andere redenen voor werkloosheid voor een uitkering van de verzekering in aanmerking te komen. Natuurlijk maken ook andere leveranciers van 'snel geld' zich schuldig aan dergelijke 'kleine lettertjes' in hun contracten, maar naar zijn mening scoort het bedrijf uit Wognum op dit gebied wel heel erg slecht.

Verder blijkt de rentevaste periode vaak korter dan waar de klanten van uitgaan. Zij zijn bij het aangaan van hun lening gelokt met een lage vergoeding van zeg 5 procent, maar blijken regelmatig zonder dat de markt daar aanleiding toe geeft na bijvoorbeeld een jaar 10 à 12 procent te moeten betalen. Deze stijging geeft de verkopers van DSB de mogelijkheid de klanten te benaderen met een nieuw aanbod waarbij zij hun lening tegen een lagere rente kunnen oversluiten. Maar wel moeten zij dan uiteraard bereid zijn om opnieuw betalingsbeschermers te kopen. Want daar wordt door DSB Bank en andere aanbieders het meeste geld mee verdiend.

Het lage tarief geldt alleen wanneer bij de lening ook verzekeringsproducten worden gekocht. Daarbij gaat het meestal om woonlastenverzekeringen die de klanten bescherming moeten bieden tegen de financiële gevolgen van arbeidsongeschiktheid, of om overlijdensrisicoverzekeringen. Door deze vorm van koppelverkoop zitten de klanten muurvast. Zij kunnen niet of nauwelijks meer overstappen naar een andere aanbieder omdat de premies al betaald zijn. Al in 2001 begint de Consumentenbond voorzichtig tegen deze praktijken te protesteren, maar die kritiek dringt niet door tot de beleidsmakers. Scheringa wordt nog geen strobreed in de weg gelegd en hij ziet geen enkele reden om het over een andere boeg te gooien. Wanneer de Autoriteit Financiële Markten in 2003 begint te klagen, ontkent hij gewoon dat sprake is van koppelverkoop.

Ook het acceptatiebeleid van DSB Bank kan op de nodige kritiek van de ombudsman en andere financiële adviseurs rekenen. Consumenten die bij geen enkel ander bedrijf meer voor een lening in aanmerking komen, kunnen volgens hen in veel gevallen nog in Wognum terecht. DSB Bank profiteert immers vooral van de inkomsten van de koopsompolissen die bij de leningen worden verkocht. Op die manier ontwikkelt het bedrijf zich volgens de sector tot het afvoerputje van de Nederlandse kredietmarkt.

'Onzin', reageert een voormalige werknemer. 'Het beleid van DSB verschilt op dit gebied niet van de andere banken. Als wij leningen verkochten, kregen wij alleen provisie als de achterstand niet meer was dan twee maanden. Bovendien moesten wij voldoen aan de acceptatiecriteria van de partijen aan wie wij de leningen verkochten. Het beeld dat DSB slechtere kredieten verstrekte dan de rest van de sector komt niet overeen met de werkelijkheid. Wel is waar dat wij relatief vaak de onderkant van de markt bedienden.' Dat hoeft overigens niet in alle gevallen voor de klant slecht uit te pakken. Het komt bijvoorbeeld voor dat die op meerdere kredietkaarten schulden heeft opgebouwd waarover hij een rente van zeg 15 procent betaalt. Als DSB Bank deze leningen overneemt en gezamenlijk onderbrengt in een tweede hypotheek, betaalt hij nog slechts ongeveer 5 procent. Door de betalingsbeschermers die bij die transactie worden verkocht, valt het krediet weliswaar hoger uit, maar dan nog profiteert de klant in veel gevallen van lagere maandlasten.

De overkreditering van DSB Bank is een ander punt van zorg. Klanten kunnen veel meer geld lenen voor bijvoorbeeld een nieuw huis dan volgens de voorschriften verstandig is: vaak wordt meer dan vijf keer het salaris uitgeleend. Daarbij dient wel te worden aangetekend dat het bedrijf uit Wognum niet het enige is dat zich aan die praktijken schuldig maakt. Uit een inventarisatie van de Autoriteit Financiële Markten blijkt dat bijvoorbeeld Postbank op dit gebied minstens zo vaak over de schreef gaat.

Klanten krijgen ook regelmatig het advies om een beleggingsverzekering af te sluiten. De maandelijkse aflossing wordt daarbij gebruikt om te investeren op de beurs, al dan niet met gegarandeerde uitkering. Op die manier zou geprofiteerd kunnen worden van de verwachte koerswinsten. Deze procedure wordt vaak uitgevoerd via Hollands Welvaren Select, de effectenleaseconstructie van DSB. Bij een onderzoek naar deze producten concludeert de Autoriteit Financiële Markten dat het bedrijf onder het gemiddelde van de sector blijft wat betreft de aspecten in verband met de zorgplicht. Bovendien wordt een kostenpercentage van 4,1 in rekening gebracht, terwijl volgens de financiële ombudsman 2,1 procent als bovengrens moet gelden.

Dat is een van de eerste keren dat de Autoriteit Financiële Markten een uitspraak doet over producten van DSB. Voor die tijd concentreert deze toezichthouder zich voornamelijk op de advertenties van het bedrijf. Al op 24 september 2002 wordt aangifte gedaan van zeventien overtredingen. De AFM is van mening dat de reclameregels worden geschonden, doordat in de uitingen alleen de minimum rentetarieven worden vermeld en niet de hoogste en laagste, zoals de voorschriften vereisen. En in oktober 2003 wordt indringend met DSB gesproken en waarschuwt de toezichthouder consumenten nadrukkelijk voor koppelverkoop van verzekeringen bij leningen.

Scheringa stoort zich mateloos aan het optreden van de AFM en slaat op 2 december 2003 hard terug. Hij laat weten de conclusies over onder meer de koppelverkopen niet te delen en beschuldigt de AFM bij haar onderzoeksmethoden haar bevoegdheden te overtreden en in strijd te handelen met de beginselen van behoorlijk bestuur. Het advies 'maak geen ruzie met de overheid' legt hij daarbij naast zich neer, omdat hij de toezichthouder eigenlijk beschouwt als een hinderlijke pottenkijker. Wel geeft DSB als compromis aan op bepaalde punten tegemoet te komen aan de kritiek en benadrukt Scheringa dat sommige van de bevindingen ter harte worden genomen.

Daarmee zijn de problemen geenszins uit de wereld. Op 18 maart 2009 besluit de AFM dat zelfs bij lichtere overtredingen van de reclameregels niet meer eerst contact wordt gezocht, maar dat direct formele maatregelen worden genomen. Scheringa reageert verbaasd omdat volgens hem de reclames altijd direct worden aangepast na klachten van de toezichthouder. Van dat verweer trekt de AFM zich weinig aan; de toezichthouder zegt dat de uitingen vooraf en altijd aan de regels moeten voldoen.

Ondertussen beginnen ook de media zich te roeren. Op 10 februari 2009 publiceert dagblad *De Pers* een artikel dat door medewerkers achteraf als het begin van het einde wordt getypeerd. 'De tekst bevatte zoveel halve waarheden en hele leugens dat een commentaar van onze kant ondoenlijk was', zegt een van hen.

'Die reactie werd ook keurig in de krant vermeld. Wij stelden voor om deze zaak bij een advocaat onder te brengen, maar de afdeling juridische zaken voelde zich mans genoeg om zelf in actie te komen.'

Dat blijkt echter een misvatting. Het hoofd van die afdeling is verwikkeld in een nare echtscheidingsprocedure en heeft last van een eetstoornis. Door deze omstandigheden wordt niet adequaat opgetreden en krijgen Scheringa en Van Goor de hele tijd te horen dat deze zaak wel met een sisser zal aflopen. Van een gang naar de rechter is geen sprake en DSB Bank heeft de eerste slag om de publiciteit verloren. Andere dagbladen en tijdschriften zien volgens de medewerkers hun kans nu schoon om hun pijlen op het bedrijf uit Wognum te richten.

Op 21 maart van dat jaar volgt de volgende klap als de Autoriteit Financiële Markten tegen *De Telegraaf* zegt dat over DSB relatief veel klachten worden ontvangen en dat naar aanleiding daarvan meerdere aspecten van de dienstverlening worden onderzocht. De toezichthouder doet deze uitspraken naar aanleiding van een mededeling van DSB, waarin wordt verklaard dat de AFM geen onderzoeken tegen DSB heeft lopen. De medewerkers hebben namelijk al enige tijd niemand van de toezichthouder meer op kantoor gezien. Toch wekt deze verklaring de woede van de AFM omdat zij de conclusies van een eerdere analyse nog niet heeft gepubliceerd en formeel gesproken nog niet klaar is.

Scheringa is zeer ontstemd en verlangt een rectificatie. Maar daar is de AFM niet toe bereid. In het gesprek dat op 2 april naar aanleiding van deze kwestie volgt, laten Hans van Goor en Dirk Scheringa weten dat DSB Bank spoedig zal stoppen met de verkoop van koopsompolissen. De premies zullen vanaf dat moment per maand worden geïnd. Niet veel later introduceert DSB Bank bij hypotheken een 'niet goed, geld terug'-garantie, en gaan de verkopers bij adviesgesprekken werken tegen een vaste vergoeding. Met die maatregelen loopt Scheringa voorop in de financiële wereld.

Eigenlijk is het dan al te laat. In april 2009 barst de publieke verontwaardiging in volle omvang los. Vooral het televisieprogramma *Radar* van de Tros heeft grote invloed op de publieke opinie. Daarin komen slachtoffers aan het woord en gaat het voor het eerst niet alleen meer over abstracte getallen, maar over de financiële ellende van mensen van vlees en bloed. Zo vertelt een bejaardenverzorgster uit Schagen hoe zij haar hypotheek heeft laten oversluiten naar DSB. In het begin lijken de lage tarieven uiterst aanlokkelijk, maar na verloop van tijd stijgen haar maandlasten van 700 euro naar 1880 euro. Zij kan dan niet meer overstappen naar een andere bank omdat haar schuld inmiddels groter is dan de waarde van haar huis.

De wanhoop doet ook anderen besluiten hun verhaal in de media te vertellen. Het water staat hun tot de lippen en zij hebben geen schroom meer om met naam en toenaam te worden opgevoerd. 'In agressieve reclameteksten werden lage rentes en lage kosten beloofd', zegt een slachtoffer tegen *Het Financieele Dagblad.* 'Maar de realiteit bleek al snel anders. Mijn lening werd gekoppeld aan een aandelenleaseconstructie waardoor de schuld als vanzelf zou worden afgelost. Maar nu, vijf jaar later, is langs die weg nog geen cent afbetaald.' De 68-jarige Ingrid Jansen laat weten dat zij en haar man nog via een uitzendbureau een baantje moeten nemen om hun lening terug te kunnen betalen.

Volgens een medewerker wordt Scheringa dan nog niet echt nerveus van de toenemende druk. 'Het was alsof hij zich onoverwinnelijk voelde. Dertig jaar lang ging het steeds beter met het bedrijf, dus waarom nu niet? Ik denk dat hij pas in de zomervakantie van 2009 besefte dat hij deze oorlog wel eens kon verliezen. Hij reageerde toen door steeds meer externe adviseurs in te huren. Het was beter geweest wanneer hij gewoon zijn verantwoordelijkheid had genomen en zelf voorop in de strijd was gegaan.'

Tijdens een demonstratie van boze klanten op 4 september bij het hoofdkantoor van DSB probeert voorlichter Klaas Wilting de zaak te sussen. 'Trieste verhalen', zegt hij. 'Maar toch vind ik dat de mensen te weinig naar zichzelf kijken. Zij hebben immers zelf de beslissing genomen om de lening af te sluiten.' Wel krijgen de demonstranten een kopje koffie aangeboden en worden zij uitgenodigd om binnen te komen praten over een regeling voor hun problemen. Uit de meegebrachte cassetterecorder klinken ondertussen liedjes als 'Ik ben Gerrit en ik steel als de raven' en 'House for sale'.

De medewerkers van DSB kijken vol verbijstering naar de gang van zaken. Naar hun idee worden in de kranten en op de televisie steeds dezelfde mensen opgevoerd. 'Natuurlijk zijn dingen misgegaan', zegt een oudgediende in het bedrijf. 'Maar laten we wel wezen, door altijd maar dezelfde slachtoffers aan het woord te laten, lijken de problemen groter dan zij in werkelijkheid zijn. Ik vroeg mij in die tijd regelmatig af waar die voetbalvelden vol tevreden klanten waren gebleven. Het was alsof die van de aardbodem waren verdwenen en wij alleen maar ellende hadden veroorzaakt.' Deze voormalige werknemer kan zonder moeite nog een groot aantal namen noemen van de mensen die toen de schermen vulden.

Scheringa zelf vermoedt een complot tegen DSB. Sterker nog, hij laat regelmatig doorschemeren daarvan de bewijzen in handen te hebben. De toezichthouders zouden met de grootbanken onder één hoedje spelen om hem kapot te maken. Dan kunnen zijn concurrenten weer ongehinderd hun gang gaan en hoeven zij geen winst te zien weglekken richting Wognum. Voor dat doel worden volgens de bestuursvoorzitter alle mogelijke middelen ingezet. Zo zouden journalisten worden ingehuurd om negatieve artikelen over DSB te schrijven en zouden op het internet mensen worden opgezweept om leugens over het bedrijf te verspreiden. Ondanks de stelligheid van deze uitspraken heeft Scheringa nooit een buitenstaander inzage gegeven in het belastende materiaal.

Hetzelfde geldt voor een uitzending van actualiteitenrubriek *Nova*. Daarin worden anonieme ex-werknemers van DSB opgevoerd die vertellen dat provisies van 80 tot 90 procent in rekening worden gebracht. Ook vertellen zij over de praktijken van de verkoopafdeling, waar volgens hen het adagium 'liegen mag, bedriegen niet' geldt. Bij de herinnering worden zelfs schuldbewuste tranen geplengd. Scheringa is niet onder de indruk en blijft tot op de dag van vandaag volhouden dat deze ex-medewerkers in werkelijkheid acteurs zijn die de tegenstanders hebben ingehuurd. Maar ook voor die stelling wordt het bewijs nooit getoond.

Bij DSB worden ondertussen overzichten gemaakt van hoe de tegenstanders van het bedrijf met elkaar verbonden zijn. Daarin komt onder andere de naam Marcel Boekhoorn voor. Hij is een investeerder in dagblad *De Pers* en zou zijn journalisten opdracht geven om negatieve verhalen over DSB te schrijven. Op die manier zou hij de waarde van het bedrijf willen uithollen zodat hij het voor een lage prijs in handen kan krijgen. Ook de Partij voor de Dieren vormt een knooppunt in de documenten. Dat is de politieke groepering waar onder anderen presentatrice Antoinette Hertsenberg van het Tros-programma *Radar* en haar man lid van zijn. Scheringa laat niet na zelf een stevige bijdrage te leveren aan deze discussies over complottheorieën.

De *Nova*-uitzending is voor minister Bos van Financiën aanleiding de in rekening gebrachte provisies in de Tweede Kamer tijdens de behandeling van de Miljoenennota 'totaal idioot' te noemen. 'Koopsompolissen die de klanten worden aangesmeerd', vervolgt hij. 'Het is niet om vrolijk van te worden. Er gebeuren dingen die niet door de beugel kunnen. Kwalijke praktijken moeten worden gestopt. Verder wacht ik rustig af wat uit het onderzoek van de AFM komt.' Na afloop van het debat probeert Scheringa contact met hem op te nemen. Misschien dat Bos niet op de hoogte is van de laatste stand van zaken en de baas van DSB Bank is graag bereid om uitleg te geven. Maar Bos neemt zijn telefoon niet op.

Pas dan begrijpt Scheringa dat hij van zich moet laten horen en besluit hij op voorstel van de afdeling communicatie dat hij per e-mail zelf vragen van ontevreden klanten gaat beantwoorden. Twee weken kwijt hij zich vol overgave van deze taak, dan heeft hij het wel weer gezien en keert hij terug naar de marketing, zijn favoriete bezigheid. Daar is hij mee groot geworden en daar schuilen naar zijn idee zijn grootste talenten. In de loop van de tijd worden vele overleggen in verband met drukke werkzaamheden afgezegd, maar de vergaderingen over de marketing gaan altijd door.

Ondertussen beginnen ook de belangenorganisaties van de gedupeerde klanten een rol te spelen. Uit de website DSB Ramp komt de Stichting Steunfonds Probleemhypotheken voort en daar treedt financieel adviseur Jelle Hendrickx voor het eerst op de voorgrond. In het begin trekt hij op met de Stichting Hypotheekleed van Pieter Lakeman, maar al snel blijkt dat geen overeenstemming over de strategie bereikt kan worden. Waar de eerste vooral gericht is op een schadevergoeding aan de gedupeerden door DSB, heeft de tweede al zijn vertrouwen in het bedrijf verloren en ziet hij minder heil in overleg met Scheringa. Dus kiest hij voor een hardere lijn.

Volgens Scheringa willen deze belangenvertegenwoordigers profiteren van de situatie van de gedupeerden. Hij vermoedt dat financieel adviseurs langs die weg nieuwe klanten zoeken of dat advocatenkantoren proberen over de rug van hun klanten een nieuwe winstbron aan te boren. De stap van Pieter Lijesens geldt daarbij als voorbeeld. Hij is adviseur voor de gedupeerden, maar stopt met zijn werkzaamheden omdat hij 'LPF-achtige toestanden' vreest bij de stichtingen. Het is een verwijzing naar de politieke partij die door onderlinge strubbelingen ten onder is gegaan. En daar wil Lijesens geen deel van uitmaken.

Toch komt tussen DSB Bank en Jelle Hendrickx een innige samenwerking tot stand. Tot woede van voorlichter Klaas Wilting krijgt hij zelfs een eigen ruimte in een van de torens van het bedrijf. Journalist Kaj Leers van website Z24 schrijft op zijn blog hoe deze ex-politieman zelfs een onderzoek naar het doen en laten van Hendrickx is begonnen. Met de resultaten in de hand stapt hij vervolgens naar Scheringa, maar die wil de banden niet verbreken. 'Ik snapte het wel', zegt Wilting op het blog. 'Hij pakte iedere strohalm aan.' Over de resultaten van het recherchewerk worden verder geen mededelingen gedaan.

In de televisieprogramma's schuift DSB Bank inmiddels niet Scheringa zelf maar Hans van Goor naar voren om de kritiek te pareren. Scheringa besluit op de achtergrond te blijven en de intimiderende interviews aan anderen over te laten. Frank de Grave is dan als financiële man de aangewezen kandidaat, maar hij is nog te kort bij het bedrijf om op de hoogte te zijn van alle details. Dus wordt Van Goor min of meer als vrijwilliger aangewezen. Aan deze procedure houdt hij het gevoel over in de steek te worden gelaten, een stemming waar hij tot op de dag van vandaag last van heeft. Volgens een andere lezing die binnen het bedrijf de ronde doet, is hij graag bereid de confrontatie met presentatrice Antoinette Hertsenberg aan te gaan.

Van Goor toont zich tijdens de uitzendingen uiterst bereidwillig; hij zegt dat het om incidenten gaat en dat hij zo snel mogelijk een regeling wil treffen met de ontevreden klanten. Verder laat hij weten dat zijn bedrijf al anderhalf jaar geen zaken meer doet met verzekeraars als Cardif, die tussenpersonen zeer hoge provisies tot soms wel 80 procent toeschuiven. Maar daarbij vergeet hij te vermelden dat de contacten sinds die tijd verlopen via Gema, het dochterbedrijf dat in 2007 is gekocht. Voor de tegenstanders is dit opnieuw een bewijs dat DSB niet te vertrouwen is en uitsluitend halve waarheden vertelt.

DSB voelt zich steeds meer in de verdediging gedrongen. Het bedrijf probeert zo veel mogelijk uit de publiciteit te blijven en vraagt bijvoorbeeld aan de financiële ombudsman de klachten wat minder luidruchtig te behandelen. Maar die geeft geen gehoor aan dat verzoek en stelt dat zijn uitspraken gewoon in de Interne Klachten Procedure vertaald moeten worden.

Ook de Autoriteit Financiële Markten wordt om discretie verzocht. De toezichthouder wil DSB een boete opleggen in verband met een overtreding van de gedragscode en de bank probeert die ten koste van alles te voorkomen. Het vergrijp is volgens de top slechts van korte duur geweest, de wetswijziging is pas kortgeleden tot stand gekomen en DSB heeft geen profijt gehad van de overtredingen. De bestuurders lijken zich te realiseren dat de openbaarmaking van de straf de positie van de belangengroepen verstevigt en kan leiden tot een 'buitenproportioneel economisch effect', zo schrijft het bedrijf in een brief aan de AFM.

De AFM toont zich ongevoelig voor deze argumenten. Op 1 juli wordt gewag gemaakt van een drietal boetes van in totaal bijna 120.000 euro. Wederom wordt niet de grote man zelf in stelling gebracht, maar moet Van Goor proberen de zaak te sussen. Hij bagatelliseert de betekenis van de boete en laat weten dat die nauwelijks invloed heeft op de winstcijfers van het bedrijf. Maar het kwaad is al geschied en de tegenstanders van DSB Bank hebben weer extra argumenten in handen om de strijd tegen het bedrijf voort te zetten.

14

Eindspel

Donderdagochtend 1 oktober 2009. Pieter Lakeman krijgt ruim baan in *Goedemorgen Nederland*. De voorzitter van de Stichting Hypotheekleed roept in het KRO-programma klanten van DSB Bank op hun spaargeld terug te trekken. Hij heeft alle vertrouwen in Dirk Scheringa verloren en stuurt aan op een faillissement van het bedrijf. Volgens zijn berekening heeft DSB Bank in de loop van de tijd een schade aangericht van meer dan 1 miljard euro. Zelfs als in slechts de helft van de gevallen wordt gecompenseerd, kan onvoldoende geld worden vrijgemaakt om aan de verplichtingen te voldoen. De ondergang van de bank is naar zijn idee de enige mogelijkheid. Dan zorgen de curatoren in ieder geval voor een eerlijke verdeling van de boedel, een taak die beter niet aan Scheringa zelf kan worden overgelaten.

Eigenlijk heeft Scheringa in Lakeman nooit een waardige tegenstander gezien. Lakeman laat al in september 2008 in *Het Financieele Dagblad* weten zijn pijlen op DSB te zullen richten. Scheringa wordt vervolgens voor hem gewaarschuwd. 'Nodig die man een keer uit', luidt het advies. Maar Scheringa neemt geen maatregelen. Zijn bedrijf heeft immers meer dan dertig jaar een ongekende groei laten zien en hij heeft langzamerhand een gevoel van onoverwinnelijkheid.

Hans van Goor is op het moment van de oproep als enig bestuurslid op kantoor aanwezig. Hij belt direct met Dirk Scheringa, die zich afvraagt of 'die man helemaal gek is geworden'. Verder blijft hij rustig en als hij eenmaal op kantoor is aangekomen, verzamelt hij direct de toppers van zijn bedrijf voor een noodvergadering. Van Goor neemt intussen maatregelen en vertelt de telefonistes wat zij wel en niet moeten zeggen wanneer zij verontruste klanten aan de lijn krijgen. 'Wat meneer Lakeman beweert, is altijd onzin' is daarbij volgens *de Volkskrant* een van de standaardzinnetjes die de medewerkers uit hun hoofd leren. Alles wordt in het werk gesteld om net te doen of bij DSB niets aan de hand is. De onrust moet ten koste van alles worden gesust.

Zo zegt voorlichter Klaas Wilting een paar dagen later dat de rust bij DSB Bank is teruggekeerd. 'Wij maken ons geen zorgen en gaan over tot de orde van de dag.' Op een totaal aan toevertrouwde middelen van ongeveer 4,3 miljard euro valt een onttrekking van 70 miljoen als schadepost wel mee. De bescheiden omvang van de schadepost is mede te danken aan de storing op de website van DSB Bank. Rond het middaguur van 1 oktober gaat die op zwart en kunnen de klanten langs die weg geen geld meer van hun rekening halen.

In eerste instantie spreekt DSB Bank over 'systeemonderhoud' en 'overbelasting'. Een van de medewerkers ontkent dan nog dat de website is platgelegd door 'hackers'. Later zal Robin Linschoten als 'chief risk officer' verklaren dat vanuit twaalf plekken in Europa een zogeheten *denial of service*-aanval is gepleegd. Daarbij vraagt een groot aantal computers in korte tijd zoveel informatie op dat de server het niet aankan. Maar de stelling dat de website waarschijnlijk van binnenuit werd platgelegd, levert bij betrokken medewerker een instemmend keelgeluid op. 'Die stap was in ieder geval onderdeel van het noodplan.' Volgens het geruchtencircuit hebben ook andere banken dergelijke scenario's klaarliggen.

Ondanks de sussende woorden en de bescheiden schadepost beginnen de commissarissen met hun vuist op tafel te slaan. Zij willen een gebaar, een offer. En dan is Van Goor een voor de hand liggende kandidaat om te ontslaan. Hij is in de raad van bestuur immers verantwoordelijk voor de verkoopmethoden, en juist die worden in de media hevig bekritiseerd. De commissarissen schrijven zelfs al een verontruste brief aan de Nederlandsche Bank. Dit heeft tot gevolg dat de emoties bij DSB Bank hoog oplopen. De bestuurders vragen zich af of raad van de commissarissen nog wel bereid is voor het bedrijf te vechten.

Van Goor verlaat zwaar aangeslagen de vergadering. 'Een secretaresse ging vergeefs naar hem op zoek', schrijft Kirsten Verdel in *Project Homerus: Het miljardenspel met DSB*. 'Ze opperde dat Hans misschien naar huis was gegaan. Dirk kende Hans echter al wat langer dan vandaag en wist zeker dat dat niet het geval zou zijn. Hij besloot een kijkje te nemen in de pub. Daar trof hij Hans inderdaad aan. Zijn collega zat er verslagen bij. Dirk aarzelde geen moment en sloeg een arm om Hans z'n schouders. Beiden voelden de beladenheid van het moment. In alle opzichten bleek de crisis nu een feit.'

Dat begint langzamerhand ook tot Scheringa zelf door te dringen. 'In dergelijke omstandigheden gaat hij in een moordend tempo alles opschrijven', zegt een medewerker. 'Wij kochten altijd speciale notitieblokken voor hem en die waren toen niet aan te slepen. Ook zagen we hem van dag tot dag witter worden.'

Twee dagen na de oproep van Lakeman treedt Scheringa eindelijk naar buiten. Tijdens een televisie-uitzending biedt hij de klanten van DSB Bank zijn 'oprechte excuses' aan en verzekert hun dat alle klachten zo snel mogelijk worden opgelost. 'Sterker nog, daar zijn wij, klant voor klant, al maanden mee bezig', schrijft hij twee dagen later in een schriftelijke verklaring. 'Op dit moment is voor mij het allerbelangrijkste dat ik de vertrouwensrelatie met mijn klanten herstel.' Scheringa beseft dat hij op dit moment voor zijn bedrijf moet staan. Volgens de meeste medewerkers is het rijkelijk laat dat hij zich bewust wordt van de gevaren van de beeldvorming.

Tot die tijd wordt zijn reactie vooral omschreven als 'stroperig'. Als alles goed gaat, is snelheid van handelen een van zijn sterkste punten. Dan staat hij vooraan en hakt hij zonder moeite knopen door. Maar in 2009 zijn bezuinigingen dringend noodzakelijk en moet afscheid worden genomen van medewerkers. Eigenlijk is hij daar niet toe in staat, vooral niet wanneer de noodzakelijke maatregelen betrekking hebben op de door hem zo geliefde verkoopafdeling. Slechts met grote weerzin wordt hij bereid gevonden de gedeeltelijke ontmanteling van zijn imperium mogelijk te maken.

Toch wordt in het voorjaar van 2009 stevig ingegrepen in de organisatie. Als blijkt dat de klanten allang in het digitale tijdperk zijn aangeland, wordt het plan met de lokale shops overboord gezet. Ook de samenvoeging van een aantal afdelingen op het gebied van automatisering maakt een reductie van het personeelsbestand mogelijk, met als gevolg dat het aantal voltijdbanen in september 2009 is teruggelopen van 1800 naar 1200 en de kosten per klant relatief gering zijn.

Alleen de sanering bij de verkoopafdeling staat nog op het programma. Daar moeten nog eens 200 tot 300 mensen verdwijnen. De nieuwe softwaresystemen om dit mogelijk te maken zijn al gereed en het besluit hoeft alleen nog maar te worden uitgevoerd. Maar als Hans van Goor begin juli op vakantie is, gaat Scheringa op bezoek bij de lokale afdelingen en vertelt hij dat deze verkoopmedewerkers niet hoeven te vrezen voor hun baan. 'Dirk kon nog geen afscheid nemen van deze mensen', zegt een van de toenmalige bestuurders. 'Daarvoor was zijn emotionele betrokkenheid te groot.' Dus wordt de maatregel uitgesteld tot het allerlaatste moment.

Ondanks de pijn van Scheringa valt uiteindelijk niet aan de ingreep te ontkomen. Op 28 september worden de onderhandelingen met de vakbonden afgerond en worden de handtekeningen gezet. 'Daar had ik veel moeite mee', zegt de bestuurder. 'Je tekent toch een soort doodsvonnis. Voor het eerst in de geschiedenis konden wij de krimp niet bereiken met natuurlijk verloop. Het was niet leuk, maar wel noodzakelijk. Uiteindelijk wilde ik zelfs terug naar 650 medewerkers. Met dat aantal was het naar mijn idee goed mogelijk om tegen geringere kosten een betere service en dus een hogere omzet te bewerkstelligen.'

Met de ingreep op de verkoopafdeling heeft Scheringa de kelk nog niet leeggedronken. Met AZ komt na de verkoopafdeling ook zijn tweede speeltje in gevaar. Eind september, een maand voor het faillissement, stelt DSB Bank voor aan de Nederlandsche Bank om voor tientallen miljoenen euro's een aantal voetballers te verkopen. Mounir el Hamdaoui brengt in het gunstigste geval 16 miljoen euro op, voor Moussa Dembélé wordt gerekend op een bedrag tussen de 10 en 14 miljoen euro en de Argentijnse keeper Sergio Romero moet volgens de club tussen de 7 en 12 miljoen euro kunnen opleveren. In totaal hoopt Scheringa 38,5 miljoen euro binnen te halen.

De opbrengst kan door DSB Beheer gebruikt worden om een deel van de leningen van DSB Bank af te lossen. Dat bedrijf kan dan op zijn beurt zijn solvabiliteit en liquiditeit verbeteren. Maar de toezichthouder geeft aan het voorstel 'onwenselijk' te vinden en acht het niet prudent dat het voortbestaan van DSB Bank afhankelijk wordt van de transfermarkt. Het bedrijf moet zo snel mogelijk andere plannen bedenken om uit de problemen te komen, zo blijkt uit een briefwisseling tussen het bestuur van DSB Bank en de Nederlandsche Bank.

'Een beetje een flauwe reactie', blikt een voormalige bestuurder van DSB Bank terug. 'In ons voorstel aan de toezichthouder hadden wij al aangegeven deze optie zelf ook hoogst onzeker te vinden. Bovendien schreven wij dat andere maatregelen al genomen waren. Zo zocht een externe adviseur naar een partij die de aandelen van Dirk zou willen kopen. En bovendien probeerden wij ook om een van de dochterbedrijven te verkopen. Deze initiatieven om de liquiditeit op te voeren werden voor ons gevoel door de Nederlandsche Bank volkomen genegeerd.'

Het voorstel om spelers te verkopen bewijst hoezeer het water Scheringa tot de lippen staat. Begin dat jaar, als de situatie ook al niet echt florissant te noemen is, is de verkoop van de club nog onbespreekbaar. Dan krijgt hij een bieding van een of andere rijke Arabier. Die is bereid een bedrag te betalen dat op geen enkele andere manier kan worden verworven. 'Doen', zeggen veel mensen tegen Scheringa. 'De club kost alleen maar geld.' Maar Scheringa is niet tot die stap in staat en zegt dat de verkoop hem geen goed idee lijkt. Dat AZ op dat moment goed presteert in de competitie maakt de beslissing niet eenvoudiger.

Als de situatie bij DSB verslechtert, blijkt de regie steeds meer te ontbreken. Zo onderneemt een groot aantal divisies initiatieven die grote gevolgen hebben voor het imago van het bedrijf, maar de afdeling communicatie wordt daarbij niet geraadpleegd. Jarenlang is deze afdeling een ondergeschoven kindje in het bedrijf en vergaderingen worden net zo makkelijk afgezegd als gepland. Met de komst van Gerrit Zalm lijkt de positie te verbeteren, maar na zijn vertrek keert de oude situatie snel terug.

Neem de actie uit de vroege zomer van 2009, waarbij websites als Spaarbaak.nl, Spaarblog.nl en Huismannen.nl door DSB-dochter NetSociety worden benaderd met het verzoek tegen betaling positieve berichten over DSB Bank te schrijven. Tot grote schrik van veel medewerkers wordt op de particuliere website van de familie Kleinman, waarop adviezen aan huiseigenaren worden gegeven, op 13 juli om 19.45 uur de brief van DSB Bank integraal gepubliceerd. 'De exacte inhoud van het artikel is geheel vrij', luidt de tekst. 'Voor ons is het verband dat mensen moeten gaan leggen tussen "Sparen" en DSB Bank het belangrijkste einddoel.' Verderop volgt: 'Het artikel mag niet negatief over DSB zijn. Een neutrale of positieve insteek is altijd eenvoudig te vinden. We kunnen een lijst aanleveren met potentiële insteken op dit thema.' 'Korte samenvatting', besluit Martin Kleinman zelf: 'Ze willen dat ik een advertorial schrijf alsof IK/WIJ ontzettend tevreden ben over DSB Bank.' En dat voor 85 euro per bericht. 'Ik voel mij zeer vereerd!'

De voor deze actie verantwoordelijke afdeling ziet geen problemen. De oproep is namelijk niet gedaan vanuit marketingperspectief, maar om inzicht te krijgen in het 'rijgedrag' van de gebruikers van de digitale snelweg. 'We moeten ervoor waken dat we het intern niet groter gaan maken dan het is', luidt de sussende tekst in een interne e-mail. 'Het lijkt mij geen goed idee als er nu rechtstreeks contact met de familie komt want dan zal die publicatie niet van het internet gaan.' Deze schrijver besluit zijn betoog met: 'Let wel, fouten worden gemaakt en ik heb van Dirk begrepen dat je dat beter maakt.'

Op dat moment is Scheringa op vakantie in Spanje en besluit bestuurder Robin Linschoten een excuusbrief te schrijven. 'DSB Bank zal nimmer betalen voor berichten die door derden worden geplaatst.' Korte tijd later volgt intern de oproep diegenen die de tekst al geplaatst hebben gewoon te betalen. Tot opluchting van iedereen blijft deze kwestie binnen de muren van het kantoor. Want als Antoinette Hertsenberg lucht had gekregen van dit probleem, had zij weer een paar *Radar*-uitzendingen kunnen vullen. Zij had dan namelijk kunnen aantonen dat DSB Bank in ieder geval niet altijd met open vizier handelt.

Scheringa heeft pas in een laat stadium het belang van een goede klachtenafhandeling en een gezond imago begrepen. 'Hij heeft zeker van de blog-actie geweten', aldus een medewerker.

'Waarschijnlijk heeft hij de mogelijke gevolgen niet goed ingeschat.' Volgens een grapje dat op kantoor de ronde doet, is voor hem economie vraag en aanbod, financiën debet en credit en communicatie boodschap en ontvanger. Voor begrippen als missie, visie en waarden kan hij slechts heel even aandacht opbrengen. Daarmee wordt het geld immers niet verdiend. Om met Scheringa te spreken: 'Een busmaatschappij kan nog zulke mooie bussen in de garage hebben staan, als zij niet rijden, wordt geen geld verdiend.' Regelmatig wordt deze vergelijking gebruikt om bij de medewerkers het belang van een hogere omzet onder de aandacht te brengen.

Wanneer in de zomer van 2009 de nood steeds hoger wordt, is ingrijpen onvermijdelijk. In eerste instantie wordt bureau Hill & Knowlton gevraagd plannen uit te werken die voor een beter imago kunnen zorgen. De presentatie verloopt tot tevredenheid van in ieder geval een aantal leden van de raad van bestuur. Zo worden op instigatie van dit bureau al lijsten aangelegd met invloedrijke mogelijke medestanders. Maar van een opdracht zal het niet komen. Eind augustus hoort Scheringa tijdens de loting voor de Champions League over Kirsten Verdel, een relatief jonge dame die betrokken is geweest bij de verkiezingsoverwinning van Barack Obama in de Verenigde Staten. Hij schrijft haar een e-mail, zij stelt hem brutale vragen en binnen een mum van tijd voorziet zij Scheringa van advies en woont zij de vergaderingen van de raad van bestuur bij.

'Verdel gaat hard aan het werk', schrijft journalist Kaj Leers op zijn blog. 'Ze begint positieve berichten over DSB te twitteren. Op het Fok!forum adviseert ze volgens Leers onder een schuilnaam bezoekers een spaarrekening te openen bij DSB Bank, met als motivatie: 'Is toch gedekt door garantiestelsel. Simpel!' Bij de medewerkers van de afdeling communicatie staat zij inmiddels bekend als de Greet Hofmans van Wognum. Ook Baukje stelt de aanwezigheid van Verdel niet echt op prijs. Wanneer het gezelschap terugkomt van een van de rechtszaken, voelt zij zich door haar buitengesloten bij het naoverleg in de bestuurskamer. Dan barst zij in aanwezigheid van een aantal secretaresses in tranen uit. Het is haar recht om nu dicht bij haar man te zijn.

Maar die plaats lijkt in ieder geval deels ingenomen door Verdel. Zij is getuige van bijna alle belangrijke beslissingen, claimt daar ook vaak invloed op te hebben gehad en wijkt niet van Scheringa's zijde. Zij deelt met hem de blijdschap over kleine overwinningen, spreekt regelmatig haar afschuw uit over de 'onterechte' nederlagen en neemt op het internet vaak een voorschot op mogelijke aanvallen op de posities van minister Wouter Bos en Nederlandsche Bank-president Nout Wellink.

Tot na het faillissement blijft zij zich naar eigen zeggen geheel belangeloos bekommeren om de belangen van Dirk Scheringa. Zo schrijft zij hem in een e-mail van vrijdag 23 oktober dat *RTL Nieuws* met een reconstructie wil komen van een geldopname en geeft zij hem tevens de tekst voor een mogelijke reactie. Twee dagen later maakt zij voor hem een opzet voor een pleidooi voor het behoud van het Scheringa Museum. 'De kracht van de collectie ligt besloten in de unieke samenhang van het geheel. Verder laat de collectie niet alleen werken van Nederlandse kunstenaars zien, maar ook van internationale tijdgenoten. Daarbij worden de werken direct in hun bredere context gezet.'

Scheringa raakt volledig in de ban van Verdel en zet geen stap meer zonder haar te raadplegen. Op haar advies gaat hij niet naar een bijeenkomst waar ook koningin Beatrix aanwezig is, niet met AZ naar Arsenal, niet naar de opening van een kunsttentoonstelling en niet naar de presentatie van de marathonploeg. Verder is zij degene die hem adviseert voorlopig in de luwte te blijven en zijn voorzitterschap bij AZ op te zeggen. Tegelijkertijd verdwijnt voorlichter Klaas Wilting steeds meer naar de achtergrond. Hij moet Scheringa herhaaldelijk smeken om meer informatie zodat hij zijn werk kan blijven doen.

De betrokkenheid van Verdel kan echter niet voorkomen dat DSB Bank steeds meer een speelbal wordt van krachten die het bedrijf niet kan beheersen. Zo vergadert Scheringa op zondag 4 oktober 2009 bij de Nederlandsche Bank over zijn eigen aftreden en dat van Hans van Goor. Hij meent die avond in ruil voor een financieel vangnet voor DSB een afstandsverklaring van zijn aandelen te hebben getekend. 'Dat deed hij overigens zonder dat zijn handen trilden', vertelt een van de aanwezigen. 'Daar had ik best bewondering voor.' Maar achteraf blijkt dat het vangnet nog niet is geregeld.

Op maandag 5 oktober, letterlijk om vijf voor twaalf 's nachts, krijgt DSB van de Nederlandsche Bank te horen dat bij de Europese Centrale Bank niet meer 1,875 miljard euro mag worden geleend, maar nog slechts 1 miljard euro. 'Hiermee werd de bank, die toch al zwaar onder druk stond, het mes op de keel gezet', schrijft Verdel in *Project Homerus*. 'DSB Bank zou nu acuut in geldnood kunnen komen.' In Wognum wordt zelfs gesproken van een bankroof.

De woede is groot. Naar het oordeel van de bedrijfstop wil de Nederlandsche Bank met deze maatregel DSB Bank de laatste slag toebrengen. De toezichthouder heeft een wapen in handen om de bank te onteigenen en aarzelt niet daar gebruik van te maken. Scheringa moet ten koste van alles een kopje kleiner worden gemaakt, oordeelt het bestuur over de gang van zaken. Want waarom anders zou zij voorbereidingen treffen om een noodmaatregel te kunnen aanvragen als de reddingsacties nog in volle gang zijn? En waarom anders zou de centrale bank de hoogte van de korting nauwelijks kunnen verklaren? Dat kan alleen maar wijzen op moedwillig pootjelichten.

Uiteraard heeft de Nederlandsche Bank een andere lezing van de gebeurtenissen. In het rapport van de Commissie Scheltema zeggen de betrokkenen dat zij wel tot deze maatregel moesten overgaan. De solvabiliteit lag immers sterk onder druk en die bepaalde ook de waarde van het onderpand dat bij de Europese Centrale Bank was afgegeven. Wanneer hypotheekportefeuilles in tijden van nood verkocht moeten worden, leveren die immers minder op dan in een normale situatie. Bovendien is onbekend hoeveel claims nog op het bedrijf in Wognum afkomen. 'De Nederlandsche Bank kon, zo heeft zij de Commissie verteld, deze risico's niet ten laste van het Eurosysteem laten komen. Zij dient de Europese belastingbetaler te beschermen.'

Die avond krijgt de woede van Scheringa een nieuwe impuls als blijkt dat de Nederlandse grootbanken anders dan door de Nederlandsche Bank beloofd niet voor het vangnet willen zorgen. De omvang van de mogelijke claims en de invloed daarvan op het bankbedrijf vormen de grootste blokkade voor een dergelijke regeling. 'De Rabobank wil niet in de positie van "vette kip" terechtkomen en haar reputatie op het spel zetten voor claims tegen DSB', schrijft de Commissie Scheltema. Wel lijken de banken bereid om met staatsgaranties uitgegeven obligaties van DSB te kopen, voor een bedrag van 250 miljoen euro. Maar aan die regeling wil het ministerie van Financiën niet meewerken omdat het twijfelt of DSB wel een 'in de kern gezonde bank' is.

Scheringa is des duivels en maakt ruim 700.000 euro aan spaargeld dat hij heeft gestald bij DSB over naar een andere bank. Op die manier zou hij zichzelf bevoordelen boven de andere schuldeisers van het bedrijf. Dat kan natuurlijk niet, beseft hij na verloop van tijd en nadat stevig op hem is ingepraat door andere mensen. Als hij zijn geld niet terugstort, wordt hij afgemaakt in de media. Daar kan hij dan immers niet meer het verhaal vertellen te blijven strijden voor de belangen van de spaarders. Dus rest hem weinig anders dan zijn geld weer onder te brengen op een plaats waar hij vreest later niet meer bij te kunnen komen. Dat mislukt in eerste instantie omdat de bankrekening op slot zit, maar later krijgt Scheringa van een van de bewindvoerders een apart nummer waarmee hij zijn transactie alsnog tot een goed einde kan brengen.

Gelukkig kan in deze periode ook nog positief nieuws worden gemeld. Al op 4 oktober lijkt een akkoord met de Stichting Steunfonds Probleemhypotheken van Jelle Hendrickx aanstaande. Met het televisieprogramma *Radar* wordt afgesproken dat Hans van Goor en Hendrickx de documenten tijdens de uitzending tekenen. Dat moet het vertrouwen van de klanten weer herstellen en de uitstroom van spaargeld een halt toeroepen.

Volgens de medewerkers van DSB hebben de autoriteiten bezwaar tegen het akkoord en wordt de raad van bestuur verboden de documenten te ondertekenen. 'De centrale bank was bang voor dit akkoord', zegt een medewerker van DSB. 'Bij goedkeuring zouden de andere banken aan dezelfde criteria moeten voldoen en dat zou miljarden kosten.' Een publicitaire ramp dreigt, maar Scheringa gaat tot ergernis van zijn medewerkers gewoon thuis eten en laat het vuile werk aan anderen over. Als de actualiteitenrubriek *Nova* bericht over de terugtrekkende beweging, stijgt het bedrag dat spaarders opnemen binnen een uur naar 7,3 miljoen euro.

Uiteindelijk volgt de ondertekening van het akkoord op 8 oktober. Klanten die meer dan 4,5 keer hun jaarinkomen hebben geleend of een schuld hebben die groter is dan 125 procent van de waarde van het onderpand, komen daarmee in aanmerking voor een compensatieregeling. Verder mag aan maandlasten nooit meer worden betaald dan het maximum van de Gedragscode Hypothecaire Financiering. Bij de berekening van dit bedrag worden ook de koopsompolissen meegenomen. Mensen komen in aanmerking voor deze regeling als sprake is van een betalingsachterstand van meer dan drie maanden. Dan krijgen zij een verlaging van de maandlasten en kwijtschelding van schulden.

'Wij hadden een portefeuille samengesteld met twintig voorbeeldgevallen', zegt een voormalige bestuurder. 'Die zouden ons gemiddeld euro 20.000 per stuk kosten. Volgens onze berekeningen voldeden 4300 van onze klanten aan de criteria. Op basis van die gegevens zou de totale schadepost voor ons uitkomen op 86 miljoen euro. Met die regeling kon ik prima leven, ook omdat de kwaliteit van onze portefeuille zou verbeteren en dus beter te securitiseren. Dirk wilde dat voordeel ook gelijk in de boeken verwerken, maar dat mag nu eenmaal niet van de regels.'

Deze regeling ligt ten grondslag aan het akkoord dat een week later wordt gesloten met financieel ombudsman Jan Wolter Wabeke. Tijdens een vergadering op 15 oktober wordt de overeenkomst getekend. Bij deze bijeenkomst stelt Dirk Scheringa zich op als de verlegen volksjongen, doet Hans van Goor zich voor als een joviale man en spelen Robin Linschoten en Ronald Buwalda de agressievere rollen. Uiteindelijk wordt de zaak afgerond en wordt de schade voor DSB Bank berekend op een bedrag tussen de 69 en 147,9 miljoen euro.

De medewerkers van DSB Bank willen dat Wabeke het bereikte akkoord in de media gaat uitdragen, maar dat doen Scheringa en Van Goor liever zelf. Na afloop van het overleg spoeden zij zich naar Hilversum om daar in actualiteitenrubriek *Nova* te vertellen over de overeenkomst. Hoewel van tevoren duidelijk is afgesproken geen bedragen te noemen, kan het duo dat toch niet laten. Zij zeggen tijdens de uitzending dat de regeling het bedrijf ongeveer 30 miljoen euro gaat kosten. 'Bij die gelegenheid werd direct weer gejokt', aldus een op deze avond aanwezige partij. Wel neemt de uitstroom van spaargeld af tot 3 miljoen euro per dag.

Dit betekent geenszins het einde van de ellende. Enkele dagen eerder, op zondag 11 oktober 2009, besluiten Wouter Bos en Nout Wellink dat de reddingsoperatie is mislukt en dat hun niets anders rest dan bij de rechtbank een noodregeling aan te vragen. Anders dan veel andere slachtoffers weigert Scheringa al bij voorbaat het hoofd in de schoot te leggen en hij verdedigt zich vol vuur. Zijn belangrijkste punt is dat de uitstroom van spaargeld bijna tot stilstand is gekomen.

Uiteindelijk krijgt hij gelijk van de rechters. Zij vinden de situatie weliswaar zeer zorgelijk, maar achten het niet onmogelijk dat de zaak nog ten goede wordt gekeerd. Daarbij wordt aangegeven dat, mochten spaarders hun vertrouwen weer verliezen, een ander oordeel mogelijk blijft.

In *Project Homerus* wordt de reactie van Baukje aangehaald om de euforie over de overwinning onder woorden te brengen: 'De toga's met de witte bef deden haar denken aan pinguïns. "Zit je daar, zie je allemaal pinguïns van de Nederlandsche Bank. Wij hadden maar één pinguïn en die was nog klein ook", merkte ze na afloop tot hilariteit van de toehoorders op. "Maar die van ons had wel de grootste mond", vulde ze voldaan aan.'

De vreugde over deze overwinning is slechts zeer tijdelijk. *Het Financieele Dagblad* en *de Volkskrant* hebben lucht gekregen van de aanvraag van de noodregeling en berichten daarover in hun ochtendedities. DSB Bank beschuldigt de toezichthouder van het bewust uitlekken van deze informatie. 'Al bij de voorbereiding van de rechtszaak kreeg ik telefoontjes van journalisten', zegt een medewerker. 'Aangezien ik geen zin had om te liegen, liet ik ze maar op mijn voicemail inspreken.'

De Rijksrecherche doet onderzoek naar de gang van zaken en komt tot de conclusie dat de oorzaak gezocht moet worden bij een ongelukkige samenloop van omstandigheden. De Nederlandsche Bank verwacht namelijk een grote hoeveelheid telefoontjes als de noodregeling wordt afgekondigd en heeft via een uitzendbureau om extra personeel gevraagd. Meer dan 500 mensen zijn op de hoogte van het verzoek bij de rechtbank. Nu de kennis over de gang van zaken zo breed is verspreid, wordt het vrijwel onmogelijk die niet te laten uitlekken. De Nederlandsche Bank wordt alleen op de vingers getikt omdat zij geen protocol heeft voor dergelijke gevallen. De vertegenwoordigers van DSB zijn niet overtuigd. Want waarom zijn zij nooit gebeld om hun visie op het informatielek te geven?

Bij het verschijnen van de ochtendkranten op 12 oktober slaat bij Hans van Goor voor het eerst de paniek echt toe. Vanaf zes uur stelt hij zijn medebestuurders en een aantal directeuren op de hoogte. Maar dat doet hij met overslaande stem en onsamenhangend taalgebruik, en laat bij de meesten slechts verwarring achter. Dus ontstaat al vroeg een druk telefonisch contact tussen de medewerkers van DSB Bank, waarin zij elkaar zo ver mogelijk op de hoogte brengen van de stand van zaken. De situatie is zeer ernstig, zoveel is duidelijk. Dat blijkt ook uit de hernieuwde uitstroom van spaargeld. In twee uur tijd wordt 35 miljoen euro opgenomen bij DSB Bank. Later zal dat bedrag aangroeien tot 59 miljoen euro, waarmee het totaal sinds 1 oktober uitkomt op bijna 685,6 miljoen euro.

Ondanks het drama lijkt Scheringa opmerkelijk rustig te blijven. Hij klimt op een tafel om het personeel toe te spreken. 'Het is nog maar de vraag of we vandaag overleven. Dankzij de Nederlandsche Bank en Financiën zitten wij nu in deze situatie. Het is spannend, maar ik zeg gewoon eerlijk hoe het zit. Daar hebben jullie recht op. Het wordt een zware en hectische dag. Dit had niet gehoeven.'

Om half elf komen de rechters opnieuw bijeen voor een zitting. 'De liquiditeit van DSB ontwikkelt zich thans op gevaarlijke wijze en er is geen zicht op verbetering van die ontwikkeling', schrijven zij in hun eindverslag. Door de publicitaire belangstelling is het niet te verwachten dat de uitstroom van spaargeld nog tot staan zal komen en de rechters besluiten dat de bank met onmiddellijke ingang onder curatele moet worden gesteld. Deze argumenten worden door advocaat Frank 't Hart niet bestreden. Hij stelt dat DSB zich dit keer niet verzet tegen de noodregeling. De voormalige ABN Amro-bankier Joost Kuiper en advocaat Rutger Schimmelpennick worden tot bewindvoerders benoemd.

Scheringa keert terug naar Wognum en spreekt wederom het personeel toe. Niet voor het eerst toont hij zich uiterst strijdlustig. DSB Bank is naar zijn idee gepakt. Als de aanvraag voor de noodregeling niet doelbewust was uitgelekt, hadden hij en zijn medebestuurders kunnen blijven werken aan een oplossing voor de problemen. 'Bij deze bijeenkomst waren veel vrouwen aanwezig en dus stroomden de tranen rijkelijk', zegt een van de aanwezigen. 'Ook Dirk hield het niet droog.' Na afloop voelt Scheringa zich gesterkt door het daverende applaus dat hij krijgt.

Volgens de bestuurders van DSB zijn de bewindvoerders nauwelijks geïnteresseerd in de verkoop van het bedrijf. Zij zouden alleen maar vragen stellen over hoe het mogelijk kan worden gemaakt dat klanten weer geld op kunnen nemen. 'Zij stelden zich vanaf het eerste moment op als curator', zegt een van de bestuurders. 'Dat is van belang omdat een curator uitsluitend de belangen van de schuldeisers moet dienen, maar een bewindvoerder moet kijken naar de mogelijkheden voor het bedrijf. Zo hadden zij bijvoorbeeld moeten inventariseren of andere partijen belangstelling hadden voor een doorstart.'

Dus gaan de bestuurders zelf rondbellen om de belangstelling te peilen. De Haagse zakenbank NIBC staat niet bij voorbaat afwijzend, maar de verwachtingen over een Amsterdamse investeringsmaatschappij zijn hoger gespannen. Daarmee is in het verleden immers al overlegd over de overname van hypotheekportefeuilles. Volgens deze partij was daarbij altijd sprake van bijzonder moeizame gesprekken. Elke keer als een overeenstemming naderde, kwamen uit Wognum weer aanvullende eisen.

'Onze indruk van het bedrijf was niet erg goed', zegt deze partij. 'Dirk Scheringa die met een grote rekenmachine in de bestuurskamer de rente vaststelde en Gerrit Zalm die eigenlijk van toeten nog blazen wist. Ronald Buwalda deed het echte werk. En dan natuurlijk nog Hans van Goor. Eén ding was duidelijk, als je zaken wilde doen met DSB, dan kwam je niet om hem heen. Hij was de man die de harde eisen formuleerde.'

Op zondag 11 oktober zijn de kaarten anders geschud. Tijdens een telefoontje naar Amsterdam wordt duidelijk dat deze partij elke prijs kan noemen die ze wil. Maar dan is de maatschappij vanwege de mogelijke reputatieschade haar interesse in de hypotheekproducten verloren. De inzet van incassobureaus bijvoorbeeld zou een bestaan in de anonimiteit in gevaar kunnen brengen. Alleen voor de kunstcollectie bestaat dan nog belangstelling. Die verdwijnt echter wanneer ontdekt wordt dat de schilderijen als onderpand voor leningen van ABN Amro zijn verstrekt.

Inmiddels is het woensdag 14 oktober en al een paar dagen hebben zich geen nieuwe partijen gemeld die interesse hebben in een overname. De bewindvoerders besluiten dan het faillissement aan te vragen. Deze zaak dient op vrijdagochtend en zal volgens de kenners nu toch echt het definitieve einde van DSB Bank betekenen. Toch is het personeel van DSB Bank niet van plan dat geruisloos te laten gebeuren. Ongeveer tweehonderd medewerkers reizen af naar de rechtbank in Amsterdam om Scheringa hun steun te betuigen. Als hij woensdagavond het gebouw betreedt, wordt hij begeleid door luid gejuich en applaus.

De rechtbank komt pas de volgende ochtend met een uitspraak. Daarin wordt Scheringa het voordeel van de twijfel gegund. Weliswaar geloven de magistraten niet dat hij nog een koper voor zijn bedrijf zal weten te vinden, maar hij moet de kans krijgen om met de vijf Nederlandse grootbanken te overleggen. De bewindvoerders schatten de maximale schade van de claims op 260 miljoen euro, terwijl dat bedrag volgens Scheringa niet verder kan oplopen dan 85 miljoen euro. Tijdens het overleg dat die donderdagavond bij de Nederlandsche Bank op het programma staat, mag hij proberen zijn collega's van zijn visie te overtuigen. Een uitspraak over het faillissement wordt ondertussen uitgesteld tot vrijdagochtend twaalf uur.

Het overleg bij de toezichthouder levert niets op. Wanneer blijkt dat het ministerie van Financiën niet garant wil staan voor de mogelijke schade, haken de grootbanken af bij de reddingsoperatie. Hun motivatie is verdwenen, maar als zij worden opgeroepen door de Nederlandsche Bank kunnen de banken natuurlijk niet verstek laten gaan. In deze tijd van economische crisis is het goed mogelijk dat in de toekomst een samenwerking met dit instituut weer broodnodig is. En dan is het niet handig de medewerkers tegen je in het harnas te jagen.

De rechters lijken vrijdagochtend dus voor een voldongen feit te staan. De redding is mislukt en iedereen rekent op een faillissement. Toch weet Scheringa weer een uitstel te bewerkstelligen. Hij zegt dat een grote Amerikaanse partij serieuze belangstelling heeft getoond voor een overname. Dat is voor de rechters reden hem wederom het voordeel van de twijfel te geven. 'We leven nog steeds', zegt Scheringa als hij de rechtbank verlaat. En op de stoep juichen medewerkers van DSB Bank die wederom de reis naar Amsterdam hebben gemaakt.

Vervolgens wordt in de pers druk gespeculeerd over de identiteit van deze koper. *De Volkskrant* zegt van bronnen te hebben vernomen dat het om GE Financial Services gaat, een partij die al eerder interesse had voor het bedrijf uit Wognum. Ook de namen JC Flowers en Citigroup doen de ronde. Uiteindelijk spreken de verslaggevers van *NRC Handelsblad* het verlossende woord. In de zaterdageditie van deze krant wordt melding gemaakt van het Texaanse Lone Star.

Maar ook deze besprekingen lopen op niets uit. Volgens Dirk Scheringa is dat te wijten aan de bewindvoerders. Hij verklaart tijdens een persconferentie dat een gesprek tussen Lone Star en Rutger Schimmelpenninck fataal is gebleken. Het enthousiasme bekoelde en de Amerikanen wisten vervolgens niet hoe snel zij het kantoor moesten verlaten. Op zondag 18 oktober 2009 laten zij zonder toelichtende verklaring weten af te zien van een overname. Voor Scheringa is deze teleurstellende gang van zaken reden om zondagavond om zes uur een formele klacht in te dienen tegen Schimmelpenninck. En die vervolgens om kwart voor acht ook weer in te trekken.

Waarschijnlijk heeft Scheringa niet alle bijlagen bij het vonnis grondig bestudeerd. Daarin staat namelijk dat Lone Star – of een andere partij – DSB Bank niet voor een appel en een ei kan overnemen. Zo moet voor zondagavond zes uur overeenstemming zijn bereikt over een boedelkrediet van 300 miljoen euro om rekeninghouders een voorschot van 3000 euro te kunnen geven op hun spaargeld. Verder moet een kredietfaciliteit van 50 miljoen euro beschikbaar worden gesteld om tijdens het boekenonderzoek de werkzaamheden te kunnen voortzetten. Door deze zware eisen vermindert de aantrekkelijkheid van het bedrijf uit Wognum aanzienlijk.

Het is nog niet het einde van het verhaal. Als de vertegenwoordigers van Lone Star de thuisreis hebben aanvaard, rept Jelle Hendrickx plotseling van een Plan B dat de ronde doet. Veel helderheid kan hij daar dan nog niet over geven, maar in de loop van die zondag ontstaat meer duidelijkheid. Spaarders moeten hun achtergestelde deposito's omzetten in aandelen van de bank, waardoor het eigen vermogen groeit en de schulden afnemen. De overheid en Scheringa zouden de liquiditeit verder moeten versterken met injecties van respectievelijk 140 miljoen euro en 70 miljoen euro. Tot slot wordt de Nederlandsche Bank gevraagd de eerder genoemde *haircut* ongedaan te maken zodat weer gebruik gemaakt kan worden van de leencapaciteit van 1,8 miljard euro.

Al snel laat de belangengroep van de spaarders weten niets in de plannen te zien. Volgens deze organisatie wordt de financiële positie van DSB Bank op deze manier onvoldoende versterkt. Bovendien zou de positie van de spaarders verslechteren doordat een aandeelhouder in het geval van een faillissement minder rechten heeft. Bij het ministerie van Financiën bestaat evenmin veel enthousiasme voor Plan B. Daar wordt het als onrealistisch beoordeeld. Zowel de Nederlandsche Bank als minister Bos laat een onverbiddelijk nee horen.

De bedelbrief van Scheringa aan minister Bos kan daaraan niets veranderen. In deze brief vraagt hij 100 miljoen euro als bijdrage aan de reddingsoperatie. Hij laat echter ook doorschemeren zelf geen geld in zijn bedrijf te willen steken. Het antwoord laat op zich wachten, maar Scheringa aarzelt niet de rechter in een tussenrapportage te laten weten dat de steun al is toegezegd. Dat strookt niet met de werkelijkheid en diverse partijen geven blijk van hun verbijstering over dit leugentje om bestwil. Naar hun idee is het toch wel erg onfatsoenlijk om de rechter een verkeerde voorstelling van zaken te geven.

'Scheringa is niet gewend aan tegenspraak', zegt de financieel adviseur uit wiens koker Plan B komt tegen *de Volkskrant*. 'Hij is iemand die naar niemand luistert, altijd zijn eigen gang gaat en boos wordt als mensen tegen hem ingaan. Hij heeft alleen jaknikkers om zich heen. Die bank wordt op een rommelige manier geleid door een provinciaal stelletje met onvoldoende kennis van zaken. Een uitermate gevaarlijke situatie.'

Nu Plan B is verworpen, is de strijd echt ten einde. Op maandagochtend 19 oktober 2009 spreekt de rechter het faillissement uit. Scheringa is zelf niet meer bij die uitspraak aanwezig omdat hij na de gebeurtenissen van de afgelopen dagen niet verwacht dat hem opnieuw uitstel wordt verleend. Om kwart over tien klimt hij op een tafel in de kantine van DSB Bank en deelt hij het personeel het droeve nieuws mee. Net als bij de voorgaande keren wordt bij die gelegenheid veel gehuild, onder meer door Scheringa zelf. Hij heeft de afgelopen weken zijn uithoudingsvermogen tot het uiterste aangesproken, waardoor hij zowel fysiek als emotioneel de uitputting nadert.

Vooral de laatste week had Scheringa keihard gevochten voor het voortbestaan van zijn bedrijf en leek hij een metamorfose te ondergaan. Plotseling wist hij de microfoons en camera's te vinden en tartte hij vol overgave het gezag. Toen hij het besluit van de Nederlandsche Bank tegen de noodmaatregel bij de rechtbank aanvocht, ging hij in de pauzes steeds naar buiten om de pers en het verzamelde personeel van DSB Bank van de stand van zaken op de hoogte te brengen. Hoe hopeloos de situatie ook is, hij ziet altijd kansen en steekt herhaaldelijk beide duimen triomfantelijk in de lucht. De medewerkers van DSB hebben hun hoop volledig op Scheringa gevestigd en vormen voor hem een erehaag. Ondertussen is de vermoeidheid van zijn gezicht af te lezen. Zelfs minister Wouter Bos van Financiën zegt in een televisieprogramma dat hij waardering kan opbrengen voor de vechtlust van de man uit West-Friesland.

Scheringa speelt in dit hele verhaal vol overgave de rol van underdog. En daar blijkt Nederland gek op. Ademloos volgt het publiek de avonturen van de man die volledig gaat voor de redding van zijn bedrijf. Hij lijkt zich op het laatst te wentelen in het medelijden en noemt de toejuichingen die hem ten deel vallen herhaaldelijk een warm bad. 'Dat is voor mij belangrijk', zegt hij in een interview met *De Telegraaf*. 'Ik ben verguisd door de Nederlandsche Bank, door de Autoriteit Financiële Markten, door sommige politici. Maar niet door de man en de vrouw op straat. En ook niet door mijn sporters.'

De media vermoeden ondertussen dat de nieuwe strategie is ingegeven door Charles Huijskens, de voorlichter die de bewindvoerders in dienst hebben genomen. Door zijn komst zou de communicatie van DSB Bank strakker en strategischer zijn geworden. En hij zou Scheringa als boegbeeld van een onderneming in nood in de schijnwerpers hebben gezet. Een artikel met die strekking wordt rondgestuurd door Kirsten Verdel. 'Ze denken dat Huijskens achter alles zat', meldt zij in het begeleidend schrijven. 'Wel grappig.'

15

Tranen met tuiten

Een mooie herfstdag in 2009. Op het erf van de familie Scheringa in Spanbroek staat een wagen van Ikwileenzwembad.nl. De medewerkers van deze firma pompen het zwembad van de voormalige baas van DSB Bank leeg. Nu zijn bedrijf ten onder is gegaan, moet hij op de kleintjes letten. De ongeveer 30.000 euro per jaar die hij aan verwarmingskosten kwijt is, kan hij goed gebruiken voor andere activiteiten. Toch lijkt hij niet verslagen en neemt hij de deconfiture filosofisch op. 'Ik moet weer opnieuw beginnen. Ach, wat maakt het uit. Ik ben ook met niets begonnen. Waarom zou ik niet net als andere Nederlanders de handen uit de mouwen moeten steken?'

Een paar maanden later is hij op weg naar zijn vakantiehuis in Spanje om daar de laatste hand te leggen aan een reconstructie van de DSB-affaire. Zijn privévliegtuig is hem afgenomen en hij moet dus gebruikmaken van een goedkope lijnvlucht. Hij maakt een erg zenuwachtige indruk omdat hij niet meer gewend is zich zonder bewaking tussen zoveel andere, gewone mensen te moeten bewegen. Zijn gezin rijdt ondertussen met een van zijn oudere auto's naar dezelfde bestemming. Dat geeft hun de mogelijkheid met een nieuwer model uit Spanje terug te komen en dat exemplaar vervolgens in Nederland te verkopen. Ook dat geld kan de familie van de voormalige miljardair inmiddels goed gebruiken.

Verder wordt een poging ondernomen om een deel van het vastgoed van de hand te doen. De 'statige woonboerderij' in het Drentse Norg die in 2000 voor 365.000 euro is gekocht, wordt op de huizensites op het internet aangeboden voor 895.000 euro. Uit de foto's blijkt de voorliefde van Scheringa en zijn vrouw voor plavuizen, zware eiken meubelen en bakstenen haarden. Het is alsof de jaren zeventig herleven. Volgens de makelaar bestaat veel belangstelling voor dit 'unieke object', maar tegelijkertijd weigert hij zich uit te laten over de kansen op een verkoop. 'Het is een huis voor een liefhebber, iemand met geld', zegt hij tegen *de Volkskrant.*

Daarmee zijn de mogelijkheden om snel aan geld te komen wel zo ongeveer uitgeput. Of het nu gaat om zijn privévliegtuig, het grootste deel van zijn kunstverzameling of het landhuis Rinsma State, alles is gekocht door bedrijven die deel uitmaken van DSB Beheer. Met de val van dat bedrijf worden de bezittingen verkocht, maar daar ziet Scheringa zelf geen cent van. Naar eigen zeggen heeft hij een hypotheek moeten nemen op zijn woonboerderij in Spanbroek om zijn gezin te kunnen onderhouden. In de buitenwereld wordt getwijfeld aan zijn geldnood omdat hij ook na het faillissement nog lange tijd een secretaresse in dienst heeft die hij natuurlijk een salaris moet betalen.

Scheringa doet zijn best om zich staande te houden. Dat lijkt in financieel opzicht beter te lukken dan wat betreft de emoties. Hij verklaart dat hij nooit depressief is geweest en dat na een avondje samen janken met de familie de ergste pijn is geleden. Maar dat is eerder een stoer dan een waar verhaal. Hij slaapt slecht en zijn humeur gaat in pieken en dalen. Soms is hij volgens mensen in zijn omgeving zwaar aangedaan, dan weer zit hij vol nieuwe plannen. 'Bereid je maar voor op een periode van tien jaar ploeteren', krijgt hij als advies van een goede kennis. 'Dan komt plotseling een dag dat je achteraf merkt dat je niet aan het gebeurde hebt gedacht. Het is eigenlijk net als met de liefde of met het overlijden van een naaste.'

De hevigheid van de rouw is niet zo moeilijk te verklaren. Hij had geen imperium, hij was het imperium. DSB Bank draaide om hem, en hij aarzelde niet zichzelf en zijn levensstijl in te zetten bij de marketing. Zijn geitenwollen sokken, zijn schaatstochten, zijn voetbalclub en zijn ogenschijnlijke bescheidenheid, alles was deel van het beeld dat het bedrijf probeerde op te roepen. Bij de teloorgang van DSB verloor hij niet alleen zijn geld, maar ook een deel van zijn identiteit. Dat hij het faillissement altijd als onrechtvaardig heeft gevoeld, maakt dit verlies niet makkelijker te dragen. Door de woede blijft hij vechten tegen de gang van zaken en heeft hij nauwelijks ruimte voor berusting.

Bovendien wordt Scheringa geconfronteerd met een wel erg vernederende behandeling door zijn schuldeisers. Wanneer zijn museum wordt leeggehaald, komen de vrachtwagens pas tegen het vallen van de avond. Tot diep in de nacht wordt doorgewerkt en de ramen van het museum worden geblindeerd. De actie krijgt daarmee het karakter van een overval. Later worden ook de kunstwerken bij hem thuis opgehaald. Natuurlijk staat de bank in zijn recht, maar dat maakt de druiven voor Scheringa niet minder zuur. Waar hij eerst met alle egards werd behandeld, krijgt hij nu het gevoel niet meer te zijn dan een ordinaire oplichter.

Baukje lijkt minder moeite te hebben met haar nieuwe status. Dat wil zeggen, na de eerste dagen, als zij weer zelf naar de supermarkt moet om boodschappen te doen en zich vreselijk zenuwachtig maakt over de reacties die dat zou oproepen. Gelukkig zijn haar dorpsgenoten vrijwel zonder uitzondering erg aardig en krijgt zij opmerkingen te horen als 'Kop op meid' en 'Laat je niet kisten hoor'. Die bejegening betekent een grote opluchting voor haar en maakt het haar relatief makkelijk om zich te schikken in de nieuwe situatie. Eigenlijk heeft zij zich altijd wat onbehaaglijk gevoeld bij de grote rijkdom en bij alle plichtplegingen die daarbij horen.

Bovendien is voor haar ook niet zoveel veranderd als voor

hem. Net als vroeger zet zij koffie als de mannen vergaderen en net als vroeger zorgt zij voor het eten en maakt zij het huis aan kant. Het kost haar alleen meer tijd nu zij over minder hulp kan beschikken. Ook de relatie tussen haar en Scheringa lijkt dezelfde als toen de bomen nog tot in de hemel groeiden. Wanneer Baukje tijdens een interview wil deelnemen aan het gesprek, krijgt zij op botte toon te horen dat haar aanwezigheid op dat moment niet op prijs wordt gesteld. En als zij terugkomt van de weekendinkopen, kijkt haar man met de armen over elkaar toe hoe zij met de zware tassen het tuinpad op komt lopen.

Voorzichtig begint Scheringa aan een aantal nieuwe activiteiten. Zo richt hij samen met Koen Lenting, de voormalige man van Sonja Bakker, uitgeverij De Wijsheid op. Dit project heeft onder meer als doel het levensverhaal van Scheringa te vermarkten. Al bij de persconferentie na de val van DSB Bank wordt een biografie aangekondigd, maar die laat vervolgens meer dan een jaar op zich wachten. Op het moment van schrijven is die nog steeds niet verschenen. Wel is inmiddels het eerder genoemde *Project Homerus* bij de uitgeverij gepubliceerd. In dit boek geeft Scheringa, samen met zijn adviseur van het laatste uur Kirsten Verdel, een reconstructie van de avonturen die tot het faillissement hebben geleid.

Ook gaat hij zich in het lezingencircuit bewegen. Verdel heeft voor hem op dit gebied de mogelijkheden op een rij gezet. Zij schrijft hem in een e-mail dat het publiek niet zit te wachten op een klaagzang over alles wat hem is overkomen. 'Wat mensen graag van jou willen horen is een verhaal over succesvol ondernemerschap, vallen en opstaan en altijd maar doorgaan.' Zij adviseert hem de eerste aanvraag voor 6800 euro te accepteren en het organisatiebureau meer spreekbeurten voor hetzelfde bedrag te laten organiseren. 'Tegelijkertijd moet je echter – gek genoeg – zo snel mogelijk weg bij die bureaus. Als de organisatoren rechtstreeks bij je uit kunnen komen, dan hoef je de provisie ook niet meer te betalen.' Daarom is het volgens haar van groot belang zo snel mogelijk een eigen website te beginnen.

Het eerste optreden vindt plaats in Eindhoven, in grote geheimzinnigheid. De organisatie SuitClub krijgt daarbij de opdracht om de pers op afstand te houden – als aan deze voorwaarde niet wordt voldaan, zal Scheringa niet verschijnen. Om te voorkomen dat journalisten toch aan de reis beginnen, wordt hun verteld dat de lezing niet doorgaat. Een tweede poging in Assen wordt geannuleerd vanwege gebrek aan belangstelling. Eenzelfde lot is een lezing beschoren die hij samen met zakenvrouw Annemarie van Gaal en zakenman Hennie van der Most in het stadion van AZ organiseert. De officiële lezing is dat dit evenement wordt geannuleerd vanwege de dood van een vooraanstaande medewerker van DSB, maar tegelijkertijd hebben zich ook erg weinig mensen aangemeld. Ogenschijnlijk bloedt dit initiatief daarmee dood. Maar Kirsten Verdel zal bijna een jaar later zeggen dat Scheringa inmiddels druk bezochte lezingen geeft. Als dat al waar is, dan wordt over die bijeenkomsten in ieder geval zelden of nooit in de kranten en tijdschriften verslag gedaan.

Dat zou ook een bewuste strategie kunnen zijn. Na het faillissement wil Scheringa lange tijd niet in de massamedia optreden. Hij is bang te veel weg te geven zodat zijn boek geen nieuws meer bevat en dus slechter zal verkopen. Bovendien adviseren zijn advocaten hem regelmatig buiten beeld te blijven. Een verstandige gedachte, want misschien laat hij zich anders in zijn boosheid uitspraken ontlokken die zich later tegen hem kunnen keren. Voor zover hij in de eerste tijd al met journalisten praat, doet hij dat uitsluitend op voorwaarde dat hij niet wordt geciteerd.

Ook de toezichthouders zijn niet ongeschonden uit de strijd gekomen. Vroeger hoefde de Nederlandsche Bank bij wijze van spreken slechts de wenkbrauwen te fronsen en alle bestuursvoorzitters van de financiële instellingen sprongen in het gelid. Maar met de komst van prijsvechters als DSB Bank en ook Afab behoort die tijd definitief tot het verleden. Tegenwoordig worden de randen van het toelaatbare opgezocht en moet de toezichthouder goed opletten of zijn aanwijzingen ook in beleid worden omgezet. Vooral als het gaat om de behandeling van het geval Scheringa klinken twijfels over de manier waarop door de Nederlandsche bank en de Autoriteit Financiële Markten aan deze nieuwe rol invulling is gegeven.

Zo maakt het voormalige bestuur van DSB Bank op 17 maart 2010 bekend aangifte te gaan doen tegen de Nederlandsche Bank. Bij het aanvragen van de noodregeling zou deze toezichthouder zijn geheimhoudingsplicht hebben geschonden. Toen die actie naar de media uitlekte, ondernamen verontruste spaarders een tweede run op de bank. Op dinsdag 19 oktober volgt uiteindelijk de aangifte, maar die wordt dan alleen door Scheringa ingediend. Als de aangifte leidt tot een vervolging, is sprake van een primeur. Het is nog niet eerder voorgekomen dat de Nederlandsche Bank in een strafzaak voor de rechter moet verschijnen. De positie van de Nederlandsche Bank is minder onschendbaar geworden.

Voorzitter Pieter Lakeman van de Stichting Hypotheekleed laat op 7 oktober 2009 al weten de Nederlandsche Bank te willen aanklagen. Het eigen vermogen van DSB schiet tekort om zijn claim te honoreren en de toezichthouder moet volgens hem geweten hebben van de hoge provisies. 'De Nederlandsche Bank moet niet alleen de solvabiliteit en de liquiditeit van een bank toetsen, maar ook de moraliteit.' President Nout Wellink van de Nederlandsche Bank is in zijn ogen een bondgenoot van Scheringa, wat al eerder bleek doordat hij negatief reageerde op Lakemans oproep aan DSB-spaarders hun rekening leeg te halen en zo het faillissement van het bedrijf te Wognum af te dwingen.

Eerder al vinden veel parlementariërs dat de Nederlandsche Bank in aanloop naar de kredietcrisis de risico's veel te hoog heeft laten oplopen. Nu ook door de ondergang van DSB Bank de nodige twijfels ontstaan over de rol van de toezichthouder, loopt het imago van president Wellink een forse deuk op. 'Mijn geduld met Wellink is he-le-maal op', zegt Rita Verdonk van Trots op Nederland. 'Wegwezen!' Niet dat deze oproep erg serieus wordt genomen, maar luider dan ooit klinkt het verlangen naar een onafhankelijke commissie die zowel het functioneren van de Autoriteit Financiële Markten als die van de Nederlandsche Bank moet onderzoeken.

Op 12 oktober, kort nadat de rechter DSB Bank onder curatele heeft geplaatst, komt minister Bos tegemoet aan deze oproep. 'Het is noodzakelijk om te weten hoe het zover heeft kunnen komen', zegt hij in de Tweede Kamer. Voor dat initiatief krijgt hij steun van vrijwel alle fracties. De 61-jarige Michiel Scheltema wordt gevraagd leiding te geven aan het onderzoek. Hij is deskundige op het gebied van staatsrecht, administratief recht en bestuursrecht en was namens D66 staatssecretaris van Justitie in het kabinet-Van Agt II. Omdat Scheltema in brede kring aanzien geniet voor zijn rechtskennis en hij uitstekend op de hoogte is van de politieke verhoudingen, lijkt hij de ideale kandidaat om het onderzoek in goede banen te leiden.

Een tweede onderzoek moet meer duidelijkheid geven over de rollen die de voormalige bestuurders van DSB Bank hebben gespeeld. Gerrit Zalm, Frank de Grave, Ed Nijpels en Robin Linschoten zijn op de een of andere manier allemaal betrokken geweest bij het bedrijf en moeten getoetst worden op hun deskundigheid en betrouwbaarheid. De meeste Kamerleden reageren vooralsnog afwachtend omdat zij eerst de resultaten van deze test onder ogen willen krijgen. Dit onderzoek wordt uitgevoerd door de Autoriteit Financiële Markten en de Nederlandsche Bank. Alleen Ewout Irrgang van de Socialistische Partij neemt al een voorschot op de uitkomsten door te stellen dat de positie van Zalm niet steviger is geworden. 'Hij is toch financieel bestuurder geweest van een bank waarvoor een noodmaatregel is aangevraagd.'

Zalm zelf zegt dat hij het onderzoek vol vertrouwen tegemoet ziet omdat DSB juist dankzij hem een einde heeft gemaakt aan omstreden verkoopmethoden. Toch lijkt dat zelfvertrouwen wat voorbarig. Vooral de AFM heeft grote moeite met het functioneren van de voormalige minister van Financiën. De Nederlandsche Bank is positiever en trekt met haar oordeel uiteindelijk aan het langste eind. Zalm kan dan aanblijven als bestuursvoorzitter van ABN Amro, maar de controverse tussen beide toezichthouders leidt wel tot een grote politieke rel en tot ophef in de Tweede Kamer. De beoordeling van commissaris en latere bestuurder Robin Linschoten verloopt soepeler. Zowel de Nederlandsche Bank als de AFM komt tot de conclusie dat zijn betrouwbaarheid niet ter discussie staat.

De beoordeling van de in 2007 ontslagen financieel bestuurder Jaap van Dijk neemt meer tijd in beslag. In eerste instantie krijgt hij een brief van de Nederlandsche Bank waarin hem wordt verteld dat een nieuw onderzoek naar zijn betrouwbaarheid en deskundigheid niet nodig is. De mededeling stuit op grote weerstand bij Van Dijk. Als zijn naam in de berichtgeving rond DSB blijft opduiken, wil hij van alle blaam gezuiverd worden. En ook de Tweede Kamer zet vraagtekens bij de gang van zaken. Eerder is immers afgesproken dat alle voormalige bestuurders van DSB Bank aan een onderzoek worden onderworpen. Dat is voor de toezichthouders reden uiteindelijk toch een onderzoek uit te voeren, waar vervolgens een positief oordeel uit voortkomt.

Ed Nijpels vreest de toets der kritiek niet te kunnen doorstaan. Op 22 februari 2010 maakt hij zijn aftreden bekend als bestuursvoorzitter van ABP, het grootste pensioenfonds van Nederland. Hij is van 15 juli tot 1 oktober 2009 commissaris geweest bij DSB en vertrekt precies op de dag dat Lakeman zijn oproep voor een bankrun doet. 'De beeldvorming over DSB en mijn rol bij die bank heeft een eigen dynamiek gekregen die voor mij niet meer beheersbaar is', zegt hij tegen *Het Financieele Dagblad* als hij zijn besluit wereldkundig maakt. Op de vraag of deze stap is ingegeven door het onderzoek dat naar hem loopt, antwoordt hij: 'Mijn vertrek is bepaald door de totale beeldvorming van de afgelopen maanden.'

Dirk Scheringa zelf is in november 2009 uitgebreid ondervraagd door de toezichthouders voor een hertoetsing. Maar anders dan bij zijn collega's wordt over hem geen oordeel uitgesproken. Minister Bos heeft namelijk de opdracht gegeven alleen een mening te formuleren over mensen die nu nog in de financiële sector werkzaam zijn. En daar is bij Scheringa na de val van DSB Bank geen sprake van. Volgens een aan hem gerichte brief van de Nederlandsche Bank uit april 2010 oefent hij als aandeelhouder van het failliete bedrijf 'geen daadwerkelijke invloed' meer uit.

'Een opmerkelijke redenering', laat advocaat Frank 't Hart van Spigthoff weten. Weliswaar is DSB failliet, maar daarmee vervalt niet de goedkeuring die de Nederlandsche Bank in 2005 aan Scheringa verleende. 'Hij heeft nog steeds die verklaring van geen bezwaar om die aandelen te houden.' Volgens 't Hart is de toezichthouder dus feitelijk tot de conclusie gekomen dat zijn cliënt nog steeds betrouwbaar is, anders had de Nederlandsche Bank de verklaring moeten intrekken. Ook het argument dat Scheringa geen feitelijke invloed meer heeft, wordt door hem van tafel geveegd. 'Het is net als met een rijbewijs. Als je dat eenmaal hebt, dan heb je het. Ook al rij je nooit in een auto.'

Het onderzoek van de Commissie Scheltema verloopt inmiddels aanmerkelijk trager. Tot vier keer toe wordt de publicatie van het rapport uitgesteld. Aanvankelijk stonden de resultaten voor februari 2010 op de rol, dat werd vervolgens medio april, dan weer eind april en ten slotte medio mei. Wanneer ook die datum niet wordt gehaald, wordt besloten te wachten tot na de verkiezingen van 9 juni 2009. De Tweede Kamer is boos over zoveel vertraging, maar Scheltema laat zich niet onder druk zetten en benadrukt keer op keer het belang van zorgvuldigheid. Dat kan samenhangen met de dreiging van schadeclaims van bankiers en bestuurders die in het rapport worden genoemd.

Zo moeten de Autoriteit Financiële Markten en de Nederlandsche Bank op grond van de Wet op het financieel toezicht eerst bekijken of het rapport informatie bevat die tot het vertrouwelijke domein van de toezichthouders behoort. De toezichthouders willen misschien passages schrappen die Scheltema juist van belang vindt om openbaar te maken. De vertraging wordt in ieder geval deels veroorzaakt door deze procedure en de discussies die daarvan het gevolg zijn. Volgens de voormalige bestuurders van DSB Bank krijgen de toezichthouders op deze manier de kans om voor hen onwelgevallige passages uit het rapport weg te houden.

Deze vrees voor gladstrijken is niet uit de lucht gegrepen. Een medewerker van de AFM laat al kort na de aanvang van het onderzoek weten niet onder de indruk te zijn van het team van de Nederlandsche Bank dat het reguliere toezicht uitoefende in Wognum. 'Ik heb niet de indruk dat het toezicht goed is geweest', zegt hij tegen *Het Financieele Dagblad.* Twee andere bronnen stellen tegenover dezelfde krant dat 'de AFM veel eerder geneigd is aangifte te doen bij justitie of naar de rechter te stappen'. De Nederlandsche Bank is in hun ogen te bang om in een rechtszaak het onderspit te delven en gezichtsverlies te lijden. Geen wonder dus dat beide toezichthouders graag voor de publicatie van de conclusies de tijd krijgen om met elkaar te overleggen zodat zij niet, zoals ten tijde van het oordeel over Gerrit Zalm, vechtend over straat hoeven rollen.

Terwijl de AFM en de Nederlandsche Bank inzage krijgen in het hele rapport, worden de bestuurders van DSB slechts delen van het onderzoek aangeboden. Wanneer de koerier zich met de documenten meldt bij advocatenkantoor Spigthoff, krijgt hij te horen dat hij het pakket weer mee terug kan nemen. De voormalige top is van mening dat alle partijen gelijk behandeld moeten worden en nemen geen genoegen met deze in hun ogen merkwaardige behandeling. In deze opvatting worden zij gesteund door Kamerlid Mei Li Vos van de Partij van de Arbeid, die vindt dat de bestuurders dezelfde rechten moeten krijgen als de toezichthouders.

Uiteindelijk spreekt de Commissie Scheltema pas op 23 juni 2010 het langverwachte verlossende woord. Daarbij krijgen DSB Bank en in het bijzonder Scheringa het grootste deel van de schuld toegewezen. Zo heeft de bank onvoldoende oog gehad voor de eisen van een gedegen organisatie en heeft zij niet adequaat gereageerd op de toenemende stroom klachten over de klantonvriendelijke producten die werden verkocht. 'Het bedrijf heeft zijn verdienmodel niet op tijd aangepast', zegt Scheltema tijdens een toelichting. Hierdoor ontstond een situatie waarin de bank 'weinig toekomst meer had'.

Maar ook bij de toezichthouders is niet alles goed gegaan. Zij hebben te weinig daadkracht getoond. De Autoriteit Financiële Markten loopt wat dat betreft de minste schade op. Naar het oordeel van de commissie heeft het de AFM lange tijd ontbroken aan voldoende wettelijke middelen om adequaat te kunnen optreden. Na de invoering van de Wet financiële dienstverlening heeft deze instantie volgens Scheltema de nodige steken laten vallen. Zij heeft dan mogelijkheden veranderingen af te dwingen, maar laat dat te lang na.

Overkreditering, koopsompolissen en beleggingsverzekeringen worden door de commissie als grootste problemen genoemd. Volgens de commissie had de AFM bij deze kwesties sneller en harder in actie moeten komen en was het niet verstandig eerst de resultaten van diverse onderzoeken af te wachten. Wel heeft de AFM 'in de tussentijd het publiek voor de koopsompolissen gewaarschuwd en stevig transparantietoezicht gehouden'. In dat kader heeft de AFM altijd veel aandacht besteed aan DSB. Dat is volgens Scheltema weliswaar niet voldoende geweest, maar toch vielen de onvolkomenheden in het licht van de tijd en de wettelijke mogelijkheden te begrijpen.

Het optreden van de Nederlandsche Bank wordt door de commissie harder beoordeeld. Zo heeft deze toezichthouder onvoldoende aandacht besteed aan de verwevenheid tussen DSB Bank en DSB Beheer. In het laatste bedrijf zijn de museale en sportieve activiteiten van Scheringa ondergebracht. 'Deze kostten veel geld waardoor druk ontstond op DSB Bank om dividend uit te keren of leningen te verstrekken', schrijft Scheltema. 'Het inherente gevaar van belangenverstrengeling werd nog versterkt doordat bij DSB Bank geen goede regeling bestond voor de omgang met DSB Beheer. De Nederlandsche Bank had deze problematiek eerder en indringender aan de orde moeten stellen en tot maatregelen moeten overgaan.'

Ook het toezicht op de zeggenschapsstructuur, de deskundigheid en de betrouwbaarheid bij DSB zijn voor de commissie reden tot kritiek op het beleid van de Nederlandsche Bank. Naar het oordeel van de commissie was de machtspositie van de directeur-grootaandeelhouder zodanig sterk dat de Nederlandsche Bank voorzieningen had moeten eisen om een machtsevenwicht te bereiken en een verstrengeling van belangen te voorkomen. Onder deze omstandigheden was het naar het idee van Scheltema niet verstandig om in 2005 de bankvergunning toe te kennen. Ook had de toezichthouder veel sterker moeten aandringen op het op orde houden van de administratieve organisatie en op de inrichting van de compliance-vereisten.

Tot slot wordt de Nederlandsche Bank verweten dat zij haar tanden niet heeft laten zien. 'In plaats daarvan probeerde zij door zorgen kenbaar te maken en door argumenten voor verandering aan te dragen DSB tot handelen aan te zetten.' De toezichthouder had in de ogen van de commissie eerder moeten inzien dat het dwingende karakter van de argumenten bij DSB anders werd begrepen en had dus eerder de druk moeten opvoeren. Dat ging in de eerste plaats om de zogenoemde governance. De Nederlandsche Bank heeft weliswaar vaak aangedrongen op een verandering van de organisatiestructuur zodat aan de verkoopafdeling een goed tegenwicht kon worden geboden, maar heeft nagelaten deze wijzigingen ook daadwerkelijk af te dwingen.

Ongeveer een week na het verschijnen van het rapport van de Commissie Scheltema betuigt president Nout Wellink in de Tweede Kamer zijn spijt. Tijdens een gesprek met enkele parlementariers toont hij zijn medeleven met de spaarders en andere betrokkenen. 'Ik vind het buitengewoon spijtig en buitengewoon naar dat wij de schade niet hebben weten te voorkomen.' De bankpresident voegt daaraan toe dat iedereen bij de Nederlandsche Bank het als een nederlaag ervaart wanneer een onder toezicht staande instelling omvalt. Maar van excuses zal het in verband met de mogelijke juridische consequenties bij die gelegenheid niet komen. 'Spijt is iets anders dan aansprakelijk', zegt hij.

In augustus 2010 wordt duidelijk dat de Nederlandsche Bank niet zonder kleerscheuren uit deze kwestie tevoorschijn komt. Dan schrijft demissionair minister Jan Kees de Jager van Financiën een brief aan de Tweede Kamer waarin staat dat Wellink zich niet meer kandidaat mag stellen voor een nieuwe termijn als president en dat bij de centrale bank een afdeling Interventie wordt geïntroduceerd. In de pers wordt deze eenheid een commandoteam genoemd dat het recht krijgt snel in te grijpen als een faillissement dreigt bij een van de banken of andere financiële instellingen, ook als het bewijsmateriaal nog niet helemaal rond is. Met dit team moet worden ingespeeld op de eisen van de moderne tijd waarin de financiële partijen niet meer automatisch voldoen aan de verzoeken van de toezichthouders.

'Sorry, ik word even emotioneel.' Na een afwezigheid van bijna een jaar laat Dirk Scheringa zich op donderdag 9 september 2010 voor het eerst weer in de openbaarheid zien. Plaats van handeling is het stadion van AZ waar Kirsten Verdel haar boek *Project Homerus* presenteert. Zij is de laatste weken voor het faillissement intensief betrokken geweest bij DSB en heeft verslag gedaan van wat zich in die periode in de bestuurskamer heeft afgespeeld. Bovendien formuleert zij haar verontwaardiging over de behandeling die het bedrijf uit Wognum van het establishment heeft gekregen. DSB Bank is bewust en onterecht de nek omgedraaid, een andere conclusie is volgens haar niet mogelijk.

Ook Baukje is bij die gelegenheid aanwezig. Het is voor haar vanzelfsprekend dat zij haar man in deze moeilijke tijd steunt en zij wil naast hem plaatsnemen op de voorste rij. Maar dat wordt niet op prijs gesteld. Tijdens een kort onderhoud met Scheringa krijgt zij te horen dat die plaats is gereserveerd voor Verdel. Zij heeft immers het boek geschreven en moet met Scheringa op de foto. Baukje schikt zich zonder morren in haar lot en zoekt een andere stoel. Zij is zo langzamerhand wel gewend aan de vervelende behandeling die zij vaak van haar echtgenoot moet ondergaan.

Na het langdurige betoog van Verdel is het de beurt aan Scheringa. Dat is het moment waarop de massaal aanwezige pers heeft gewacht. Vooral als hij zijn tranen niet kan bedwingen en zijn toevlucht moet zoeken tot een glas water, maken de fotografen overuren. 'Tijdens de lezing van Kirsten heb ik alles weer opnieuw moeten doormaken', zegt hij met een dunne stem ter verklaring van zijn emoties. Hij voelt zich gekrenkt, tekortgedaan en hoopt op een parlementaire enquête. Uiteraard niet in de eerste plaats voor hemzelf, maar wel voor alle gedupeerde spaarders. 'Ook veel vrienden hebben hun geld ondergebracht bij DSB Bank. Ik blijf vechten voor hun genoegdoening.'

Dat gevecht is een paar dagen eerder al begonnen. Op zaterdag 4 september verschijnt in *De Telegraaf* een interview met hem waarin hij zich strijdbaarder toont dan ooit. Hij kondigt een proces aan tegen de Nederlandsche Bank en tegen Nout Wellink persoonlijk, laat weten dat hij uitstekend leiding zou kunnen geven aan de Nederlandsche Bank en kondigt aan dat een film wordt gemaakt over de val van zijn imperium. In het Engels en met een Amerikaanse acteur in zijn rol, want dit verhaal is naar zijn idee grensoverschrijdend. 'Ik neem mezelf wel degelijk ook zaken kwalijk', zegt hij tegen de journalisten. Maar het schuldgevoel voert tijdens het gesprek duidelijk niet de boventoon. 'Het is misgegaan door anderen, ik heb wel duizenden feiten.'

Verder kondigt Scheringa in dit interview aan, tegen de zin van zijn familie en van vele vrienden, weer in de bancaire wereld actief te worden. Hij zou al benaderd zijn door een aantal mensen die samen met hem een internetbank willen opzetten. Daarbij is voor hem niet de rol weggelegd van bestuursvoorzitter, maar zou hij een soort adviesfunctie krijgen. Dit verhaal wordt echter een paar dagen later weer ontkend door Kirsten Verdel. Dat neemt niet weg dat Scheringa bezig lijkt met een nieuw project. Hij heeft enkele voormalige werknemers al gevraagd weer voor hem te komen werken. Maar in welke richting die activiteiten gezocht moeten worden, blijft nog een groot geheim.

De advocaten en de curatoren van DSB Bank lijken niet erg gelukkig met de uitlatingen van Scheringa. Ook de overige leden van de voormalige raad van bestuur distantiëren zich van zijn uitspraken en verschijnen niet tijdens de boekpresentatie. Zij weten dat het in verband met hun verdere carrière niet verstandig is al te hard uit te halen naar de autoriteiten. Daarom ook hebben zij de publicatie van *Project Homerus* maandenlang tegengehouden en verschijnt het boek met grote vertraging op de markt. De media begonnen zich al af te vragen of het ooit nog zover zou komen of dat sprake was van de volgende dagdroom van Scheringa.

Tot genoegen van Scheringa zijn deze dag wel veel oud-werknemers en vrienden komen opdagen. Voorafgaand aan de presentatie loopt hij rond om hen te begroeten. Hij drukt vele handen en de dames kunnen rekenen op een warme omhelzing met zoen. Maar zij krijgen geen gratis boek. Die zijn voorbehouden voor de pers. De overige aanwezigen kunnen een exemplaar kopen voor 22,50 euro bij een stalletje dat in de zaal voor dat doel is ingericht.

Ondanks de tegenstand van de advocaten en de voormalige leden van de raad van bestuur laat Scheringa zich niet tegenhouden. Zijn woede moet een uitlaatklep krijgen. Dat voelen in de eerste plaats de leden van de raad van bestuur die het bedrijf al eerder hebben verlaten omdat zij niet konden leven met de bedrijfsvoering. In *Project Homerus* krijgen ze nog een flinke trap na. Jaap van Dijk zou bijvoorbeeld een puinhoop hebben achtergelaten op de Duitse vestiging, en Reggie de Jong heeft naar zijn idee nog nooit een rol van betekenis gespeeld in het bedrijf.

Scheringa is gekrenkt tot op het bot, miskend en kruipt met grote overtuiging in de slachtofferrol. De Nederlandsche Bank liet hem immers vallen toen hij hard op weg was de beste consumentenbank van Nederland te worden. Hij voert aan dat hij als eerste een 'niet goed, geld terug'-garantie bij hypotheken bood, dat hij, anders dan veel andere financiële instellingen, sinds 1 april 2009 geen koopsompolissen meer verkocht, en dat zijn verkopers bij adviesgesprekken een vaste vergoeding krijgen zodat zij zich onafhankelijk kunnen opstellen.

Bovendien zijn de solvabiliteit en de liquiditeit van DSB Bank bijna tot op het laatste moment boven de door de toezichthouder verlangde niveaus blijven liggen. Natuurlijk, soms was het kantje boord, maar uiteindelijk blijft het bedrijf aan de voorschriften voldoen. Verder verkochten ook de andere banken koopsompolissen en maakten ook die zich schuldig aan overkreditering. Uiteindelijk lijkt de schade wel mee te vallen. In januari 2010 maken de curatoren namelijk bekend in totaal slechts 150 schrijnende gevallen te zijn tegengekomen. Van de ongeveer 3000 klagende klanten is dat het aantal dat voor een noodregeling in aanmerking komt.

Tot slot heeft Scheringa aan het verlangen van de Nederlandsche Bank voldaan door afstand te doen van zijn aandelen. Al eerder heeft hij Gerrit Zalm de positie van bestuursvoorzitter aangeboden. Dat die overstapte naar ABN Amro, kan Scheringa ook niet helpen. En ook later heeft hij nog driftig gezocht naar een koper die althans een deel van zijn aandelenbezit zou willen overnemen. Hij ziet geen enkele reden waarom juist DSB Bank zo hard is aangepakt. De toezichthouders willen hem naar zijn idee bewust de nek omdraaien.

Voor de *haircut* heeft hij dan ook geen enkel begrip. Ook ziet hij niet dat DSB van de Nederlandsche Bank steun krijgt aangeboden in het kader van Emergency Liquidity Assistance, een regeling die voor rekening komt van de Nederlandse belastingbetaler. Als de toezichthouder DSB daadwerkelijk zo snel mogelijk van het toneel had willen laten verdwijnen, was die maatregel nooit voorgesteld. Maar ook dat ontgaat Scheringa.

Toch hebben de Nederlandsche Bank en de Autoriteit Financiële Markten onder de naam Project Homerus bij Scheringa aangedrongen op het naar voren halen van zijn aftreden. Deze actie is niet zozeer het gevolg van een persoonlijke vete als wel de uitkomst van een jarenlange geschiedenis. Daarin heeft Scheringa zich consequent opgesteld als een buitenstaander, heeft hij steeds het onderste uit de kan proberen te halen en is hij al dan niet bewust herhaaldelijk op de tenen van zijn collega's gaan staan. Scheringa voert pas veranderingen door bij zijn bedrijf nadat zware gevechten met de toezichthouders zijn geleverd. Op die manier heeft hij natuurlijk geen vrienden gemaakt in de financiële wereld. Daarbij moet ook gezegd worden dat de andere bankbestuurders hem niet bepaald met open armen ontvangen.

Belangrijker nog is dat Scheringa voor de andere bankiers van een andere planeet lijkt te komen en zij de gevolgen van zijn wispelturige gedrag moeilijk kunnen inschatten. Zo weet niemand op het moment suprême hoeveel risico's in de boeken van DSB verborgen zitten en weet niemand hoeveel claims zij nog tegemoet kunnen zien. Iedereen heeft in het verleden horrorverhalen gehoord en de cijfers die het bedrijf zelf afgeeft, worden absoluut niet vertrouwd. Als dan ook nog het ministerie van Financiën weigert om bij te springen als het misgaat, kiezen de bankiers liever voor een berekenbare bijdrage aan het depositogarantiestelsel dan dat zij met een overname een onzeker avontuur tegemoet gaan. Zeker nu de kredietcrisis diepe sporen heeft getrokken en de zittende bestuursvoorzitters over weinig ervaring beschikken, ontbreekt de ondernemingszin en worden de risico's zo veel mogelijk gemeden.

De onvoorspelbaarheid van Scheringa zorgt ook voor weinig vertrouwen in de toekomstplannen van DSB Bank. Nu geen koopsompolissen meer worden verkocht, moet het bedrijf dringend op zoek naar een ander verdienmodel. Zo wordt in 2009 in het diepste geheim gesproken over een plan om jaarlijks 6000 eerste hypotheken met een Nationale Hypotheek Garantie te gaan verkopen. Als dat idee wordt gelanceerd, verkoopt het bedrijf niet meer dan 500 van dit soort producten. Hoe de uitbreiding precies tot stand moet komen in een door de kredietcrisis ingezakte huizenmarkt, is ook bij de meeste medewerkers van DSB volstrekt onduidelijk. 'Het was pure luchtfietserij', zegt een van hen.

In totaal worden meer dan dertig verschillende verdienmodellen besproken door de raad van bestuur. In een plan van 27 juli 2009 wordt gekozen voor de variant van een internetbank. Dat 'betekent dat wij alles online aanbieden met hulp (bijv. hypotheken). Dat wij géén kantoren en grote aantallen mensenwerk inzetten', aldus de raad van bestuur in het verslag. Nauwelijks een maand later maakt de raad van commissarissen gehakt van dit plan en in september laat ook de Nederlandsche Bank weten niet met de voorstellen te kunnen leven. 'De door u verstrekte informatie biedt ons onvoldoende informatie [sic] om vast te kunnen stellen dat DSB Bank in staat zal zijn een levensvatbaar bedrijfsmodel te ontwikkelen.'

*

Scheringa laat vanaf 2000 zijn eerste steken vallen. Angst en overmoed spelen daarbij een centrale rol. De eerste wordt gestimuleerd door de ontvoeringsdreiging die inhaakt op zijn oude gevoel van onveiligheid. Scheringa neemt bewakers in dienst, laat zich afschermen van de werkelijkheid en spreekt met steeds minder mensen in het bedrijf. Tegelijkertijd krijgt hij zijn eerste bankvergunning. Die maakt het hem mogelijk meer leningen op eigen boek te nemen en via de hypotheekmarkt en de daaraan gekoppelde koopsompolissen de jacht op het grote geld in te zetten.

De keerzijde is dat ook het verdienmodel verandert. Waar hij vroeger uitsluitend bemiddelde voor andere maatschappijen, wordt DSB na 2000 geconfronteerd met steeds meer risico's. Maar Scheringa is lange tijd blind voor de gevaren en reageert niet adequaat op de economische en maatschappelijke tegenwind. Zo onderkent hij pas op het laatste moment de gevaren van de negatieve publiciteit, de koppelverkopen en de koopsompolissen. Hij voelt zich onoverwinnelijk, blijft geloven in de optimistische scenario's die in het bedrijf de ronde doen en investeert op grote schaal in zijn geldverslindende hobby's. Hij neemt de risico's niet waar en dus worden die niet op een adequate wijze afgedekt.

Ook weet Scheringa zich geen raad wanneer in de raad van bestuur na de komst van Hans van Goor conflicten ontstaan. Door zijn gebrek aan bancaire kennis leunt hij zwaar op zijn medebestuurders. Dat gaat goed zolang in de raad alles harmonieus verloopt. Dan maakt hij in ieder geval intern de juiste keuzes en reist hij met Baukje alle kantoren langs om daar de medewerkers te stimuleren. Dat resulteert in een bedrijf waar geen politieke spelletjes worden gespeeld en waar de mensen graag en met grote inzet werken. Zij identificeren zich met DSB Bank en halen het niet in hun hoofd om alle overuren te declareren.

Als vanaf 2004 onenigheden ontstaan, raakt Scheringa in verwarring en laat zijn door zichzelf zo geroemde 'sociale antenne' het compleet afweten. Zijn op eenheid en warmte gerichte strategie werkt niet meer en hij begint fouten en ruzie te maken. Het wantrouwen krijgt een nieuwe impuls en bestuursleden die niet zonder slag of stoot instemmen met zijn plannen worden neergezet als spionnen van de Nederlandsche Bank.

Ook zijn bewijsdrang speelt daarbij een grote rol. Scheringa wordt niet zozeer gedreven door een grote geldzucht. Voor vrienden in nood trekt hij graag zijn portemonnee en op het gebied van liefdadigheid heeft hij in Ethiopië een school voor kansloze kinderen gesticht en betaald. Maar hij wordt waarschijnlijk in toenemende geplaagd door een verlangen naar onsterfelijkheid. AZ moet kampioen van Nederland worden en zijn museum moet een toonaangevende plaats innemen in de kunstwereld. DSB Bank moet het geld leveren om deze wensen te realiseren. Scheringa slaagt voor een groot deel in zijn opzet, maar strandt uiteindelijk met de finish in zicht.

Een gebrek aan vertrouwen wordt Scheringa op het laatst noodlottig. Dat heeft hij in de eerste plaats aan zichzelf en aan zijn keuzes te wijten. Hij is geen slecht mens, maar hij krijgt het te hoog in de bol en maakt processen los die hij niet meer kan beheersen. Zo denkt hij dat hij geen moeite hoeft te doen om bondgenoten aan zijn kant te krijgen en dat hij als buitenbeentje in de financiële wereld kan overleven. Daarbij houdt hij op geen enkele manier rekening met het feit dat de banken in hoge mate afhankelijk zijn van elkaar. Als de één valt, moet de ander voor de schade opdraaien.

Zoals Baukje al veel eerder vreest, blijkt Scheringa met zijn impulsieve en tegendraadse karakter niet in staat de rol te spelen die van hem wordt verlangd. In het belang van de spaarders, de medewerkers, zijn huwelijk en zijn geluk was het verstandig geweest beter naar zijn vrouw te luisteren.

Register